Marginales 62

# Juan Larrea

# ANGULOS DE VISIÓN

Edición de Cristóbal Serra

Tusquets Editores

Barcelona

1.ª edición: junio 1979

© Juan Larrea

© de la selección y el prólogo: Cristóbal Serra

© de la cubierta: Claret Serrahima

Reservados todos los derechos de esta edición a favor de Tusquets Editores, S. A., Barcelona, 1979

Tusquets Editores, Iradier, 24, Barcelona-17

ISBN 84-7223-062-7
Depósito legal: B. 22074-1979

Gráficas Diamante, Zamora, 83, Barcelona-18

# Indice

# Proemio

*Todos los estudiosos de la obra de Juan La-*
*rrea coinciden cronológicamente en decirnos*
*que el poeta, después de 1932, no volverá a es-*
*cribir versos, porque otras empresas, y no me-*
*nores, le llaman. Así, al lirismo de los años an-*
*te-bélicos sucederá su nueva manera literaria*
*lírico-discursiva, místico-reflexiva. Que las ex-*
*periencias de materia cultural le hayan hecho*
*abandonar la poesía lírica nada tiene de extra-*
*ño, dadas las perspectivas que se le abrían. Sin*
*embargo, los que no entienden de esfuerzos in-*
*gentes, los que conciben la literatura como una*
*feria de vanidades, y no como autoinmolación*
*constante, poco han de comprender este gesto*
*abandonista.*

*Con su natural propensión a la modestia, La-*
*rrea —en su «Carta a un escritor chileno»—*
*ha explicado el susodicho caso de abandono:*
*«le respondí que por mi parte, hacía ya varios*
*años que había desatendido el ejercicio litera-*
*rio de la poesía, pero que ello en nada modifi-*
*caba mi actitud poética, sino que, al contrario,*
*era producto de una penetración más directa a*
*su ser real y profundo». (El interlocutor a que*
*alude es Pablo Neruda, que le acometió, por*
*cierto, de un modo abominable).*

*Este párrafo transcrito prueba que su voca-*

ción poética siguió intacta, aunque vertida desde entonces en adelante en otros canales que han de parecerle más interesantes y más consecuentes. Basta echar una ojeada a la vasta bibliografía (que vino después de esta decisión que marca hito) para cerciorarse de que esta vez un poeta abandona el verso, para ser en prosa, si cabe, más poeta. Con razón de su prosa dirá Gerardo Diego que es —de otro modo, poesía. Pero lo que no se ha dicho del poeta en prosa, dándole el relieve que desearíamos, es que en él se nos revela el profeta —así, a secas.

Pronunciar la palabra profeta y rasgarse los más las vestiduras es todo uno. Más, como no hemos de librarnos de pasar por osados, diremos paladinamente que en estos escritos escogidos de Larrea no hay ni uno que carezca de aliento profético. El que parece más ajeno a la profecía, la contiene y con creces. Porque no es profeta quién quiere, sino quién puede. Y a Larrea, a partir de ciertas fechas, no le ha faltado la asistencia que el Espíritu otorga a sus elegidos.

Cuando un profeta reaparece (es ley que los profetas reaparezcan), suele tener sus seguidores, pero aún más sus rechistadores. Es natural que así sea, pues, trate de lo que trate, le presta aquel tono que a unos gusta y a otros repele. Gusta a los afines que no son muchos y repele a los reacios que son los más. Y ésta es paradójicamente la gran virtud literaria del profeta. Leemos aún hoy a los profetas de Israel por el imán que tienen, por ser seductores para unos e insoportables para otros. Nada de simbólico, nada de figurado en lo que dicen. Todo suena a auténtica pasión.

La mentalidad eclesiástica, que es la que más rechista con los profetas, les abruma con su incomprensión, empedernida como está en sus trece. Quién sea lector de la Biblia sabe a qué atenerse respecto al recelo que siempre inspiraron los profetas. ¿O es que no recelaron de todos ellos? ¿O es que no fue Jesús el que mayores recelos y enconos despertó?

Para mí, sin ambages, Larrea está tocado por el espíritu profético. Lo que no quiere decir que esté divorciado con el espíritu crítico. ¿Acaso Jesús no fue el más crítico de los críticos para el Judío ortodoxo? ¿Las claridades que trajo no son todas ellas críticas, y muy críticas?

Volviendo a los profetas, quién ha dicho de ellos palabras superiores es León Felipe. En un espléndido discurso poemático, pronunciado en México en 1967, se expresaba en estos términos: «Hablaban un lenguaje directo. Sin embargo, alguna vez usaban la metáfora y la parábola. Las gentes entonces solían comentar ¿qué habrá querido decir? Pero no eran sibilinos ni criptográficos. Su estilo era cálido, afilado y duro como el pedernal, desde luego... no era adulatorio. Su voz era grave y no se quebraba ante el tirano.» No he podido resistirme a la cita porque tenía que preguntar: ¿No se ajusta Larrea a esas raras cualidades? Estoy seguro que sí. Su limpia ejecutoria de defensor de la causa del pueblo, su denuncia de la sinrazón histórica, me aseguran que sí y además el que adivina verdades eternas o eternizadoras sabe dónde se esconde el profeta y dónde no.

Los profetas, lejos de ser jefes gregarios, fueron personas de ardorosas convicciones que em-

11

plazaban a las autoridades y denunciaban su maldad y su ceguera. Algunos fueron padres de familia hacendados. Otros no podían tenerse de pobres y vagaban entre soledades donde se expandía el eco de sus gritos que simbolizaba el desprecio con que era acogido su mensaje.

Con decir que Larrea es profético, no nos queda enteramente perfilado. Para que quede bien delineado su diseño personal, hay que añadir que viene de casta milenarista. Decir «milenarista» es no decir nada para muchos. Se desconoce hasta tal punto la prosapia del milenarismo, que al revolucionario de nuestros días no se le ocurre pensar que él no es el original, sino el milenarista. Antes de que cacareara sus rebeldías, hubo ya la insubordinación religiosa-milenarista. Por eso, Larrea, al que los marxistas tildan de subversivo, nos viene a decir, en sus muchos escritos proféticos, que el mundo se reparte entre: milenaristas, antimilenaristas, y aquéllos tan ambiguos que no saben ellos mismos lo que son. Mas yo añadiría, que sí saben lo que se llevan entre manos.

Esta tradición milenarista, porque tradición milenarista tenemos, fue descartada por la Iglesia, quién, dándola por cancelada, la motejó duramente de estirpe judaica, de reprobable. No ignorando que de estirpe judaica son todas las bases en que ella se asienta que, de otro modo, trono no le quedara.

* * *

Por todo ello, este seleccionador procedió a una criba rigurosa de la obra apocalíptica de

12

Juan Larrea, consciente de que en ella —combinando lo lírico y lo reflexivo, lo racional y lo místico, lo discursivo con lo mágico y profético— se revela plenamente su personalidad más original.

El título introductorio del presente volumen lo constituye la breve prosa «Atienza», extraída de «Versión Celeste», que encierra no poca enjundia. Se escribió en 1927, y por estimarla a posteriori henchida de premonición y de destino hispánico, el poeta la analizaría en 1934 extensamente en texto inédito. Notablemente, en ese análisis interpretaba el paso de los 6 aviones —hecho absolutamente real— como referencia a los 6 ángeles del Apocalipsis que anunciaban en el reloj del mundo la inminencia de la hora séptima y definitiva en que se develaría el misterio.

El segundo texto —«Teleología de la Cultura»— es por su naturaleza un informe, pero su propósito hace de él una autodefensa. Nos descubre al hombre superior acosado por la gregaridad, forzado a dar una explicación que resultará ejemplar. Si sus contrarios, en el terreno cultural, pretendían acabar con sus explicaciones, lograron el efecto contrario. Pues, ese grupo de estudiantes y egresados que se encaramaron al Consejo de la Facultad de Filosofía y Letras de Córdoba y que habían jurado expulsarle, lo único que lograron es quedar desairados como facción cultural de resabios decimonónicos. En este texto es donde explica Larrea su sistema y la base intelectual de sus trabajos académicos, dejando patente que sus especulacionees poético-escriturarias no son escarceos gratuitos de una mente burguesa.

13

*Por este informe desfilan los temas cardinales del Larrea investigador: el fenómeno Prisciliano-Santiago, la apocalíptica de Daniel, la importancia revolucionaria del Apocalipsis. Es aquí donde Larrea anuncia que el descubrimiento de lo de Prisciliano es profundamente subversivo; es aquí donde nos habla de esa particularidad del libro de Daniel de desdoblarse en dos inteligencias: una la ficticia y literal que atribuía su composición a un visionario israelita cautivo en la Babilonia del siglo VI antes de Cristo, y otra auténticamente histórica que fijaba su redacción en el año 156. En suma, Larrea nos deja esclarecido que una era la realidad factual y otra la imaginaria, tradicionalmente confundidas. Es aquí asimismo donde nos hace saber de estos siete años de riguroso aislamiento en Norteamérica que le llevaron a dar con la clave explicativa del fenómeno misterioso que es el Apocalipsis.*

*Y ahora es cuando viene a cuento hacer referencia a «La Espada de la Paloma», la obra tal vez capital del Larrea investigador y profético. Esta obra es de todas las suyas la más vinculada al Apocalipsis. Arranca propiamente de esta visión y de una crisis histórica (que se produjo en Corinto) para, según Larrea, develarnos históricamente la enigmática profecía neotestamentaria. El precioso libro de Juan, que tan mancos intérpretes tuvo a través de los tiempos, encontrará en Larrea, si no su definitivo, su más veraz y original entendedor. Para comprenderlo de modo tan acabado y penetrante Larrea ahonda en la patrística, no dejando de leer ni uno solo de los Padres Apostólicos, y escarba en los documentos joaninos, sacando*

*insospechadas interpretaciones. Para entender
este libro que disloca cuanto ha pronunciado
hasta hoy la hermenéutica tradicional, hay que
tener siempre presente la Epístola a los Corintios de Clemente Romano. Quién la tenga a
mano, que se la lea y no se pierda su más re-
cóndito sentido. Entonces quedarán mejor sub-
rayadas las verdades que Larrea nos descubre
a lo largo del libro —que como el Apocalipsis
se convierte en una requisitoria contra Roma y
su Papa Clemente.*

*Comprendo al Larrea fustigador implacable
de la Iglesia, después de leer esta carta que
hace entrega del bien precioso del cristianismo
poético al poder militarista de Roma. En la
epístola no resplandece la Verdad Poética de la
figura de Jesús y sí un marcado espíritu despótico. Clemente no sólo admira la disciplina del
ejército de Roma, no sólo exalta lo castrense,
sino que quiere convertir a la Iglesia en ordenanza. Ante la mirada sagaz de Larrea, la epístola manifiesta una intención subordinante, militar, que traiciona las tendencias básicas del
espíritu de profecía que anima la tradición
judeocristiana.*

*Contra este arquetipo de Iglesia, claudicante,
entregada al monstruo del cesarismo, haciendo
toda clase de pactos con él, se escribe la requisitoria del Apocalipsis. Esta explicación, que
a nadie se le había ocurrido, cobra tal importancia, que el Apocalipsis aparece con un sesgo
nuevo, después de haber leído «La Espada de
la Paloma». Se comprende que Larrea se sienta portador de una nueva luz que ha de transfigurar la constitución y significado de las líneas
básicas de la cultura occidental.*

Confesemos que no es libro que sigue un orden rectilíneo, como quiere el cartesianismo clásico. Más bien zigzagueante, nos ofrece los descubrimientos de una imaginación libérrima al servicio de una pasión milenarista. Se ve que se redactó de un tirón, o a tirones. Como tal vez se redactó el Quijote o como nació el Corán, que también da al lector la impresión de parto calenturiento.

* * *

Un tema específico de esta antología, en relación con la tragedia española, es la experiencia poética de César Vallejo. Los lectores del poeta peruano sabrán que su Poemario sobre España es no sólo su última expresión poética inesperada sino la más excelsa de las suyas, por el acento, la originalidad, y el valor profético. Acaso no haya en toda Europa (en el momento catastrófico en que se produjo) una poesía que se pueda emparejar a ésta.

Pues bien, Vallejo resulta ser para Larrea otro elemento de la gran serie revelatoria, en quien ve personificada la función primordialísima del Verbo. Como poeta testigo no tiene par, si se exceptúa el aspecto revelatorio de Rubén, y ante él ceden en valor profético Martí, Unamuno, Lorca, Huidobro o León Felipe, por más que puedan ser interesantes proféticamente. Llegar a estas conclusiones no está al alcance del primero, que ha de quebrarse la cabeza ante las expresiones y poemas abstrusos del último Vallejo. Pero Larrea, el develador de tantos misterios, posee la clave vallejiana, al igual que poseyó la apocalíptica. Y fruto de ese

16

su saber poético es el fragmento intitulado: «César Vallejo, Héroe y Mártir Indo-hispano», en el que nos abre con su llave mágica los arcanos de la poesía vallejiana y de paso nos descubre también su fondo de gran poeta escatológico.

Otro tema específico que la inunda de luz es el del Israelismo. A diferencia de quienes han endiosado la Hélade y todo lo que viene de allá, Larrea juzga que la cultura helénica no pasa de ser un producto del hombre psicosomático. Para él, son estáticas la cultura china, la hindú, la griega, por faltarles el Espíritu creador. Según Larrea, sólo este Espíritu es propio de la cultura judeocristiana. Y es más, en lo relativo al futuro de la Humanidad, sólo esta cultura se sitúa por derecho propio en el campo cualitativo. Recojamos su sentir escueto en este punto tan trascendental: «Sólo el pueblo judío como tal, es decir, en virtud de su planteamiento colectivo y a-individualista, se ha mostrado capaz de consagrar su interés al porvenir para entender la existencia de la especie e inclusive la del planeta, en función de dicha perspectiva teleológica». En contraposición, observemos que una civilización tan prestigiada y admirada como la griega (sobre todo entre los anglosajones) no ha manifestado interés alguno por el porvenir de la especie.

Esa su concepción del Israelismo llevará a Larrea, en «Singularidad del Judeo-Cristianismo» a llenarse la boca con la escatología judeocristiana y a advertir a las retardatarias mentes anglosajonas donde radica el vicio mental de su consabido conservadurismo.

La concepción del Israelismo, aunque sim-

*ple, consiente interpretaciones diversas. De aquí
que entre sus «adscritos» los haya que contra-
rían esta concepción, renegando de sus propios
cimientos. No otro es el caso del catolicismo secular. Ocioso es recalcar el poco apego que
siempre mostró la Iglesia a las concepciones
porveniristas. Siempre las motejó de despropó-
sitos cuando no de resabios judaizantes, para
mantenerse en lo que ella entendía ser el fiel de
la balanza.*

*Pero la teleología arrebató a no pocos espí-
ritus a lo largo de las edades. Y se da el caso
que éstos pertenecen a la casta de los desplazados religiosos. Larrea ha prestado atención a
tres de ellos en su incitante «Razón de Ser».
Estos son:* Berdiaeff, Maistre y Bloy. *Las páginas que en el susodicho libro les dedicó no
podían dejar de estar presentes en esta antología porque además dan sentido complementario a «Singularidad del Judeo-Cristianismo».
Quizá una misma concepción una a los tres,
aunque presenten interpretaciones diversamen-
te matizadas. Estimo que todos ellos vuelven al
Dios adusto del Testamento Viejo y que no están para templanzas y menos para contempori-
zaciones.*

*Yo diría que el catolicismo de Maistre y de
Bloy es judaico, y de Berdiaeff diría que nadie
más ansioso que él del Reino de Dios que aún
nos aguarda y hacia el que avanzamos poco a
poco.*

*Lo que se desprende claramente de estos tres
ensayos aquí recogidos es que estos hombres,
cada uno a su modo, no son simples polemistas,
ni siquiera panfletistas, sino profetas, en sentido analógico. Los tres, vociferando contra vien-*

to y marea, con sus advertencias intempestivas, se nos muestran hermanos de Jeremías y de Ezequiel y jueces de las cosas temporales según el punto de vista del Eterno. Que quede claro que para tener espíritu profético no se requiere la santidad. Así pues, quienes menosprecian al «profeta» porque le niegan santidad, sepan que San Pablo dejó dicho que los dones de Dios son diversos. Y conste que Larrea, al verlos proféticos, no es ningún confusionario y sí un enorme intuitivo que ha sabido ver la garra judaica en el tronco de las concepciones de estos tres desplazados.

\* \* \*

El Surrealismo, el punto más extremado y extremoso del vanguardismo francés, es sometido a severo juicio en las páginas que se recogen bajo el título «El Surrealismo entre Viejo y Nuevo Mundo». No son muchas las páginas seleccionadas de este ensayo singular, pero lo bastante agudas para que el lector sepa a qué atenerse de una vez sobre «el modo occidentalista» del Surrealismo y sobre la cultura europea, parcial, hemicíclica, a que con pleno derecho entronca.

El «Surrealismo entre Viejo y Nuevo Mundo» está escrito con no poca desenvoltura y ofrece asomos insospechados de ironía. Estas páginas, las primeras que Larrea escribió para ajustar las cuentas a Breton y a su grupo, nos parecen las más espontáneas y también las más luminosas que se han escrito sobre el «negrizante» fenómeno. Se sostiene en este ágil ensayo que cabe entender el movimiento surrea-

19

lista como «el impulso allendizante de última extremidad propio de Europa y del período angustioso de entreguerras». Se trata de una visión neomúndica del Surrealismo, de la que Breton, desdeñoso, se hizo el ignorante. No extrañamos, por otra parte, su silencio de personaje dolido, porque en esta visión de Larrea el fenómeno surrealista aparece bajo una luz cruel, íntimamente desenmascaradora. Leyendo todo su contenido, nos hacemos cruces de que Larrea se haya atrevido a enviar este escrito al jupiterino Breton. No podemos creer que se trate de una ingenuidad del autor, por otra parte tan lúcido, sino de un natural desplante y además muy español. «Ahí van ésas», parece que dice con cierto retintín a través del escrito.

Repetimos que se trata de un ensayo precioso por lo revelador. Jamás la disparidad cristianismo-surrealismo se puso tan de resalto. Otros estudiosos (Alquier, Carrouges) habían visto el lado demónico del Surrealismo, pero no pasaron de dejar sentada la oposición, sin más. Larrea, que sabe de vericuetos luciferinos, declara aquí tajante que «el surrealismo sigue siendo antítesis, bajo el signo voluntarioso de Lucifer». Subrayaremos lo de voluntarioso porque indica un talante de obcecación en quienes se presentan portadores de luz. Además, la terquedad es muy propia del luciferiano, por aquello de que Lucifer y Cristo son fuerzas antagónicas. Es sintomático que Larrea achaque al Surrealismo el haber ignorado o el haber querido ignorar «esa inmensa nebulosa que gira en torno de la Biblia».

Ninguna extrañeza han de producir todas esas afirmaciones interpretativas del fenómeno

*surrealista, si nos hallamos, como afirma La-*
*rrea, en las postrimerías de un mundo.*

* * * *

*El criterio de este seleccionador ha encontra-*
*do sus trabas ante «Rendición de Espíritu»,*
*obra inconmensurable, que no pudo quedar re-*
*presentada en tantas páginas como él hubiese*
*querido. El libro, de una riqueza profética in-*
*superable, desbordaba los lindes de esta anto-*
*logía. Cabida en ella podían tener tantísimas*
*páginas que, al final, optó por el capítulo xvi,*
*titulado «Amor de América» porque anuncia*
*ya en 1943 algunos de los temas que más tarde*
*darán mucho juego, como el Apocalipsis, el*
*Milenio, el Caballo de Santiago, la profecía de*
*Rubén Darío (éste en conexión con Martí y*
*Walt Withman) y la predestinación de Améri-*
*ca, en especial la hispana. Lo que llegó a ser in-*
*candescencia profética en «La Espada de la Pa-*
*loma» en 1956 ya estaba aquí preanunciado.*
*Nos referimos sobre todo a la oposición neta*
*entre el mundo de Roma y el mundo del Amor.*
*Y ese pueblo español que debía ser víctima de*
*la Iglesia romana.*

*Este capítulo final de «Rendición de Espí-*
*ritu» ofrece, además, al lector la oportunidad*
*de opinar por sí mismo sobre si posee o no*
*algún viso de verosimilitud la sugerencia aven-*
*turada al final de «Carta sobre la Oda a J. T.»,*
*de que el viraje poético a favor de América de*
*Neruda se debe al tema del Amor-inversión de*
*Roma, que se encuentra en esa jacobina «Ren-*
*dición de Espíritu». No ofrece la menor duda,*
*dado el talante de Neruda en «Canto General»,*

21

que su cambio de actitud brusca y radical, en la temática y hasta en la «táctica», se debe a la lectura del libro de Larrea aparecido en México en 1943. También debió leer su «Surrealismo entre Viejo y Nuevo Mundo», aparecido en 1944. Pues bien, Neruda no dio a conocer hasta principios de 1946 su famoso poema «Alturas de Machupicchu» donde «expresa su cambio y donde precisamente explota el valor poético trascendental de América y su fundamento en el Amor, temas que le habían sido del todo ajenos hasta este momento, y que se apropió como sujeto en provecho de sus actividades partidistas». Creo que a la crítica celosa de poner las cosas en su sitio, ha de preocuparle un problema de este jaez, cuyo esclarecimiento hace que podamos rendir justicia a la irradicción de la «profecía» de Larrea. Que se sepa quién fue el primer vocero de esa América que ha de cerrar el gran ciclo adánico y donde el hombre ha de vivir en contacto con el mito edénico.

\* \* \*

El Recordatorio español, recogido íntegro, representa la traca final del volumen y al propio tiempo uno de los aspectos más importantes de la producción apocalíptica de Larrea. Tratándose de una vindicación histórica, que se propone lograr un poder suasorio, nos introduce históricamente en el momento apocalíptico de la catástrofe civil española que se manifestó entre 1936 y 1939. Podemos decir que, con este alegato convincente como ningún otro, el lector tiene la clave para entender de una vez la trai-

22

ción sórdida y alevosa de que fue objeto España en aquellos días. Y sobre todo ese lector podrá poner en claro (si esa claridad no la había aún alcanzado) sobre quién pesa la enorme responsabilidad de un conflicto que se da como zanjado por quienes contribuyen a que no tenga carácter transitorio. Todavía, por más que se propale, no hemos alcanzado «la edad superatoria» que lo había de superar. Y puede que no llegue por ahora. Además, ahí está lo escrito airadamente por Larrea para determinar el verdadero sentido de los sucesos de España en aquellas fechas. Para el autor de este indeleble «memento» todo presenta el cariz de un monstruoso error, del que culpa a la nobleza, a la milicia y al clero. Culpará asimismo al mundo que rodeó a España, aquel Viejo Mundo de ciegos egoísmos y de turbias actitudes del que no está excluida la vieja Albión. En otro lugar, ha resumido Larrea el martirio del pueblo español que en estas páginas se nos presenta sin velos. «En la lucha entre la fuerza y la tendencia ingenua hacia su más allá triunfa materialmente la primera en todo su bestial egoísmo, triunfa la saña, la impiedad, el ejército con sus infernales máquinas de destrucción, el «muera la inteligencia», la mentalidad hercúlea para la cual el asesinato colectivo es inherente a lo que ella entiende por naturaleza humana puesto que, suprimida la guerra, su razón de ser perdería toda vigencia entre los hombres. Tan triste empresa gozó de la complicidad más o menos activa y declarada, pero no menos efectiva, de cuantas naciones viven dentro de ese círculo cultural (de Occidente) y en la medida exacta de franqueza o hipocresía que dentro de él co-

23

rresponde a la posición relativa de cada una».

Falta decir que, en este lote de cargos históricos, condena Larrea inexorablemente a la Iglesia por haber perpetrado (¡la que más!) el crimen cainita en el finisterre español. Para el lector de esta antología no ha de producirle asombro tal condena, pues, en las primeras páginas recogidas de «La Espada de la Paloma» queda claro que la condena de Pedro-Roma es cosa escatológicamente sustancial dentro del Nuevo Testamento, que la sugiere por doquiera en formas más o menos recatadas o explícitas.

Ahora bien, ha de tenerse muy en cuenta que éste no es tan sólo un libro profético. Su rica variedad, fácil de comprobar, ha de desmentir a quién quisiera asignarle esta nota única. Hágase por lo demás un recuento de temas de esta antología y se verá que en ella no prepondera únicamente lo profético. Obsérvese que hay páginas que miran estrictamente a lo literario, como pueden ser «Hechura de Un coup de Dés» y la primera parte, por decirlo así, de «César Vallejo, Héroe y Mártir Indo-hispano». Si después este ensayo-conferencia cobra vuelos apocalípticos, no por ello la primera parte deja de ser una pura labor hermenéutica, más literaria que otra cosa. Lo mismo cabe decir de otros textos que componen la antología, que no pueden clasificarse como estrictamente proféticos. Todos los que versan sobre «Tres Desplazados» son de tal naturaleza que, sin ser secundaria la nota profética, podemos decir que Larrea no está empeñado en hacer de ella el norte del en-

24

*sayo. Si resultan proféticas estas páginas (como tantas otras) es a despecho del tema, que es más bien de índole cultural y hasta diría que histórica.*

*Ante algunas páginas de esta antología el lector no podrá asegurar que constituyen este o aquel otro género literario. Veamos, a guisa de ejemplo, la enorme (en pocas páginas) «Teleología de la Cultura». Aquí Larrea lo baraja todo. Empieza por justificar su obra investigadora, luego hace historia de los muchos trabajos y luchas que ésta le ha acarreado, para sentar al final afirmaciones tan revolucionarias en el plano de la Cultura, que vemos a ésta sufrir un revés mayúsculo. Su nueva visión crítica del Apocalipsis, según se anuncia aquí, ha de acabar con el desorden interpretativo secular, que tantos malentendidos trajo. Por lo que atañe a lo de Prisciliano, éste se perfila como un personaje tan cercano a nosotros que llegamos a participar de sus ansias y afanes.*

*Si reparamos en «La Religión del Lenguaje Español», encontramos la misma heterogeneidad temática. Larrea, que vuela aquí también muy alto, al abordar el tema del Verbo místico español, no usa siempre un lenguaje esotérico, porque es de nuevo nuestra mitología histórica y nuestros grandes mitos literarios (Cantar del Mío Cid, el Quijote) los que serán iluminados.*

*«La Espada de la Paloma», la obra que con buena lógica debía tener puro acento profético, tampoco lo tiene, ya que se mueve también por otros aledaños. Si el Apocalipsis y su interpretación nueva es el tema-clave de este texto, el Milenio le sirve a Larrea para desplegar la historia occidental en lo que ésta ha tenido de*

25

conmoción milenarista. En este espejo podrán verse, con faz religiosa, rostros francamente pre-revolucionarios.

Aclaradas así las cosas, como seleccionador he de manifestar que en mi balanza crítica el mismo peso arroja el profeta Larrea que el escritor Larrea. Por otra parte, indisolubles. Si el lado profético me ha encandilado, hasta el punto que le he dedicado mis afanes, el lado literario, además de solazarme, lo admiro. Y lo admiro porque en nuestra historia literaria no se conjugan siempre tanto conocimiento original con tanta felicidad expresiva. Por cierto, aquí he de hacer constar de nuevo que uno de los mayores logros literarios de Larrea, «Rendición de Espíritu», no pude incorporarlo cuasi entero a la antología, como hubiese deseado. Esta obra, a mi juicio, bastaría para acreditar a Larrea de prosista inspirado, si no tuviera otras como «Razón de Ser» y «Surrealismo entre Viejo y Nuevo Mundo», para citar algunas de sus más sobresalientes.

Sin la Biblia, no fuera posible el fenómeno Larrea, pero el Libro Máximo no basta para revelar a un escritor de raza. Si Larrea no hubiera sido en potencia un enorme escritor, por más fuerte que haya podido ser la influencia bíblica recibida, no le conoceríamos en su actual envergadura. No tendríamos a ese portento que ha escrito dos libros descomunales: «Rendición de Espíritu» y «La Espada de la Paloma». Y si, por añadidura, no hubiese sido una naturaleza bien templada y serena, no se le hubiese concedido esta lucidez y acuidad que resplandecen en «Surrealismo entre Viejo y Nuevo Mundo» y en «Carta a un escritor chi-

26

leno». A Larrea, como a todo gran escritor, tenemos que explicárnoslo humana o sobrehumanamente.

Larrea no se limita, en su literatura de estructuras profundas, a sembrar palabras que huelen a diccionario o que han salido del troquel académico. Tampoco pertenece al género de escritores que no libran nunca batallas con endriagos y enemigos sañudos, porque temores no les faltan. Si hay algún esforzado paladín en nuestra literatura, éste es Larrea. Por esto ha escrito: «en el polvo de la batalla encarnarán los pobladores del entresueño, amable y ávido país».

También es dado aquí hablar de un Larrea de donosa escritura. Y si no, que se lea la airosa y al mismo tiempo desairada réplica a Neruda en «Carta a un escritor chileno». El donaire, que no es connatural en un escritor de estas envergaduras y enjundias, domina en este texto con un noble desenfado. Y aquí hace galas el jugador de vocablos con una despreocupación creadora inefable, hasta tal punto que palidecen los embates malquevedescos de Neruda. Francamente, esta carta ha de figurar entre las más vitaviriles de nuestra mejor literatura, por tratarse de una fiesta «sangrienta», si se me deja jugar con el sentido equívoco de la palabra. Los trofeos se los gana la lidia de Larrea, no el mal-matador Neruda.

A todo eso, aún cabe añadir que la obra aquí escogida de Larrea ocupa sin lugar a duda una posición de absoluta vanguardia, como pocas de las hoy existentes, y que irradia una luz mental sin nublos pasajeros. Es más, diría que es poseedora de una irradiación consciente de lo

27

*universal que se expresa más como sabiduría que como dicha. Y que en punto a aventurera del espíritu difícilmente le encontraríamos parangón.*

**Cristóbal Serra**

Angulos de visión

# Atienza (1927)

Si el camino que uno sigue se bifurca y en la opción toma el conducente a Atienza, contraviniendo a toda norma no saldrá júbilo ni terrenal ornato a recibiros. Ni un solo gesto que os invite a proseguir. Nada que os compense o cuando menos cicatrice el posible futuro que quedó amputado en la bifurcación. Más aún; seréis testigos de cómo lo mismo hacia adelante y hacia atrás que hacia los costados, espacio y tiempo pueden huir de cada hombre infinitamente. Cuanto en un espíritu viajero es apacible gozo y suave por ventura se os habrá desviado por el otro camino. Os sentiréis estilizado, reducido a taciturnidad, con la impresión de que a expensas de vuestra mirada se os agigantan los huesos y de que os sorben los pasos como por una bomba aspirante hacia el vacío. Hasta que al fin, custodiado por dos filas de árboles, comprimido entre lo que el cielo y tierra tienen asoladoramente de absolutos, allá un campejo, más aquí un baldío, os detengáis al borde de esa secular tajadura donde acecha el vértigo histórico. Por lo menos así de cabizbajo llegué yo, como si todos los álamos del mundo hubieran ya pasado por mi frente, y con rodilleras de nube en lo poco que me quedaba de corazón.

Atienza...

Por mi parte no tuve siguiera la suerte de encontrarle. Estaban allí aquel día unos centenares de casas, pero Atienza no. Supuse que debía hallarse afuera, no lejos, quizá en el campo, y aproveché su ausencia para revolverlo todo. Caminé cuestas y cuestas, soborné la anchura de las plazas, impacienté los templos, desperté las ruinas; agrupé en un estanque de mi luz, acaudillándolas, todas las ventanas, y sólo al comprender que cuanto me rodeaba no era sino esa superflua impedimenta que, como los hombres, un par de botas, un vaso, una corbata inservible, dejan los pueblos al partir, bien armado de un pulmón trepé al castillo.

En tan destronada altura íbanse las nubes haciendo llevaderas, sutiles, apenas infundadas. Del poblado menos anhelos subían que quietudes. Un azorado vientecillo descarnaba en torno mío el panorama donde, trabados tan íntimamente como peine y pelo silencio y claridad imponían al horizonte la más severa línea de conducta. Y comprendí o creí comprender muchas cosas ocultas para mí hasta entonces. Comprendí que ante mis ojos y consumando su acción por las llanuras de las llanuras, cielo y tierra se estaban suicidando lentamente. ¡Quién sabe desde cuánto tiempo hacía! Quise entonces empalmar en mis venas las azules del mundo y vi que era posible. ¡Ohé, oh, sí, era posible! Y era posible retroceder hasta el borde del sonido para hacerse dolor y hasta quedarse allí en el medianero punto vacilando. Ohé, oh. Yo también me dije, yo también, cuando me quede tiempo hacia el ocaso he de sufrir un monte.

Pero en esto comenzó a ser cruzado el cielo por un bando de aeroplanos. Como yo debieron contar hasta seis las numerosas cabecitas que, solicitadas por el zumbido, aparecieron airosamente abajo, en las ventanas de las casas. Y de este modo me fue dado presenciar la más gloriosa actitud, un dulce crecerse a volar a fuerza de ojos, de un poblado entero, por el mismo tácito y simultáneo acuerdo con que los surtidores de un jardín se estiran hacia algo que en la atmósfera es, más que azul, ternura. Yo mismo fui arrebatado por gracia de tantos ojos como incurrían en inocencia, inesperado pasajero de un vuelo urdido en el corazón de otro mundo. ¡Ohé, oh!

Mas pronto el cielo recobró su paz y volvieron los ojos a sus puros y breves cauces. Y sólo entonces, al ser depositado en mi lugar de piedra, se me mostró la verdad totalmente desnuda. Sólo entonces me apercibí de que el horizonte nos tenía a mí y a los demás sitiados no sé si por miseria o por angustia, pero sitiados. ¡Y qué horizonte! Escueto, de tierras espaciadas, sin prisa ni apreturas, y tan seguro de sí mismo y de su triunfo que todos mis huesos se echaron a dolerme como si fueran astillas de silencio clavadas en mi carne y ya quisieran a crujidos arrancármelos Una a manera de resignada filosofía flotaba en lo asediado, a favor de la cual, y sin más que la justa resistencia, tantas cosas se habían ya desmoronado y tantas más se hallaban en vías de desmoronarse. Es decir, me vi de pronto incluido en un destino ajeno, del todo extraño al intuitivo desarrollo de mi esencia.

Hombre, pensé, hombre superficial y extraligero, hecho a la engañosa ciudad y a sus pretextos, cuán poco podrías durar aquí a esta solemne profundidad de miles de pies de años bajo el nivel del tiempo. A este lejano marchar sin rumbo por el puro placer de ir quebrando como en lagar las cervices de los días. Con tan escasas y sencillas armas —enmohecidas calles, macetas de flores, pordioseras fuentes, plañir de campanas— ¿cómo podrías defender tu impostura contra los ataques de la muerte? En la ciudad ya están hechos los reflejos de tu instinto a palidecer entre las estatuas, a acogerte al derecho de asilo de los museos, a escurrirte por teléfono, a ahuyentar, como ya una vez por súbita inspiración lo hiciste, algo terrible que se te venía encima desencadenando fragorosamente la bomba del excusado... Pero aquí con tus manos que no son nunca manos aunque nazcan en torno rosas y rosas, con pecho que únicamente será pecho cuando sufra el contagio de la tierra, qué vienes a desempeñar ciudadano enturbiado, sin reflejos de paz ni de templanza. Vete a buscar tu muerte convencional, a disfrazarte de olvidado en tu cuarto de hotel, con tu máquina de escribir, tu calefacción, tu ascensor y tu gramófono.

Lo hice así. Bajé del castillo y sin perder tiempo, antes de que Atienza volviera, me evadí con ánimo de nunca más volver.

Sin embargo, tumbos de viaje e instancias de amigo me han vuelto hoy a esta comarca. De nuevo he ido viendo crecer el poblado hacia el poniente como un caracol que subiese por mi vida con su castillo a cuestas. He vuelto a recorrer calles y plazas, a sostener esa enorme mirada perdida que vaga ciegamente en los pueblos y que a la gente de ciudad tanto nos turba e inmoviliza. Pero tampoco he logrado encontrar a Atienza. Y hoy ya creo haber descubierto que su ausencia no es asunto de horas ni de días. Casi me atrevo a asegurar que como tantos y tantos pueblos españoles, como Trujillo al Perú, Córdoba a la Argentina, Medellín a Colombia, Guadalajara a Méjico, por sólo citar a algunos de los que ganaron mejor fortuna, emigró en el siglo español de las emigraciones. Si bien se le busca, en América se le encontrará; a no ser que fuera de aquellos otros más desdichados que antes de arribar a tierra firme zozobraron en los mares aún indómitos. Numerosos pueblos que hace tiempo están reclamando una estadística.

De todos modos en lo que hoy se designa en Castilla con el vocablo Atienza, Atienza no está. Hasta los que allí viven más que vivir lo que hacen es estar a todas luces esperándole. Posible es que regrese algún día y acaso en la opulencia. Y lo probable es que los que así le vean sin ruinas ni estrecheces no le reconozcan.

Pero para mí, casual testigo del asomarse de una celestial ansia de roca a sus miles de pupilas, lo cierto es que los que por esperarle llevan una floja vida de entresueño, han desaprovechado la ocasión de realizar uno de los mayores descubrimientos que registra la historia humana. Porque allí en Atienza, mucho antes que en ningún otro lugar del mundo, pudieron y debieron haber sido inventados los ojos azules.

# Teleología de la cultura (1965)

Como tengo entendido que algún miembro del H. Consejo ha afirmado en público, sin el conocimiento indispensable, que las investigaciones y estudios a que me hallo entregado intensivamente desde hace varias décadas carecen de interés, y como dícenme que se levantan objeciones al método en ellos empleado, lo que redunda en su descrédito, estimo conveniente hacer una relación sucinta de la cuestión a fin de que, por una parte, sepan los H. Consejeros a qué atenerse en realidad, y de que, por otra, quede constancia, en el Registro de Actas del Consejo, del verdadero carácter de las materias de que en estas aulas he venido ocupándome.

Puesto que por su misma naturaleza mis investigaciones y estudios se hallan estrechamente compenetrados con el método o procedimiento que los ha hecho posibles, y ambos con el desarrollo de mi existencia personal, adopto en esta exposición la forma que me parece más fácil y explicativa, empezando por dedicar algunas ligeras consideraciones a ese tan asendereado y con frecuencia no bien comprendido modo de obtener acerca de la realidad ideas claras y distintas que se comprobarán después experimentalmente siempre que su género lo consienta.

No sé si a todos se les alcanzará la diferencia que existe entre los métodos cuantitativos, fundamentalmente analíticos, muy en boga en estos días de materialismo cientifista y de parcelación infinitesimal —es decir, de vida *sub especie quantitatis*—, y el método que llamaré cualitativo. Este último reclama en cada fenómeno su modo especial de enfrentamiento en acuerdo íntimo con su propia cualidad y mediante los instrumentos que resulte obligado emplear, si no inventar, a veces de improviso, cuando dicho fenómeno presenta caracteres o pertenece a campos inusuales.

Demás está decir, y por no referirnos sino a la época moderna, que ni Kant, ni Hegel, ni Marx, ni Darwin, ni Freud y Jung, ni Einstein, ni Max Weber, ni Kroeber, ni Vossler, ni Toynbee, ni etc., ni etc., deben sus aportaciones y descubrimientos más o menos importantes al método cuantitativo, aunque muchos de ellos no desdeñen emplearlo, en un cuadro más amplio cuando lo estiman oportuno. A fin de cuentas, sólo existe un modo para enfocar correcta y ventajosamente los fenómenos tocantes al Universo del hombre: aquel que en cada circunstancia resulta más adecuado para la penetración de la verdad, es decir, la actitud creadora que engloba dentro de sí todos los métodos, instrumentos y técnicas posibles, materiales y mentales. Se trata, en síntesis, de enfrentarse lo más plenamente y a fondo que cada caso lo permita, con el fenómeno o serie de fenómenos que captan la atención del individuo que los contempla, obligado a *vivir* el proceso de su comprensión y comunicación. Sólo en aquellos estudios compartimentales, abstraídos del resto, y de alcances moderados, resulta hasta cierto punto innecesaria esta operación de simbiosis del objeto y del sujeto que pide en el ser humano la función de todas sus potencias, o sea, tanto el ejercicio de su razón como el de su memoria e imaginación, junto a su capacidad de búsqueda, clasificación y valoración orgánica de datos mediante las técnicas e instrumentos pertinentes, en suma, la práctica de su cualidad. En el horizonte de la Cultura reina una lógica que exige el despliegue de una intuición tan constantemente alerta como para cazar al paso cualquier especie de substancia móvil y hasta efímera, así como sus conexiones con el sistema de realidad que descubre su comportamiento con miras siempre a la síntesis. Recuérdese al propósito la celebérrima manzana de Newton. La exposición de los resultados de esa venación intelectual es ya otro problema. Puede atenerse a ciertas normas de racionalización cuantitativa que aspira al convencimiento del gran número, o puede pretender que, para dar prueba fehaciente de sí, el fenómeno exige en su exposición ante la conciencia pública una forma apropiada a su especial naturaleza, enteramente cualitativa, pues de lo contrario se convertiría en una fuente de malentendidos al emplear, en pro de un academicismo más o menos estilado, un lenguaje que no es el auténticamente suyo. Confesaré que en buena parte de mis libros, por tratarse en ellos de fenómenos de índole poética y por lo común de carácter superracional como entes que son de Imaginación, me he atenido a esta segunda forma expositiva que, lejos de atentar contra el método, constituye precisamente el método adecuado para corroborar su autenticidad fidedignamente, al vivo. Es obvio, por otra parte, que los cultivadores de las altas matemáticas, de la filosofía y otras diligencias avanzadas del *espíritu* —palabra que subrayo—, nunca se proponen la captación material y directa de las multitudes, sino que se dirigen al grupo capaz de entenderlas, dejando a cargo de comentaristas y divulgadores el cuidado de explicar y difundir sus hallazgos y logros por los escalonados círculos del organismo cultural.

No me detendré a exponer, por interesantes que me parezcan algunas reflexiones acerca de la posibilidad de experimentación comprobatoria, por decirlo así, en aquellas ciencias que tocan al desarrollo de la vida de la especie, cuyo auténtico campo de sometimiento a prueba de realidad, imposible de radicar ni en el presente ni en el futuro, por los enormes lapsos que presuponen, se ubica, aunque parezca un contrasentido, en lo ya dado, en el pretérito. Paso más bien a manifestar sobre los discernimientos anteriores, no sólo en qué consisten en realidad mis investigaciones y estudios, sino también cómo se han verificado a lo largo de mi existencia en virtud de esa continuada operación de simbiosis a que me he referido y que en el fondo no es distinta según podrá advertirse, de la especie humana como un todo. No se sorprenda, pues, el H. Consejo de la atención que presto a algunos desarrollos de mi propia vida.

# 1

Tan pronto como llegué a México a fines de 1939 emprendí la publicación, primero de «España Peregrina», órgano de la Junta de Cultura Española, de la que era copresidente —así como del poemario *España, aparta de mí este cáliz,* de César Vallejo, ambos aparecidos en febrero de 1940— y después, de «Cuadernos Americanos» (1942). Si la primera de dichas revistas intentaba mantener encendido el espíritu que había animado en su lucha a la victimada democracia española, la segunda se proponía la consideración actual de la Cultura nuestra desde sus cuatro ángulos cardinales con miras a fomentar la creación de una Cultura Nueva, digna tanto del sentido que desprendían los sucesos españoles, como del de este Continente Nuevo. Nada para mí más lógico. Los fenómenos que le había sido dado vivir a mi experiencia personal desde mi estancia en el Perú (1930-31), habían determinado en mi conciencia un convencimiento radical y apasionadamente vocacional acerca del valor que el destino de América encerraba para la humanidad futura. Sobre la naturaleza de esas experiencias de materia cultural (arqueología prehispánica) que me indujeron a abandonar el cultivo de la poesía lírica a que en mi interior vivía consagrado, para integrarme paulatinamente y sobre premisas nuevas al campo universal de la Cultura —poético a su vez aunque en mayor y más definitiva escala—, se trata en el preámbulo de mi libro *Corona Incaica,* publicado por esta Facultad.

En función de esas mis certidumbres y de la trascendencia que, a mi entender, poseía, además de los otros valores históricos, la tragedia española, escribí y publiqué por entonces un libro, *Rendición de Espíritu* (México, 1943), cuyos primeros capítulos habían aparecido tres años antes en «España Peregrina». Entre otras cosas que siguen pareciéndome fundamentales —no obstante algunos detalles poéticos que pueden escandalizar y que en realidad no pertenecen a la estructura sino que subrayan ilustrativamente el aspecto estético del libro—, se exponía en sus páginas cierto inopinado esquema histórico de realidad en cuya formación habían intervenido tanto la geografía como las grandes intuiciones colectivas, vale decir, mítico-religiosas, de nuestra cultura judeo-heleno-cristiana, y que situaban a la razón individual ante fenómenos verdaderamente revolucionarios aunque en acuerdo riguroso con la gravedad de aquel trance decisivo. Muy por sobre la idea que las generaciones anteriores habían tenido acerca del sentido de la realidad en que se consumieron sus vidas, la mera contemplación del ámbito medieval, coincidente en sus grandes perfiles con los territorios del Imperio Romano, resultaba en cierto aspecto reveladora. Se advertía en él la existencia de tres puntos geográficos capitales constituidos por tres ciudades religiosas, muy separadas entre sí, que en el cuadro de los contenidos mentales o concepción del universo de aquel estado y sistema de cultura que por definición aspiraba a la universalidad, correspondía aparentemente a las tres dimensiones temporales de pasado, presente y futuro. Para un entendimiento poético, libre de las trabas subjetivas habituales, nada más patente. Jerusalem, o «ciudad de la paz» correspondía al pasado original de la cultura católico mediterránea entonces en vigencia. Roma, su antítesis como ciudad belicosa de la «fuerza» que su nombre significa, correspondía al presente de aquella época sobre la que ejercía su dominio. Y finalmente, en la última extremidad del territorio, de espaldas ya al Mediterráneo y con miras a la grande y oceánica universalidad, se alzaba junto al llamado Finisterre o «fin de la tierra», la ciudad de Santiago de Galicia que parecía ser algo así como una cifra indicadora, en el campo de las realidades colectivas, de la ciudad síntesis del futuro. Indicación de que ello correspondía al cuadro emocional de aquel mundo europeo de entonces es que las corrientes peregrinatorias del ámbito hubieran repartido su interés entre esos tres focos significativos. Si el grueso de los romeros se dirigía hacia la llamada «Ciudad Eterna», donde se concentraba un presente supuestamente perdurable, un ramal importante se dirigía hacia la siempre añorada «ciudad de la paz» de Palestina, engrosado por las Cruzadas, y otro, extrañamente, hacia la de Santiago de Compostela que a primera vista carecía de fundamento. Sumamente significativo se antojaba el hecho de que los peregrinos que emprendían este último y difícil itinerario, se acercaran al Finisterre cantando el himno oficial compostelano «Ultreja, Esuseja» o «Más allá, más arriba», así como se asomasen después, ritual y avizoramente, a la última ventana de la tierra, a aquella costa del mar inmenso que, con sus veneras o conchas peculiares, consignaba atributivamente en cada peregrino uno de los verdaderos caracteres del

43

fenómeno. Parecía éste delatar cierto impulso oscuramente teleológico hacia un más allá de aquel mundo antiguo todavía imperante que había inscrito en las fabulosas dos columnas del estrecho de Gibraltar el hercúleo y desafiante mote *Non plus ultra*. Todo ello sugería la función de una especie de lenguaje simbólico extraconsciente propio de una imaginación colectiva entrañada curiosamente a la constitución planetaria e insospechada hasta el día de hoy por las personas y grupos humanos más cultos.

Sobre todo que, si Jerusalem significaba representativamente al continente asiático y, dentro del lenguaje teológico-cultural en vigencia, al mundo del Padre (*Abraham*); y si Roma representaba por derecho propio a Europa o mundo del Hijo (*Isaac*), obligado era presumir dentro de las ecuaciones y figuras de dicción de un lenguaje no por ignorado menos posible, que la urbe del Finisterre Compostelano, punto del Continente europeo realmente más cercano de América, estaba aludiendo a esta desconocida masa territorial, calificándola situacionalmente con la persona teológica del Espíritu. Se colocaba en efecto bajo la advocación de Jacob, el patriarca de las doce tribus palestinas, correspondientes a los doce signos de zodíaco y a la futura identificación de cielo y tierra en la esfera planetaria (*Israel* —el Israel o «vidente del Ser divino» en que termina la agustiniana «Ciudad de Dios»—). Que este nombre de Jacob se convirtiera, al margen de toda conexión deliberada o causal, en el del Patrón de la península ibérica y de su destino era cosa más que memorable.

Quiere ello decir que en la intuición de la colectividad europea, y mucho antes de que se enunciara la redondez terráquea, parecía hallarse obrando virtualmente y en forma inteligible aunque no para la mente que le era contemporánea, sino para otra posterior, un mundo más allá y más arriba de lo que permitía suponer el sistema consciente de ideas que a la sazón imponía su censura. Característico de ese presunto lenguaje extraconsciente era su hallarse en íntimo acuerdo con las profundas inquietudes religiosas de aquel estado cultural de que se disponían a surgir, primero el Renacimiento, y después los mundos moderno y contemporáneo. El hecho de que tras el descubrimiento de América el escudo español —y a sugestión, por cierto, del Obispo de Tuy, en Galicia— adoptara como divisa el *Plus Ultra* que, según decía el historiador **López de Gomara** a Carlos V, daba «a entender el señorío del Nuevo Mundo», viene a indicar, se diría, que el fenómeno no era, por indeliberado, ciegamente casual, sino que se ajustaba a ciertas líneas de coherencia que traducían la función de una realidad intrínseca que, a través de la actividad española, proyectaba el destino europeo hacia América, como a partir de 1492, así sucedió en efecto.

Para la mente poético-trascendental donde se forjan y aposentan los mitos grandes y pequeños y establecen sus reales las emociones y creencias religiosas, todas ellas de carácter colectivo aunque sentidas individualmente, el indicado contexto fenoménico presentaba una seducción irresistible. Favorecía lo mismo con sus medios que con sus fines, esa esperanza en una vida humana ulterior y superior que tan insistentemente y en tan diversas claves y tonos, ha venido viviéndose en la época moderna desde el Romanticismo. Su realidad se corroboraba con no pocos fenómenos complementarios, por lo general sumamente atractivos y que en nada atentaban contra las materialidades físicas de la historia. Muy al contrario, estas manifestaciones de orden simbólico, como todo lenguaje, y de naturaleza espiritual, como el mundo que postulaban, enriquecían extraordinariamente el sentido de aquélla, un tanto al modo como el concepto de la realidad física que posee el ser humano es de grado superior al que de la misma pudiera concebir un simio. Fenómeno especialmente destacado entre los aludidos era la extraordinaria y peculiarísima correlación observable entre la personalidad y el destino hispanos y el último libro del Nuevo Testamento correspondiente a la revelación del estado cultural de ese mundo, el Apocalipsis. Lo mismo la península que dicho texto sagrado eran objetos del fin terráqueo para ese círculo de cultura viviente. El Apocalipsis, libro teleológico por excelencia, en el que dice expresarse ese Ser Verbal que se autocaracteriza substantivamente con el título de la primera y la última letras del Alfabeto griego, el Alfa y la Omega, se refiere al fin del mundo o estado de cultura que entonces se vivía y a su más allá. España era para la mente grecolatina y siguió siéndolo para la cristiana la tierra del fin correspondiente a ese mismo ciclo geográfico, o sea, la región donde se ubicaba la clave teleológica cuya prolongación se proyectaba, tras el Océano o Mar Tenebroso, hacia el nuevo día de

América. Consecuentemente, las peregrinaciones compostelanas desaparecieron cuando se descubrió el nuevo continente y la gran crecida de la Historia se precipitó hacia ese *más allá*, bajo el mismo signo de Santiago, patrón de España. Todo ello se aderaza con detalles en verdad sensacionales como la frase escrita de su puño y letra en 1500 por persona tan singularísimamente representativa como lo es Cristóbal Colón —quien por su apellido se presumía portador del Espíritu— según la cual «del nuevo cielo y tierra de que decía nuestro Señor por san Juan en el Apocalipse, después de dicho por boca de Isaías, me hizo mensajero y amostró en cual parte». El hecho de que a partir de 1936, es decir, desde la guerra española hasta el presente, el escudo del bando nacionalista se inscribiera de nuevo y por muy otras razones, dentro de la misma águila del Apocalipsis que había ostentado en tiempo de los Reyes Católicos cuando plantó la insignia española en la nueva tierra, pasmaba por lo deslumbradora. Una vez conjeturada la efectividad del sistema de símbolos, era imposible en aquellos días airados de la gran guerra, no pensar que ahora y aquí se estaba tratando del fin relativo a la verdadera eclosión del Nuevo Mundo.

Ha de advertirse que no porque estos fenómenos carezcan de entidad en el orden de las concatenaciones causales estrictamente físicas son por ello ni menos históricos ni menos significativos. Tan fenómeno histórico como el Concilio de Trento o las guerras napoleónicas es que los peregrinos compostelanos, y entre ellos un san Francisco de Asís que en la basílica gallega tuvo una famosa visión precisamente de carácter universal, se acercaran al Océano infranqueable entonando el más allá del *Ultreja*. No menos histórico es que Santiago se convirtiera en el patrón de la península, presidiendo a partir de 1492 las gestas, no ya de la Reconquista, sino de la conquista del Nuevo Mundo hasta convertirse aquí en el personaje epónimo ciertamente capital que ha prestado su nombre y su linaje a centenares de ciudades y pueblos. De sobra sabe el historiador que en torno y a menudo sobre los hechos físicos se hallan otros hechos de orden psíquico o espiritual y carácter colectivo, que no porque hasta el presente se hayan supuesto insignificantes están obligados a serlo en realidad. Más: al adentrarse en el trato de estos fenómenos expresivos se cae en cuenta de que pueden enriquecer en grado altísimo el proceso evolutivo de la Historia, con posible proyección a un fin trascendental profunda y largamente ignorado.

Por lo tanto, inducían los fenómenos expuestos a admitir que el vivir histórico poseía dimensiones superiores en significado y complejidad a las hasta aquí descritas por los historiadores de visión general más celebrados por su perspicacia —cosa de que por mi experiencia personal estaba ya más que convencido—. Adviértase que en lo teórico no existía razón para que así no fuese. Si para entender el comportamiento mecánico del Universo había tenido la mente humana que imaginar dimensiones e instrumentos nuevos, pasando del mundo extrínseco que llamamos de la gravitación, al intrínseco de la energía esencial, despropósito sería pretender que en nuestro planeta, donde ese Universo despliega ante la conciencia de la especie humana y a través de esta misma, sus campos de expresión creadora más orgánicamente elaborados en direcciones múltiples, el conocimiento evolutivo de la realidad histórica, y por tanto, de lo que es el hombre, se agotara con las pobrísimas y torturantes dimensiones en la estrechez de cuya inconsciencia original habían vivido y padecido nuestros antepasados. Los modernos avances de psicología profunda ilustran perfectamente, en su esfera de lo individual la existencia de un psiquismo extraconsciente, inconforme con el tiempo y el espacio y tan complejo como para que en su seno puedan y en rigor deban haber venido desarrollándose las colectividades o culturas humanas condicionadas y absorbidas por sus quehaceres inmediatos. No parece o, al menos, no me parecía a mí ilógico suponer, siquiera en principio, que el destino incontrolado de estas colectividades movidas por apasionamientos instintivos de diversa especie, respondiera a un orden psíquico más amplio, semejante quizá al atribuido por los sistemas religiosos a la acción de la Providencia. Atisbos acerca de la inconsciencia en que los pueblos habían venido progresando hacia fines universales ignorados por ellos y hasta en contradicción a veces con los suyos propios, habían sido ya manifestados por Vico, por Kant entre otros —sin olvidar por cierto a Hegel que consideró ese desarrollo como un proceso universal hacia la realización del Espíritu que, interpretando sus deseos por realidad hecha y derecha, había confundido con el estado de razón filosofante a que, con exclusión de otro centro de realidad, había llegado ya su por cierto extraordinariamente propia—. De aquí que el mencionado esquema Jerusalem-Roma-Santiago poseyera ante mi conciencia méritos más que sobrados para interpretarse poéticamente como real. O la vida histórica ¿no es acaso Poesía?

Ahora bien, un año después de publicar ese libro *Rendición de Espíritu* donde exponía, como corolario de estos y otros fenómenos, una nueva concepción del mundo con proyección hacia el Nuevo de América, recibí un día en «Cuadernos Americanos» la visita de un profesor español exiliado que enseñaba a la sazón en una universidad norteamericana. En relación con estas cuestiones me refirió que en Santiago de Compostela, donde había nacido, se susurraba que los pretendidos restos del Apóstol venerados en su Basílica no tenían nada que ver en realidad con los de semejante personaje histórico. Creían algunos de sus paisanos que se trataba de los huesos de un Obispo español ejecutado a fines del siglo IV por heterodoxia, Prisiciliano, cuyos restos se transportaron desde Tréveris a Galicia donde recibieron culto, según es conocido, durante no pocas generaciones. Unamuno se había hecho eco al pasar de esta murmuración en una de sus crónicas de viaje.

Tan inesperada noticia no podía menos de resonar profundamente dentro de ese esquema cultural en que había venido yo trabajando y por decirlo así viviendo. Tocaba a la clave decisiva del sistema relativo al porvenir, que, de ser cierta la noticia, adquiriría de golpe una extrañísima complejidad imprevisible. Como el mencionado profesor no cumplió su promesa de escribir un ensayo sobre el tema para «Cuadernos Americanos», de allí a algún tiempo me vi obligado yo mismo que todo lo ignoraba de Prisciliano, a informarme acerca de este para mí tan sensacional como alejado asunto. Así se inició en mi vida una nueva etapa de estudios e investigaciones, centradas ahora en un fenómeno preciso del pasado y de carácter, para empezar, estrictamente histórico. Leí acerca del particular cuanto me fue posible, desde los *Heterodoxos* de Menéndez y Pelayo hasta la monografía de Babut, pasando por los textos de Prisciliano mismo descubiertos a fines del siglo pasado, de Sulpicio Severo, de Paulino de Nola, por las Actas de los Concilios peninsulares, por la España Sagrada, por las Historias eclesiásticas antiguas y modernas, etc., etc. Como se daba la feliz circunstancia de que en la sección de la Biblioteca Nacional de México que administraba entonces mi buen amigo y compañero de Junta, don Agustín Millares Carlo, figuraba la Patrología Completa latina y griega de J. P. Migne, pude engolfarme en el estudio y transcripción de cuantos textos antiguos pudieran de algún modo relacionarse no sólo con Prisciliano y Santiago sino también con el pensar y el sentir sobre todo de los Padres Latinos. No tardé mucho en llegar al convencimiento de que en lo histórico, la maledicencia compostelana de mi amigo respondía a la pura verdad. Los restos venerados en Galicia como reliquias del Apóstol resultaban ser, sin duda alguna, los de Prisciliano y los de sus compañeros mártires. El hecho de que el descubrimiento fuera profundamente subversivo ni añadía ni quitaba nada a su exactitud. La historia de Santiago misionero y matamoros era una de tantas especies legendarias a que, en su subjetivismo, tan inclinada había sido la mente medieval, creadora de sus propios mitos circunstanciales, y empeñada, tras la disgregación del Imperio, en atribuir geométricamente las predicaciones de cada una de las naciones del círculo mediterráneo a uno de los doce apóstoles. La de Santiago en España había corrido mejor suerte que la intentada de Felipe en las Galias que, al tropezar con dificultades insalvables, acabó por desvanecerse. Como muy bien lo había advertido el eminente historiador francés de la Iglesia antigua, monseñor Duchesne, la creencia en la predicación de Jacobo en España, apunta en la segunda mitad del siglo VII y prende en el alma popular contra la opinión de las jerarquías eclesiásticas que, relativamente cultas, no la veían con ojos favorables. El nombre de Galicia no había sonado aún. Sólo cuando tras la invasión agarena se inicia la reconquista en el borde de Asturias y del extremo rincón gallego, se fragua en el siglo IX la leyenda de la evangelización de Jacobo en aquel paraje tan extraviado como religiosamente sin objeto, absurdo.

Por lo tanto, e independientemente del significado que cada cual gustara reconocerle al hecho histórico, su realidad era la siguiente. Después que los mahometanos invadieron la península, la necesidad experimentada por el alma española de contar con un valedor trascendental que le ayudase a la formidable empresa de vencer y expulsar a los conquistadores, produjo como efecto que se fundiera la tradición vacilante de la predicación del Apóstol Santiago con la resonancia del culto dispensado en Galicia al sepulcro del Finisterre, hasta convertirse éste en el del Apóstol y dos de sus discípulos, descubierto «milagrosamente» a principios del siglo IX. No tardó en manifestar su presencia el Apocalipsis que tan gran ascendiente había adquirido sobre la idiosincracia española pues que, su lectura en la misa durante cierta época del año había sido obligatoria so pena de excomunión, desde el sglo VII. La figura primitiva del Apóstol itinerante, apoyado en su bordón de peregrino, se transformó después, al amparo de la imaginería apocalíptica, en la figura caballera tan difundida desde entonces. En efecto, en el capítulo XIX del Apocalipsis se asiste a la apertura del cielo donde se ve un caballo blanco sobre el que cabalga el «Verbo de Dios» que mediante la espada de su boca viene a pelear con justicia al frente de las legiones asimismo caballeras de santificados vestidos de blanco, contra la Bestia misteriosa, marcada con el número 666, contra su falso profeta y los reyes que los siguen. Parejamente, a partir de cierta época, el Apóstol Santiago empieza a representarse viniendo del cielo por esa Vía Láctea que se denominará «camino de Santiago» para conducir a las mesnadas de caballeros españoles, vestidos de blanco si pertenecen a la orden de Santiago, en batalla contra los secuaces del Profeta cuyo nombre en griego, *Maometis*, arrojaba la cifra clave de 666. Así lo reconoció oficialmente algo después, nadie menos que el Papa Inocencio III en su convocatoria del Concilio de Letrán de 1215. Todo ello era tan interesante como ignorado por los historiadores muy provistos académicamente, según se estima, y de los consabidos métodos, entre otros por don Américo Castro que no poco se ha ocupado, a su manera, del Apóstol.

Reuniendo los datos asequibles, se antojaba evidente que los huesos que contiene la moderna Arca Santa de Compostela, marcada por cierto con una Alfa y una Omega de gran tamaño, tomadas de una de las portadas de la antigua basílica, eran en realidad los de Prisciliano que, salvados de la destrucción por la invasión de los suevos en 409, habían venido siendo objeto de un culto secular y más o menos clandestino. La prueba resultaba de una sencillez desconcertante. De un lado nada más fácil para la crítica histórica que descartar la veracidad de las leyendas que atribuyen al Apóstol la evangelización de España y su entierro en suelo galaico, gracias a uno de esos estupendos milagros en que tanto se complacía la Edad Media. Así, abusando de la oscuridad de una simple noche, la casa de la Virgen María fue transportada por los ángeles desde Nazareth, en Palestina, a la ciudad italiana de Loreto. Algo parecidamente, los restos del Apóstol, degollado también en Palestina, se embarcaron en un navío que con la mano de Dios en el timón (*manu Domini gubernante*), cumplió en una semana, sin desintegrarse lo más mínimo, la travesía que las embarcaciones ultraligeras de aquel tiempo sólo eran capaces de realizar en un lapso quizá cuatro veces mayor, para ir a recatarlo en un escondrijo de la más septentrional de las rías gallegas. Sobran documentos de los primeros siglos que impiden cualquier vacilación, inclusive entre ellos alguno emanado de un Sumo Pontífice (Inocencio I) que niega, a comienzos del siglo v, por motivos litúrgicos, que en España hubiera predicado ningún apóstol.

Queda así pues el campo libre por este lado.

Los huesos que se veneran en Compostela no pueden ser los de Jacobo «hijo del trueno». Mas de otro lado, resulta que la investigación oficial y solemne llevada a efecto a fines del pasado siglo con objeto de identificar esos huesos que se ocultaron a fines del XVI por temor a los piratas, demostró, según consta en la Bula de León XIII *Deus Omnipotens* (1884), que los restos compostelanos corresponden a los de un varón decapitado a golpe de hacha. Una esquirla de la apófisis mastoidea o base del cráneo que en el siglo XII fue donada a un peregrino que la depositó en la catedral de Pistoya, en Italia, donde todavía se conserva, coincide exactamente con el corte que, por decapitación, presenta el cráneo gallego. De aquí que, si dichos restos son los de un decapitado y resulta imposible que éste sea el Apóstol de la leyenda, no queda otra alternativa que atribuirlos al decapitado que traído a escondidas desde Tréveris por el mar en una travesía de una semana de duración poco más o menos, había recibido culto en aquella precisa región de Galicia, dando pie a la leyenda. Es decir, a Prisciliano. Históricamente el asunto no ofrece vuelta de hoja. Santiago, de acuerdo por cierto con el significado de su nombre (Jacob, «suplantador»), vino a suplantar al pretendido hereje, que en realidad nunca lo fue, sino, aunque ingenuo, un émulo de san Pablo encendido en la fe de Cristo. Precisamente uno de los rasgos perturbadores para los conceptos estrictamente individuales o psicosomáticos, es que Prisciliano anhelaba en vida ser un Apóstol carismático a la manera paulina («Yo también tengo el Espíritu del Señor»), que colmara la carencia inferiori-

55

zadora de que España padecía en este aspecto religioso. No es, pues, arbitrario que la Teología protestante reconociera en el obispo gallego que, como rebelado contra el «ultra nihil quaeras», pretendía ir «más allá» en la indagación de las Escrituras, cosa hoy por demás sugestiva, el primer chispazo del Libre Examen.

Resultado de la aludida suplantación fue que el espectro significante de ese «testigo» —primer «cordero degollado» y calumniado hasta la náusea tras el triunfo de la Iglesia— tuviera acceso por *interposita persona* según sucede a menudo en los sueños, al santuario ontológico de la conciencia nacional. Allí es donde, según lo arriba indicado, se aposentan los mitos trascendentales en que se expresa cierta psique colectiva, difícil de identificar, inconsciente para los individuos y concernida no sólo por los requerimientos del presente —en aquel momento los de la lucha contra los moros— sino también por el destino universal de la especie, encomendado al porvenir. Tras su condena por la jerarquía de entonces, Prisciliano fue rehabilitado sigilosamente por el Ser de la Historia que, sobre su signo, y después de caracterizarlo de Apóstol y de asociarlo a la ecuestre imagen apocalíptica del Verbo de Dios, hizo recaer la representación simbólica del futuro mundo del Espíritu. Día llegará en que las técnicas científicas confirmen el resultado obtenido por la reflexión, demostrando que las reliquias de Compostela no pertenecieron a un individuo ejecutado hacia el año 44 de nuestra era, sino a otro que lo fue en 385 por un grupo de Obispos desmandados bajo la protección de un César perjuro.

No me parece que hubiera ni que haya que ser un universitario de grandeza excepcional para darse cuenta de que semejante conjunto articulado de fenómenos relativos, por una parte, a Prisciliano-Santiago y, por otra, al eslabonamiento Jerusalem-Roma-Compostela con proyección al Nuevo Mundo, eran y son harto más que un atavío pintoresco por no decir jugarreta volteriana de la historia. Ni existía para mí, ni creo que existe modo de entender su conjunto, sino como manifestación de la esencia misma de la realidad. Desde luego, no faltaban elementos inclusive dentro de España que vinieran a autenticar el indicado sentido. Por ejemplo: el primer intento de dotar a la península de un patrón nacional, allá por el siglo v, recayó en san Vicente diácono, cuyo cuerpo, no obstante haber sido martirizado en las costas mediterráneas de la España citerior, se trasladó después a la punta sur-oeste de la península, hundida en el Océano, que todavía se conoce, por ello, bajo el nombre de *Cabo de San Vicente*. Un tanto más allá de las columnas del *non plus ultra*, es decir, en la misma región de donde Colón partiría en busca de la redondez de la tierra, se internaba en el Mar Tenebroso ese cabo que, para la mente grecorromana que lo denominaba «promontorio sacro», constituía desde hacía muchos siglos el fin de la tierra. Se explica psicológicamente la decisión, tan extravagante a primera vista, de colocar allí el cuerpo del mártir, cuando se tiene en cuenta que, según fama secular, los restos de Hércules se guardaban en el famoso templo de Cádiz junto a las columnas del *Non plus ultra*. El nuevo espíritu religioso que animaba a los creyentes peninsulares rompía, como Sansón, con el templo que tales columnas significaban y consagraba su destino, mediante su patrón victimado por la magistratura romana, al «más allá» de la tierra en que se sentían reclusos. Sólo cuando empezó a tomar cuerpo el culto de Prisciliano se produjo, hacia el año 400, la dislocación mental, cuyo primer indicio literario figura en unos versos deliberadamente oscuros de Paulino de Nola, que hizo trasladar el concepto del Finisterre del ángulo suroeste al ángulo noroeste del cuadrilátero peninsular —y que luego, en lógica reacción, localizaría los despojos de san Vicente en la punta de Algarbe—. Congruentemente, en Compostela los peregrinos se encontrarían después con un *Mons Sacer* que, unido a los otros datos, demuestra una vez más que la geografía fue, durante muchos siglos, una proyección en buena parte subjetiva. Se ha de tener presente, además, que el nombre de Vicente, asignado al Cabo finisterreno, es inequívocamente apocalíptico (*Ho Nikôn ton kosmón*, «el que vence al mundo», con referencia a otro nuevo mundo).

Por consiguiente, resulta obvio en virtud del curioso caso de Vicente —también hasta hoy totalmente incomprendido— que no pocos de los elementos constitutivos del fenómeno Prisciliano-Santiago venían elaborándose con mucha anticipación (Océano, Finisterre, Ultra, patronazgo religioso, Apocalipsis). Revelan así estos valores ser inherentes a la suerte trascendental de la península dentro de los destinos más amplios del orbe mediterráneo y del mundo. Claro que esta de Vicente no es sino la primera aparición de la «substancia» que siglos después, con Prisciliano-Santiago, se plasmaría prodigiosamente aunque sobre un hecho de signo más adelantado en lo que se refiere al cristianismo. Pero por ello mismo su testimonio precursor que elimina el concepto de pura casualidad, en beneficio del gradual de evolución, resulta concluyente.

Y adviértase cómo se derrumba por su base la posible justificación, dentro del sistema cristiano, de la venida de un apóstol a Galicia por ser ésta el «fin de la tierra» (*heõ esjátou tês gês*, Hechos, I, 8). En el siglo I no había más Finisterre que el *Hierón Akrotérion* o promontorio sacro, hoy Cabo de San Vicente, región meridional de España hacia donde san Pablo, por no haber predicado allí ningún apóstol, proyectaba con seguridad dirigirse. Sólo cuatro siglos después el concepto de Finisterre se trasladaría por Prisciliano a Galicia para consolidarse muy posteriormente por Santiago.

2

Por importantes y revolucionarios que fueran hacia el año 1947, los rendimientos de estas mis investigaciones, lo cierto es que no agotaban el sentido de los fenómenos que descubrían campos novísimos de estudio y se mostraban en conexión, por muchas de sus caras y en especial por la más sublime, con los valores esenciales de nuestra realidad. Su tratamiento y beneficios completos pedían agotar la información y explorar a fondo los horizontes que abrían para el verdadero conocimiento de la

59

vida histórica y de la Cultura de nuestro mundo. Como no era posible llevar adelante en México tales pesquisas de irradiaciones múltiples y de enlaces notoriamente complicadísimos, solicité una beca Guggenheim a fin de dedicarme a desentrañar el fenómeno de la «Formación histórica del mito de Santiago de Compostela, patrón de España».

En Nueva York me encontré a partir de octubre de 1948, como quien desemboca a su vez en el Océano, con el inmenso caudal de las numerosas bibliotecas norteamericanas y sus enormes facilidades y especialmente con la de la Universidad de Columbia que se me permitió manejar desde entonces como si fuera la mía propia. Libre de toda otra obligación, pude precipitarme, no sin angustia, en ese abismo, persiguiendo el rastro y la sustancia del fenómeno ya tan ramificado que me absorbía, a la vez que procuraba ahondar y ponerme al día en otros campos para mí indispensables de conocimiento. Como este último hallazgo de Prisciliano-Santiago con cuantas significaciones llevaba consigo, no dañaba en modo alguno al contexto teleológico del esquema inicial, sino que, al contrario, lo confirmaba, robustecía y acrecentaba en complejidad ultraorgánica sensiblemente, me vi obligado a considerar el asunto con todas sus adyacencias, en forma mucho más profunda a como había podido hacerlo hasta entonces. Si el fenómeno tocaba, por una parte, a Prisciliano y a Santiago dentro del mundo medieval, de otro lado se conectaba con hechos muy de la edad moderna y hasta de nuestros días, unos y otros enlazados a la realidad viva de la Cultura que ofrecía a la consideración, según he apuntado, dimensiones harto más ricas y complejas, por no decir polifónicas, a las reconocidas hasta el presente. Por impulso natural y bajo la presión y ayuda de las circunstancias, me encontré laborando y pensando, a mi manera, en la línea más avanzada de la Cultura actual hacia el futuro.

Precisamente hacia entonces acababa de descubrirse en virtud de una casualidad que dentro de mi concepción del mundo sólo podría calificarse de aparente, esas escrituras o rollos del mar Muerto pertenecientes a la secta judía de los Esenios, que tanto, a partir de entonces, han venido dando que hablar y que escribir, y que reclamaron mi atención desde el principio. Se trataba de un auténtico eslabón perdido que, en lo estrictamente histórico, restablece la concatenación evolutiva entre el mundo judaico y cristiano. El esquema teleológico esbozado en mi entendimiento cobraba de este modo una inesperada coherencia en profundidad que lo proyectaba en formas comprensibles a épocas mucho más antiguas y acerca de las cuales apenas tenía yo nociones. Me vi así obligado a interesarme un tanto por los textos del Antiguo Testamento, y en especial por el libro de *Daniel* que, según supe entonces, ofrecía también la particularidad, para mí tan atractiva, de desdoblarse en dos inteligencias: una la ficticia o literal que atribuía su composición a un visionario israelita cautivo en la Babilonia del siglo VI antes de Cristo, y otra auténticamente histórica, aceptada ya por la crítica responsable, que fijaba su redacción en el año 165, bajo el influjo de los sucesos que en aquella época de los Seleucidas se vivían dramáticamente en el cuerpo y en el alma de Jerusalem. En suma, una era la realidad factual y otra la imaginaria, tradicionalmente confundidas. Creo que es fácil darse cuenta de que, dado el carácter del fenómeno, de raíces y tallos tan diversificados, que exigía mi atención, mis prospecciones no podían realizarse únicamente en la línea recta de un estudio determinado, sino también y al mismo tiempo, a la redonda de su pleno horizonte, en espiral, único modo de ir dominando su extenso laberinto.

Resultaba por consiguiente que el sentido escatológico que trascendía todas estas materias adueñadas de mi atención, me proyectaba hacia atrás, desde el foco compostelano, a los tiempos iniciales del cristianismo en busca de sus orígenes, y aún más allá, a la zarza ardiente del israelismo, o sea, a Roma y a Jerusalem. En virtud de la experiencia adquirida y convencido, en principio, de que en todos estos fenómenos se daba, como nos enseña el psicoanálisis relativamente a los sueños, un sentido manifiesto o aparencial y un contenido latente, deliberado o no, cosa que siempre ocurrirá en toda manifestación de naturaleza simbólica, me era imposible conformarme con lo que había sido entendido hasta aquí de dichos fenómenos, sino que me era preciso bajar al trasfondo de la cuestión y en especial al estudio sin prejuicios de los textos originales, sometiéndolos a una prolongada consideración contextual y objetiva. Yendo por partes, y ciñéndome, por lo pronto al cristianismo de donde arrancaba directamente el fenómeno Prisciliano-Santiago, invertí no pocos días y meses en la lectura exhaustiva de la patrística a fin de saber por mí mismo algo que ya había comenzado a averiguar en México: qué es lo que las gentes de los cuatro primeros siglos habían pensado del Milenio en cuanto lapso simbólico de tiempo relacionado, si no identificado, con el fin. Desde el punto de vista escatológico es éste un concepto emanado del Apocalipsis que, por haber imantado las emociones profundas de las primeras generaciones cristianas, posee en lo psíquico un significado de primer orden.

Fue así como entregado a estos buceos, entreví de súbito un buen día, sin pretenderlo ni por lo más remoto y como fortuitamente, la verdadera realidad histórica que yacía oculta bajo las extrañísimas figuras de ese libro tanto y tan torcidamente interpretado desde el siglo II que denominamos Apocalipsis de san Juan. Se ha de advertir que este texto hoy tan dejado por imposible así como tan desacreditado por la mente positiva precisamente a causa, siquiera en parte, de la arbitrariedad e ineficacia de dichas interpretaciones, posee, sin embargo, en lo histórico una dignidad sin paralelo. Basta recordar que sus imágenes o figuras de dicción cristalizaron las esperanzas de la Edad Media, no sólo en España que se convirtió en algo así como la punta de su espada, sino en todo el ámbito donde se erigieron las grandes catedrales románicas y góticas. El Pantocrator o Juez Todopoderoso, calificado con el Alfa y la Omega y encuadrado en el Tetramorfo o cuarteto de misteriosos animales que al correr del tiempo se asimilarían a los cuatro evagelistas, el cual es a la vez el Cordero degollado que descifra el libro de los misterios, constituye el leitmotivo fundamental que se esculpe en los pórticos de los grandes templos cuyo interior, sólo accesible después de trasponer esa escena del Juicio, representa a la gloriosa Nueva Jerusalem o ciudad perfecta del futuro. El Pórtico de la Gloria de Compostela —centrado en la figura de Santiago— es un admirable prototipo del género. Resulta evidente, si bien se contempla, que tras esas figuras y elementos simbólicos, la Edad Media presiente y busca un más allá que no le reconocía, sino que reprimía el sistema de ideas dominante. Indicaré a título de ejemplo, desde la otra orilla, que el símbolo representativo de América en la imaginación de la Nueva España, la Virgen de Guadalupe, patrona del Continente, que en México se acompaña con una inusitada serie de representaciones de la Virgen provista de dos grandes alas aguileñas, es auténticamente apocalíptico, pues que representa a la Nueva Jerusalem que en el Apocalipsis baja del cielo vestida de novia, etc., etc. De aquí que descartar ese grupo de figuras, catalizadoras de las emociones colectivas, o sea de su contenido prenocional, como carente de valor en el estudio acerca del sentido de la historia, sea un ultraje inferido a la naturaleza humana, dando por sentado que esta se reduce a esos aspectos del *homo faber*, que desinteresado de la entraña profunda del Espíritu, se satisface con las cosas físicas del mundo que se percibe con los sentidos animales o que se relacionan con su afán de poderío. El hecho de que hasta nuestros días no se haya enfocado el Apocalipsis en su plena e histórica objetividad, no altera la realidad de su importancia. Que ya el hombre culto está avezado a saber que en el desarrollo de la historia, el ser humano ha venido pendulando sectariamente de uno a otro extremo, hasta que por fin se le ha caído la venda de ambos ojos.

El caso es que, en mi sondeo en busca de las raíces escatológicas del cristianismo, me encontraba un buen día en los depósitos de la Biblioteca de la Universidad de Columbia, leyendo por vez primera un notable documento del siglo I, cuando me pareció, de repente, que ciertos pasajes del Apocalipsis, cuyo texto me era familiar, podrían ser algo así como respuestas, si no contraataques, a algunas expresiones de dicho documento. Se trataba de cierta importante *Epístola* escrita por uno de los primeros obispos de Roma, razón por la que su nombre de Clemente figura en tercer lugar en la lista de los Sumos Pontífices de la Iglesia. Su destinatario era la congregación hermana de Corinto, y se había redactado con motivo de una grave discordia ocurrida en el seno de la última. Bajando al detalle, comprobé que dicha carta dábase por escrita hacia el año 95, siendo por tanto estrictamente contemporánea del Apocalipsis, atribuido desde el siglo II al año 96. Mi impresión pertenecía al orden de lo realmente posible. No fueron pocas ni sencillas las averiguaciones que improvisadamente tuve que emprender para llegar a formarme una idea clara en asunto tan absolutamente inédito como delicado y enredoso. Mas poco a poco, a lo largo de esa investigación que requirió minuciosas compulsas de textos y consulta de innumerables libros y revistas se me fueron esclareciendo —a mi juicio—, el fondo y la forma de la cuestión. Como en el fenómeno compostelano y en el del libro de Daniel, una cosa eran los conceptos que divulgaban historias y tratados acerca del particular y otra muy distinta la realidad histórica que yacía en el subsuelo. Esta venía a ser en pocas palabras la siguiente:

En cierto momento crítico del reinado de Domiciano, dos décadas después de la destrucción de Jerusalem y de la dispersión de los judíos, fueran estos cristianos o fariseos, existía en crecimiento dentro del cristianismo todavía incipiente, una oposición natural entre dos tendencias, correspondiente a los dos principios básicos de «cielo» y «tierra» que bajo el signo del Espíritu, intentaban reunirse: el místico y el institucional. Dicho conflicto adquirió caracteres agudos en la iglesia Corintia evangelizada cuarenta años atrás por Pablo, donde ya se había producido en vida de este apóstol una apasionada pugna entre dos bandos, según lo refiere él mismo en una de sus cartas: el bando que seguía sus enseñanzas absolutamente místicas, y el representado por Cefas-Apolos, más a ras de tierra. La lucha de que se ocupa la Epístola de Clemente se tornó dramática. Por lo pronto se impusieron los místicos o profetas y destituyeron a los presbíteros que regían la iglesia corintia. Entonces fue cuando el jerarca de la de Roma se atribuyó por sí y ante sí una autoridad inexistente puesto que esta última iglesia sólo había sido hasta el momento una de las varias de la Ecumene, e intervino en la contienda con su notable documento. Bajo grandes y muy devotas palabras, de un lado, y con amenazas gravísimas de otro, sustentaba dicho escrito doctrinas cristológicas de nivel inequívocamente inferior. Pero respaldada por dos mensajeros pertenecientes a lo que se cree a la «casa del César», dio por resultado que en Corinto la situación se invirtiese a favor de los presbíteros depuestos. Los místicos que laboraban en el surco iniciado por Pablo, hubieron de abandonar la plaza. Mas la indignación teológica que produjo en ellos la degradación de los valores religiosos que, dentro del cristianismo, habían derivado de la cualidad estricta a la floja y primaria cantidad, concibió en su conciencia en primer lugar el Apocalipsis, y a continuación los otros escritos joaninos. Cada cual a su manera, pero especialmente el primero, significan una terrible requisitoria contra Clemente y su iglesia romana cuya primacía pontifical empezó entonces a instituirse, a la vez que traducen un infinito esfuerzo para fortalecer y sublimar las premisas teológicas de la Iglesia en estado a la sazón constituyente. Dando pruebas de un inconcebible dominio, substancial y formal, y como intrínseco y sonambúlico, del canon bíblico, salen esas escrituras en defensa de sus dogmas fundamentales con el convencimiento, auténticamente teleológico, de que en su oportunidad, cuando el cometido de aquella circunstancia histórica haya llegado a término, Roma y la iglesia de su falso profeta serán destruidas por el Verbo de Dios, con el que identifican a Jesús, sentando así los cimientos de lo que será después la más acendrada teología del cristianismo. No es otra la tremenda profecía que al cabo de bastante tiempo de titubeo y controversia, vino a situarse al final del canon del Nuevo Testamento, y que luego se asociaría tan a fondo con el destino de Occidente y en especial con el de nuestra península.

Omito, claro está, toda suerte de perspectivas tangenciales y de detalles, así como todo juicio acerca de lo que puede significar semejante revelación de la revelación efectuada hoy día, por boca, no de un individuo, sino de la realidad histórica. Sólo diré que, como resultado de mis exámenes, creí que existían razones más que suficientes para tener por seguro haber intervenido en un descubrimiento de orden absolutamente extraordinario y de trascendencia a la larga fenomenal, de los que verdaderamente hacen época, puesto que tocaba a los genes proyectivos del hombre de Occidente. De otra parte, la completa ignorancia en que hasta ahora había permanecido el fenómeno resultaba difícilmente comprensible de no admitirse la operación de una especie de censura en el campo de la psique colectiva, equivalente hasta cierto punto, a aquella que la psicología analítica nos ha acostumbrado a suponer en las relaciones entre el consciente y el inconsciente en la esfera del individuo. Como consecuencia, no sólo las figuras y dicciones del lenguaje cifrado del Apocalipsis, sino otros muchos valores, fuéronseme tornando poco a poco transparentes.

# La espada de la paloma (1956)

## La crisis de Corinto

Por la *Epístola a los Corintios* de Clemente Romano, Papa, se sabe que en el momento de escribirse existía cierta grave discordia en el seno de la comunidad cristiana de Corinto. No se tienen de ella más noticias que las suministradas por este documento concebido con el propósito de dominar la situación. No se conoce con exactitud el año en que fue escrito ni por tanto la fecha de la crisis a que corresponde. Pero los autores de común acuerdo la sitúan en la última década del siglo primero y, por lo general, en los últimos años de Domiciano que duró hasta el año 96.

Lo que acerca de los sucesos que motivaron la Epístola puede saberse, hay que deducirlo en primer lugar de las palabras del autor del documento que no los describe, pero que a ellos alude y los califica al proponerse extirpar quirúrgicamente el mal. Este consistía en una disensión honda, prolongada y aguda. Habíanse formado dos bandos en el seno de dicha comunidad, y habían contendido apasionadamente. Clemente habla de «querellas, arrebatos, disenciones, cismas y guerra». De los dos partidos en pugna, se sabe que uno estaba constituido por las autoridades eclesiásticas, los obispos o presbíteros, y que había llevado las de perder, puesto que habían sido depuestos de sus cargos por el pueblo. Parece que este segundo bando congregaba a la inmensa mayoría de los fieles. Por lo que el autor dice al principio, el pronunciamiento popular había sido iniciado por «unos pocos individuos impulsivos e insolentes», cuyo número reduciría más adelante al considerar vergonzoso que «la iglesia de Corinto, tan antigua como firme, se hubiera separado de los presbíteros a causa de una o dos personas». Los acontecimientos habían producido no poco escándalo de manera que, al decir de Clemente, el nombre tan célebre como universalmente venerado de la iglesia de Corinto había padecido, e incluso se le estaba creando a la comunidad una situación peligrosa. ¿Ante las autoridades civiles?

* * *

No era éste ningún conflicto nuevo para el tronco tradicional de donde provenía el cristianismo. El Espíritu inspirador de los grandes profetas del Antiguo Testamento, Espíritu del que Jesús fue conciencia encarnada, había significado en su día un alzamiento contra el institucionalismo del primer templo o clerecía. Desde su capítulo inicial, Isaías significa, junto con Amós y Oseas, una revolución para el alma y para la religiosidad judaicas. Se afirma violentamente lo esencial dentro del fenómeno religioso, el Espíritu o conocimiento de Dios, frente a la institución en que se «incor-

70

pora» por razón del culto externo. A la vuelta de la cautividad de Babilonia y tras la erección del segundo templo, el conflicto dialéctico entre las dos tendencias entró en un período como de coagulación. El sacerdocio se hizo fuerte en la ley y exaltó su observancia sobre el espíritu de profecía. Lo importante era someterse al ritual y a las disposiciones legisladas. Como consecuencia, el espíritu de profecía tuvo que valerse, durante los últimos siglos anteriores al cristianismo, de un subterfugio para lograr su reconocimiento. El profeta recurrió a la ficción para eludir la censura sacerdotal, atribuyendo su profecía a un personaje prestigioso de tiempos pasados. Se creó así un género literario nuevo y de sumo interés que permitió a algunos libros incorporarse al canon, como son la mayor parte de los que componen la llamada literatura de la Sabiduría. Sin embargo, el ejemplo más patente y decisivo de esta clase es el libro de Daniel, escrito hacia el año 165 antes de Cristo en forma romanceada o ficticia que lo atribuye al cautiverio de Babilonia.

La época alejandrina había ahondado la crisis. En beneficio de la nacionalidad judía tan puesta en peligro por los acontecimientos de la época, la Sinagoga propendió a acentuar los valores tradicionales, imbuyendo a sus fieles la esperanza en las viejas promesas de la circuncisión. Mas como consecuencia, el Espíritu de profecía, bien sumo de la comunidad, no hallaba en esa enrarecida atmósfera acomodo. Fueron por desprendimiento naciendo así, al correr de las circunstancias, esas diversas sectas judaicas que la investigación moderna ha procurado distinguir, en cuyas congregaciones solía abrirse ventanas al espíritu de profecía que ministraba la palabra de Dios, y sobre todo la de los Esenios que últimamente está dando ocasión a descubrimientos sensacionales.

Reduciendo ciertos aspectos del fenómeno a su enunciado más simple, el cristianismo vino a significar en el desarrollo del proceso judaico, la explosión de esa concentrada aptitud profética del judaísmo, férreamente reprimida por la Sinagoga. El Jesús de los Evangelios ataca acerbísimamente a la generación de víboras de los doctores de la ley que han cerrado el reino de los cielos y quitado la llave de manera que ni ellos entran ni dejan que penetren los demás. Amenaza con asolamiento a Jerusalem por haber dado siempre muerte a profetas y a enviados[1] y arremete contra los escribas y fariseos que han hecho de la religión rutina externa y del templo casa de mercader. La persona de Jesús se convierte en foco de atracción y de inflamación para cuantos sienten en aquel entonces la causa de la libertad de espíritu contra el despotismo sagrado. El velo se rasga a la muerte del Ungido y se abren horizontes de vida sin límites. El cáliz del nuevo pacto representa precisamente el Espíritu que vivifica en oposición a la letra que mata, según explica Pablo a los Corintios, y la muerte de Jesús marca el renacimiento del espíritu de profecía, es decir, la comunicación con Dios.

\* \* \*

Cuando Pablo otorga al espíritu profético o

1. Mat. XXIII, 37. Luc. XIII, 34.

de Sabiduría el primer lugar entre los dones del espíritu que dan vida a la Iglesia, se conforma a la más genuina realidad de la nueva y embriagadora alianza de la sangre que es el espíritu de Jesús. Los antiguos términos se habían invertido. Frente al espíritu de cuerpo, por decirlo así, representado por la Sinagoga, la nueva iglesia constituía un cuerpo de Espíritu. La profecía era lo primero; la organización cosa secundaria. «Sobre todo que profeticéis» en bien de la comunidad, a fin de que lo oculto del corazón de donde irradia la caridad se haga manifiesto. Este es el modo de edificarse en altura, de salir en éxodo vertical al encuentro de quien había anunciado su Venida de un momento a otro.

Y semejante comportamiento no se limitaba, como es bien sabido, a la organización interna de las comunidades locales, sino que la difusión del espíritu profético representaba al vivo dentro del conjunto de iglesias, la circulación de la sangre, que era el espíritu de Jesús, en el cuerpo de la cristiandad. Muy ilustrativas son al respecto las instrucciones de la *Didaqué* que coincide con Pablo en distribuir por este orden las supremas categorías eclesiásticas: apóstoles, profetas, doctores. La del profeta es por lo general profesión itinerante. Quizá para evitar abusos, el mantenimiento de esta clase de personas por la comunidad debe ser muy breve. Sin embargo, para ciertos profetas de veracidad comprobada, se establecen estas normas:

Todo profeta verdadero que quiera instalarse entre vosotros, es acreedor a su sustento.

Parejamente, el doctor verdadero gana también como el obrero su sustento.

Tomaréis, pues, del lagar y del granero, de los bueyes y de las ovejas, las *primicias* de todos los productos y se las daréis a los profetas, porque son vuestros *sumos sacerdotes*[2].

Se ha de insistir sobre el particular por ser estos antecedentes de mucha importancia si se ha de comprender la crisis y los sucesos de Corinto. Para la *Didaqué* o *Enseñanza de los Doce Apóstoles*, los profetas son, pues —detrás de ellos, naturalmente— las autoridades supremas, los ἀρχιερεῖς Hasta llega a expresarse así:

«Todo profeta comprobado, verdadero, que trabaja dentro de la iglesia en el misterio del mundo, pero que no instruye a otros a hacer lo que él mismo está haciendo, no debe ser juzgado por vosotros porque Dios le juzgará. Y así obraron también los profetas antiguos.»[3]

La coincidencia con las ideas de Pablo es completa. Porque, si como asegura la *Didaqué*, los profetas son aquellos individuos que poseen el don de «hablar en Espíritu», no pueden ser juzgados. Las categorías paulinas con exactitud:

«El hombre animal no percibe las cosas que son del Espíritu de Dios porque le son locura; y no las puede entender porque se han de examinar espiritualmente.

»Empero el espiritual juzga todas las cosas; más él no es juzgado de nadie.»[4]

Pero todavía las enseñanzas de la *Didaqué* tocan un punto que merece destacarse por lo que sirve para justipreciar los valores cuyo

2. Did. XIII, 1-3.
3. Did. XI, 11.
4. I Cor. II, 14-15.

conflicto agudo no iba a hacerse esperar. Luego de haber estatuido que los profetas son los sumos sacerdotes de la iglesia, la *Didaqué* se ocupa de las ceremonias que deben celebrar los cristianos en sus reuniones, de la distribución del pan, de la acción de gracias, de la confesión de los pecados. Y en función de esas prácticas, añade revelando el menosprecio en que, de acuerdo con las ideas de Pablo, eran tenidos entonces los cargos administrativos:

«Así pues, elegíos obispos y diáconos dignos del Señor, varones dulces, no amantes del dinero, verídicos y probados; porque ellos también ejercen ante vosotros el ministerio de los profetas y doctores.

»No los despreciéis, pues, porque son los hombres honrados de vosotros, con los profetas y doctores.» [5]

Datos son éstos preciosos para entender los sucesos acaecidos en Corinto.

Porque es el caso que el pueblo cristiano de esta ciudad había no sólo despreciado sino depuesto a la alta clerecía que él mismo, de haberse ajustado a los usos de la época de que da testimonio la *Didaqué*, se había provisto. Con los antecedentes expuestos y con los que explícita e implícitamente proporciona la Epístola de Clemente Romano, por sí sólo se descubre el carácter de la crisis que condujo a dicho desenlace. No se debatía en Corinto diferencia alguna doctrinal. Clemente no encuentra

5.  Did XI, 11.

en realidad nada que reprochar ni corregir salvo la escisión, la discordia. Esta proviene de que el pueblo ha repudiado a sus presbíteros y ha hecho causa común con esa «una o dos personas» a que se refiere el Romano con afrentoso desdén. Parece que tenía que tratarse de los profetas que hasta entonces debían haber ejercido en la iglesia la dignidad suma. Como es lógico y muy significativo, dada la habilidad con que está compuesto dicho no corto documento, se evita en él con cuidado mentar directamente a los profetas. Pero si éstos hubieran estado con los presbíteros, Clemente más de una vez lo hubiera esgrimido como arma decisiva. De otro lado, pronunciar la palabra profetas equivalía a dar la razón, teniendo en cuenta el sentir del cristianismo primitivo, al bando que se supone insurrecto.

La justificación del golpe de estado, porque golpe de estado fue lo ocurrido en Corinto en beneficio del monopolio sacerdotal, buscó otros caminos no siempre honrosos. Clemente ideó a su modo una discriminación cristiana entre bien y mal. El bien está representado por los presbíteros y el mal por quienes a su voluntad no se someten. Para lograr sus fines, Clemente tuvo que formular una teoría teocrática según la cual la Iglesia era una institución de derecho divino fundada por Jesús que para ello había sido enviado por el Déspota, según se complace el Romano en llamar a Dios; Cristo transmitió su derecho a los apóstoles; y éstos a su vez recorrieron el mundo entero nombrando los cuadros de una nueva milicia de presbíteros y diáconos, quienes delegaron en sus sucesores. El deber del cristiano es acatar ese divino despotismo, someterse gregariamente a sus normas y esperar con paciencia los acontecimientos. ¿Dones de profecía? Se diría que no existen para Clemente. ¿Elección de los presbíteros por el pueblo? A nadie se le ocurrió semejante cosa. Sin género de dudas, el obispo de Roma instituye en su Epístola una dictadura total del sacerdocio.

## La respuesta del Apocalipsis

Como consecuencia se configura en la inventiva de Juan de Patmos un complejo de imágenes fenomenales que permite a su indignación espiritual presentar a la primera Bestia o Imperio Romano como Egipto con su cabeza curada, de forma que a la Iglesia de Roma —Corinto puede describírsela, dando sentido a lo ocurrido, como engañada por Clemente a hacer la imagen fornicadora de esa bestia, es decir, a «curarse», imitándola hasta convertirse en su trasunto, que es el del Imperio Romano, ante el que deben prosternarse los fieles como ante la estatua babilónica de Nabucodonosor. En segundo término, la magia de las semejanzas exige que a la potencia maligna que otorga magnitud demoníaca al conjunto se le atribuya una figura similar a la de Roma — Egipto que de ella toma autoridad y semblanza histórica, y de ahí el Dragón Rojo — Egipto — Rahab — arrojado a tierra, prototipo a que se conforman el Imperio Romano y la

Iglesia que manda hacer Clemente. La factura «literaria» es visible y sus logros admirables. A la vez que se describen en enigma los sucesos, se califica a la iglesia romana del Falso Profeta o Apóstata, describiéndola como Ramera, Rahab, imagen de Egipto, del Dragón y del Imperio Romano. No caben más tremendas denigraciones en más corto espacio.

La base en que descansan las aserciones que acaban de hacerse no carece de firmeza dentro del Apocalipsis. Dos capítulos antes se les ha reconocido a los «dos testigos» que arrojan fuego por su boca —muy probablemente Pedro y Pablo que esgrimen la espada del Verbo— la facultad de «herir la tierra con toda herida o plaga cuantas veces quisieren.»[1] He aquí la famosa *herida de muerte*. De muerte porque «si alguno los dañare debe ser así muerto» — muerto por «el fuego de la boca», lo que precisa de un modo absoluto el versículo 10: «el que a espada matare debe a espada ser muerto». Puede comprobarse que la redacción de este pasaje transcrito coincide con la que se lee, según se indicó, en la traducción bíblica de los Setenta a propósito de la herida de Egipto.

Procede tomar en consideración, si se ha de desmenuzar la materia hasta donde las circunstancias lo permiten, que «Egipto» poseía en la consciencia judaica un significado simbólico muy preciso. Representaba, frente al Espíritu, el mundo sensual de la carne, así como la tiranía de los valores materiales que le son afines. Para Filón de Alejandría, por ejemplo, «toda mente en oposición a Dios» la mente que

1. Apocalipsis XI, 5-6.

78

llamaremos «Rey de Egipto», esto es, «el cuerpo», se complace en levantar estructuras materiales. Cierra Filón contra esa mente inferior que «creyéndose reina» de los hijos de Israel u «ojo del alma» capaz de la visión divina, los fuerza a construir ciudades poderosas, esclavizándolos, metiéndolos «en las redes materiales de Egipto». Se trata notoriamente del mismo pecado que Juan de Patmos achaca al Falso Profeta. Además Filón redacta esos juicios con motivo de la torre de Babel o Babilonia que es uno de los grandes temas del Apocalipsis, entroncado a esta misma figura. La identidad es tan llamativa y apretada que difícilmente se explica por mera coincidencia.

Lo que todo ello resulta diáfanamente claro es que el complejo «Dragón — Bestia — Imperio — Iglesia» toma cuerpo fantástico en la realidad de la carne y del mundo material en oposición al Espíritu representado, para el autor del Apocalipsis, por quienes siguen con su cruz a cuestas el camino del holocausto iniciado por el Cordero.

Con su espada inexorable continúa así el Apocalipsis:

> «Y hacía que a todos, chicos y grandes, ricos y pobres, libres y siervos, se les pusiese una marca en su mano derecha o en sus frentes.
> »Y que ninguno pudiera comprar o vender, sino el que tuviera la señal o el nombre de la bestia o el número de su nombre.»[2]

2. Apoc. XIII, 16-17.

Para saborear la intención de estas frases, han de cotejarse con las que se leen en la carta del Romano inmediatamente después de los versículos de ella tocantes al ejército romano-cristiano:

> Los grandes no pueden ser sin los chicos ni los chicos sin los grandes. Que el fuerte ayude al débil y el débil respete al fuerte; que el rico mantenga al pobre y que el pobre, etc.[3]

El concepto parece claro. El Apocalipsis se complace en denunciar ese ejército o rebaño anti-espiritual de la iglesia de Clemente, que se caracteriza por llevar la marca — Χάραγμα — de la Bestia, en vez de cultivar los dones — Χάρισμα — del Espíritu, según las exhortaciones de Pablo. Al mismo tiempo está definiendo a ese ejército, rebaño o iglesia romana como la casa de mercader o cueva de ladrones de que hablan todos los sinópticos. Al decir que nadie puede comprar o vender fuera de los mercados con ciertos distintivos, parece estar afirmando que cuantos pertenecen a ese ejército comercian, por ser el templo donde prosperan los «mercaderes de la palabra de Dios», según la expresión de Pablo a los Corintios — una vez más a los *Corintios*[4]. Más adelante se les verá a esos mercaderes lamentarse de la «caída» de Babilonia, la ciudad enriquecida, porque ninguno compra más sus mercaderías[5]. Mas para que

3. Clem. XXXVII, 3. XXXVIII, 2.
4. II Corint. II, 17.
5. Apoc. XVIII, 11.

no subsista ni lejana duda acerca de la alusión al ejército romano cristiano y a sus componentes, contenida en los textos que se vienen examinando, léanse los artículos que se refieren a la destrucción de la Bestia y de ésta su imagen mediante la espada de la boca del Verbo de Dios. En ellos se hace hincapié en la palabra «carne», opuesta claro está al Espíritu, como está esta cena catastrófica opuesta a la Cena de la Sabiduría o del Cordero.

«Venid y congregaos en la cena del gran Dios, para que comáis carnes de emperadores y de comandantes y carnes de fuertes y carnes de caballos y de quienes sobre ellos se sientan; y carnes de todos los libres, chicos y grandes.

»Y vi la Bestia y los reyes de la tierra y sus congregados para hacer guerra contra el que estaba sentado sobre el caballo y contra su ejército.

»Y la Bestia fue presa y con ella el falso profeta que había las señales delante de ella con las cuales había engañado a los que tomaron la señal de la Bestia y habían adorado su imagen.» [6]

Verdadero virtuoso en el manejo de las especies poético-proféticas a la vez que auténtico inspirado, el Vidente opera con la discreción necesaria para eludir la censura. Sabe por instinto trascendental que no debe citar los textos al pie de la letra so pena de revelar el carácter ficticio de sus invectivas que, al perder su apariencia sobrenatural y su misterio, perderían

6. Apoc. XIX, 17-20. "Jehová juzgará con fuego y con su espada a toda carne", Isaías, LXVI, 16. Cf. II Corint. X. 3-4.

buena parte de su profética validez. Todo ha de estar suficientemente «sellado», como él mismo dice, de manera que no despierte grandes desconfianzas, pero sin embargo expreso para que cumpla su misión. Expreso y bien expreso. Esto último está exigido psicológicamente por la indignación íntima y absoluta que lo sacude con esa avidez de divina venganza que presta a todo su libro una fuerza de iracundia que, si no nueva en la Biblia pues que la sensibilidad profética reclama para vibrar de este género de indignaciones, alcanza en la visión de Patmos un volumen y un paroxismo a que no llegó ninguno de los profetas del Antiguo Testamento.

* * *

La cuestión de los nombres desempeña en el Apocalipsis un oficio de excepcional importancia. Bien se ve que su autor profesa a fondo la tradición «mágica» universal y muy elaborada en el antiguo Egipto, según la cual el nombre se identifica sustancialmente con la cosa o persona que designa, de manera que quien lo conoce se convierte en dueño y señor del nombrado. Por eso Adán puso nombre a los animales y éstos le servían. Y por eso en el Apocalipsis las siete iglesias son exhortadas a guardar y afirmar el nombre, y las mejores recompensas consisten en merecer «un nombre nuevo que nadie conoce sino quien lo recibe» (II, 17) o en escribir sobre los elegidos el nuevo nombre de Dios (III, 12). Por idéntica razón el Verbo que al final, como dueño y señor todo lo juzga y lo trastueca, «tenía un nombre escrito que nadie entendía sino él mismo» (XIX, 12) y no Clemente.

Pero Juan de Patmos, identificado aquí con la Sabiduría espiritual, conocía a su modo el nombre de la Bestia. Llamaba la atención sobre él. Mas no lo pronunciaba. Profetizaba la debelación del monstruo que presentaba en su mente caracteres absolutos, a sabiendas de que aún faltaba tiempo. En su arrebato indignadísimo se lo ofrecía al Espíritu del Señor, auténticamente cifrado para que éste lo guardase y, llegado el día, no lo pronunciase sino que lo vomitase de su boca. Pero ¿era esto únicamente así? O por haberse realizado en un instante la identificación entre el sujeto y el objeto de la Sabiduría ¿no era al mismo tiempo que la Sabiduría se lo inspiraba al Vidente para que quedase expreso hacia el futuro de manera que fuera pronunciado el día de su entendimiento? Porque esta literatura no es literatura humana, europea, correspondiente a la época del hombre falsamente endiosado, sino literatura espiritual. Y nombre y señal de la Bestia son la misma cosa: cesarismo, letra que mata, fornicación. Antiespíritu universal, tinieblas en el camino de la esperada luz. He aquí por qué, en manos de la Sabiduría, Clemente al fundar la iglesia romana comete el pecado que no se perdona. Su destino, conducente como el de Moisés, era llegar hasta el lindero.

Recapitulando alguno de los conceptos avanzados, se saca en limpio que esta identificación de la Bestia con Europa justifica técnicamente dentro del Apocalipsis tres elementos importantes: primero, la asociación del número de aquélla con el concepto mercantil de comprar y vender y el relato de su destrucción, eco prolongado en buena parte de la de Tiro, cosa de otro modo arbitraria e inexplicable. Segundo, la estampa de la mujer sentada sobre la Bestia y muchas aguas, porque a no ser con la ayuda del fabuloso rapto de Europa parece imposible que sólo al influjo del Inicuo de Pablo sentado en el templo de Dios y de la serpiente Rahab, la mente judaica del Profeta hubiera inventado figura tan extravagante, tan extrabíblica, cuyo origen en cambio las endechas contra Tiro declaran intencionalmente. Por último explica el porqué de las siete iglesias del *Asia* en oposición a las siete cabezas romanas de la bestia *Europa*. Sólo cuando la fantasía pierde los estribos y, como consecuencia, el sentido de orientación, puede creerse que las cartas a esas siete iglesias son realmente misivas del Espíritu a las siete iglesias que se nombran, como si la vida anecdótica de los obispos de esas pequeñas comunidades locales pudiera tener algo que ver en un libro tan simbólicamente trascendental y botado a la marea y al horizonte de los siglos como el Apocalipsis. La creación literaria aunque sea de la más inspirada calidad profética —con mayor razón si se la cree divina— se atiende a otras causaciones y normas. Tan sólo la mente imaginativamente atrofiada que los desconoce es lo asaz pedestre como para tomar esos pretextos al pie de la letra. Todo lenguaje es medio de comunicación, materia convencional, aún aquel en que se expresan las especies sumas, puesto que es vehículo modal del Espíritu. No otra cosa ocurre aquí. Esas siete iglesias son del Asia y son siete porque así el sistema a que responde la lucidez espiritual del Vidente lo requería. Más de siete eran entonces las iglesias del Asia Menor, y el autor del Apocalipsis no fue, contra lo que supone el vulgo metropolitano, de la provincia. *Asia* representa en su libro la oposición a la Bestia fornicadora de las siete cabezas que es nave y templo, esto es, la contrafigura nominal y religiosa de *Europa,* con sus diez cuernos diademados o gobiernos consulares.

Posee este conjunto de realidades la inapreciable cualidad de traducir a términos históricos ese tesoro de altas visiones espirituales suspensas en el limbo del destiempo. Porque la oposición entre Europa y Asia que parece ser uno de los resortes cardinales del Apocalipsis, y su enemiga hacia Roma, no fueron invención del cristianismo ni de Juan de Patmos. Era una contradicción radical y compleja, existente históricamente en sí, como la que hoy se registra entre Asia y América, y que a causa de su radicalidad se manifestó *también* y a su modo en el seno del cristianismo. Más de dos siglos contaba ya la idea de que la destrucción de Roma era el requisito indispensable para el reino del pueblo de los elegidos de Dios. El tercer libro sibilino escrito, a lo que se piensa, entre 168 y 96 antes de nuestra era, presenta a Roma pereciendo con todos sus edificios y habitantes bajo una catarata de fuego caída del cielo, como Sodoma[7].

No son pocos los indicios que hacen suponer que el Vidente manejó estos textos proféticos en que se habla de la sucesión de los grandes imperios, el *sexto* de los cuales es Roma,

7.  Libros Sibilinos. Libro III, versos 49-54.

del dominio de una bestia policéfala que surge del mar occidental, hasta que al fin «vuelva a ser fuerte la nación del Dios Poderoso, nación que será conductora de vida para todos los mortales». Y ya en él aparece la oposición, no sólo entre Roma y Asia, sino entre Europa y Asia, repitiéndose, adaptados al porvenir, los conceptos de Daniel sobre la bestia de diez cuernos y del Exterminador.

* * *

La creencia de que el fin del imperio romano ha de coincidir con el del mundo precursor del reino prometido a los santos, es fundamental en los orígenes de la escatología judaica y cristiana, casi su leimotivo, y se prolonga con las alteraciones de rigor durante los siglos primeros. Tertuliano ruega a Dios por los emperadores y por la continuación del imperio con objeto de no padecer las aflicciones espantosas anunciadas para ese trance esencial[8]. Las raíces de semejante idea son mucho más antiguas que el cristianismo aunque éste fuera su difusor en Occidente. De una parte están las creencias del mundo persa y de sus magos mitríacos, de que parece haberse nutrido el sistema cristiano, y a quienes no sin razón se los presenta viniendo a rendirse ante Jesús nacido, como Mitra, el 25 de diciembre.

Pero para el cristianismo dicha idea provie-

8. Tertullianus, Apologeticus, cap. XXXII. Algo equivalente repite en *Ad Scapulam*: "El cristiano no es enemigo de nadie y menos del emperador.
"Lo quiere indemne con el imperio romano mientras el siglo dure, puesto que ha de durar otro tanto."

ne en línea canónica del libro de Daniel cuya interpretación histórica había sido modificada y puesta al día. La cuarta y más terrible bestia que para Daniel era el imperio griego, se transfiere al romano. A la postre ambas eran para el Asia formas de una sola y aborrecida entidad, Europa. Ha de tenerse en cuenta que dicha interpretación no es tan gratuita como suele pensarse, puesto que en el juicio de las bestias de Daniel sólo se destruye la cuarta, la correspondiente al punto cardinal europeo, mientras que a las otras tres, a las asiáticas, aunque se les quite el señorío a favor del pueblo de Israel, se les prolonga la vida [9]. Quiere todo ello decir que estos conceptos sincréticos debían ser familiares para los profetas de Corinto, quienes quizá —y ello explicaría aspectos del conflicto— los predicaron en su congregación por motivos exactamente contrarios a los que, tiempo después, y ya adaptado al espíritu de la iglesia romana de Clemente y rogando por los emperadores gentiles, inspiraban a Tertuliano. Nada más lógico, pues, que a raíz de la dura experiencia de Corinto donde el cristianismo romano repudió el espíritu profético inherente a la razón de Jesús, el universo espiritual de los perseguidos se uniformara con las especies geopolíticas ya en funciones y que su sistema teológico incluyera entre sus polaridades básicas la de Asia y Europa. Resultaba así previsible, por mera deducción de las premisas en curso y al amparo de la situación de apostasía espiritual creada por Clemente, el florecimiento de una época en la que los intereses del César fueran

9.  Daniel, VII, 11-14; 26-27.

sustentados por la incipiente iglesia clementina en contra del Espíritu del Cristo al modo como lo habían sido por la Sinagoga en el juicio y muerte de Jesús. He aquí la imagen escarlata de la Bestia belicosa y la Ramera embriagada con la sangre de los mártires, en oposición a los ideales proféticos de los pueblos del Asia.

Y procede tener presente que ese binomio Asia-Europa, a veces bien avenido, otras en pugna disyuntiva, aparece con regularidad en las obras de los historiadores coetáneos y, lo que es aquí aún más importante, en las históricas del judío Filón, no desconocidas a lo que parece por el autor del Apocalipsis, según quieren no pocos críticos. La correlatividad de dichos nombres era opinión generalizada. Pronunciar uno equivalía a sugerir el otro. Adviértase, por fin, cómo la mente poético-profética moderna, heredera legítima de Isaías, Ezequiel y Juan —Blake, Novalis, etc.— se expresa parecidamente en especies continentales que, alteradas las razones, hacen de *Europa* el centro del mundo («*Europa, una profecía*», etc.; «Europa o la cristiandad»).

Admira, entre paréntesis, a este respecto el poder inverosímil de adivinación que asiste a veces a la mente poético-profética. No se explica, por ejemplo, cómo pudo William Blake expresarse así en su *Milton*:

«No bien terminó de hablar, apareció Rahab Babilonia rumbo al este, sobre el empedrado que cruza Europa y Asia, gloriosa como el sol al mediodía, en el pecho luciente de Satán, una hembra oculta en un macho, Religión oculta en guerra, llamada Virtud Moral, cruel y duple Monstruo con fuerza relumbrando, un dragón rojo y una Ramera oculta que Juan en Patmos vio.» [10]

La conclusión que, en lo tocante al Apocalipsis, parece imponerse y que, desde luego, se impone a quien traza estas líneas, es que las probabilidades de que el famoso enigma de la cifra 666 correspondiera en la mente de su redactor al nombre de Europa son extraordinariamente elevadas.

En lo abstracto y teórico no puede descartarse la posibilidad de que exista alguna otra explicación hacia el mismo rumbo. Parece, sin embargo, más que difícil. Desde luego, esta solución presenta sobre las tradicionales, ventajas ostensibles en diversos órdenes de valores, y entre ellas el hecho de que, sin menguar en nada la entidad trascendentalmente profética del libro, sino al contrario, lo convierte a éste en objeto vivo, real, digno de la experiencia de la divinidad en el hombre, de manera que la mente humana aduce pruebas de ser susceptible de redención o transfiguración puesto que obran ya en su pasado los testimonios de su vida altísima.

10. W. Blake, Milton, libro II, Pl. 46 (42), 17-22. Volvió Blake a repetir el concepto en su *Jerusalem*, identificando de nuevo a Babilonia con *Rahab*, "estado del que es preciso desprenderse: Y Rahab, Babilonia la grande, ha destruido a Jerusalem.

## Sobre el autor del Apocalipsis

Entre las muchas curiosidades que a esta nueva luz despierta el Apocalipsis, la que plantea la persona de su autor requiere algunas palabras. Su origen hebreo y palestiniano —quizá galileo— se dice fuera de discusión a causa de idioma de su libro. Se halla escrito éste en un griego plagado de solecismos y giros hebraicos que no se parece a ningún otro por las licencias peculiarísimas en que abunda.

Perfila desde cierto ángulo la fisonomía del Vidente la predilección que acusa por el nombre de Judá. Es la tribu que en su lista encabeza las restantes [1]. «León de la tribu de Judá» se le llama al cordero sacrificado. Más aún, la figura singular del caballo blanco sobre el que adviene el Verbo de Dios al frente de sus ejércitos a hacer la guerra y derrocar el poderío de la Bestia escarlata y de su falso Profeta, Ramera o iglesia pastoral de Roma, procede sin duda del siguiente escondido concepto de Zacarías que imagina en acción: «Contra los pastores se ha encendido mi enojo \*\*\*; Jehová de los ejércitos visitará su rebaño, *la casa de Judá,* y tornarálos como su *caballo de honor en la guerra*» [2], —como símbolo de la casa entera de Israel— la cual puede a su vez ser símbolo de la humanidad redimida.

Otro tanto ha de decirse del primero de los cuatro famosos jinetes —a nuestro parecer re-

---

1. Apoc. VII, 5.
2. Zac. X, 3. Uno de los nombres poéticos de Jehová, repetido sobre todo en los Salmos, es "Jinete".

presentación de Pablo, imitador perfecto de Jesús o «imagen del Hijo»— el cual, sobre su caballo blanco también, tiene en su mano un arco porque «entesado he para mí Judá como arco». A lo que se suma la animadversión que expresa Juan de Patmos contra «los que dicen ser judíos y no lo son, mas mienten», los cuales acabarán postrándose a los pies del ángel de Filadelfia [3]. Desde este punto de vista no carecía de razón Jerónimo para sostener que —exactamente por cierto como la persona de Jesús Nazareno, rey de los judíos— el Apocalipsis era a la letra judaizante. El autor pensaba que ser judío imponía el deber de sacrificarse, en el espíritu del Deútero Isaías, por la salvación de todos los pueblos.

El Vidente dice al principio y al fin varias veces llamarse Juan y ser profeta. De ello y de la relación del Apocalipsis con el Cuarto Evangelio provino la idea legendaria de que su autor era el Apóstol de dicho nombre, hijo de Zebedeo o del Trueno, según el sobrenombre que a él y a su hermano les impuso Jesús. Y de ahí probablemente toda la subleyenda de larga vida y milagros de que disfruta Juan Zebedeo. En realidad histórica lo probable, de acuerdo con ciertas tradiciones, es que dicho apóstol pereciera varias décadas antes de escribirse la Visión.

Robert H. Charles, probablemente la mayor autoridad inglesa en estas cuestiones, sostuvo con insistencia en casi todos sus escritos que el Apocalipsis no es, como otras profecías anteriores, obra seudónima sino de un profeta lla-

3. Apoc. II, 9; III, 9.

mado en verdad Juan. En aquella sazón, dice, no existían motivos que aconsejaran el disimulo de su identidad, como ocurría bajo la opresión de la Sinagoga. Pero enfocado el fenómeno en relación con los sucesos de Corinto, las premisas cambian por completo y el panorama con ellas. Por consiguiente, pudo muy bien ser escrito este libro por persona que se llamara de otro modo como ya se afirmaba en Roma hacia el año doscientos de nuestra era[4]. Por ejemplo, por aquel misterioso Aristíon de que hablaba Papias tan a menudo y con tan gran diferencia, anteponiéndolo siempre al presbítero Juan, ambos «discípulos del Señor». No puede desconocerse que para Eusebio, lector de la obra desaparecida de Papias, dicho presbítero podía haber sido la persona que «vio» el Apocalipsis. Eusebio atribuía, pues, la Visión a este foco efesino que Papias había frecuentado, optando por Juan a causa de su nombre. Pero, descartada la homonimia, más lógico sería atribuir el Apocalipsis a Aristíon, cabeza del grupo, toda vez que al presbítero —¿de dónde?— parecen convenirle mejor las Epístolas y Cuarto Evangelio conforme a lo que hoy presume la crítica más alerta. De este modo se explicaría la semejanza y la diferencia entre ambas obras redactadas en lenguaje muy distinto. Nada hay, desde luego, que impida pensar esto así, aun-

---

4. El erudito Gayus, presbítero a lo que suele conjeturarse, sostenía en todo un tratado que el Apocalipsis era obra del hereje Cerinto que se la había atribuido a "un gran apóstol". Así lo refiere Eusebio en su *Historia Eclesiástica* (Lib. III, cap. 28). Según Dionisio de Alejandría, colacionado por el mismo Eusebio, eran varios los que pensaban así.

que tampoco existan pruebas que lo certifiquen.

Ahora bien, por lo que toca al nombre de Juan que se atribuye el vidente de Patmos, cabe tomar en consideración que su libro narra la contienda entre las gentes que llevan el número o nombre de hombre, propio de la Bestia romano-europea, y las que forman el gremio o hermandad de la Paciencia, señaladas en su frente con el nombre de Dios. En este sentido no parece improbable que su genialidad sin límites le llevara al autor del Apocalipsis a complacerse en oponer al «nombre de hombre» de *Clemente,* caudillo del primer bando, el nombre teóforo de Juan, por cuanto que la significación generalmente aceptada de este segundo apelativo de etimología algo amorfa. es *Jehová es clemente.*[5] En la oposición entre estos dos nombres se halla virtualmente expresa la lucha entre el «Quién como yo» y el «Quién como Dios» que presta sustancia a la Visión entera. De ahí pudiera provenir su extraña insistencia en nombrarse a la manera de Daniel y por la misma razón de su significativa seudonimia[6]. De este modo, quizás, el autor del Apocalipsis se atribuyó la sucesión de Juan, hijo del trueno, como Clemente se había atribuido la de Cefas, cosa trascendental según se verá más tarde.

5. Así suele verterse al castellano cierto concepto repetido en la Biblia a partir del libro del Éxodo —*hanan,* ser propicio, clemente, tener misericordia, gratificar o dar gracia, etc. Del que parece provenir el prestigio del nombre. Jo-hanan o Juan (Éxodo XXIV, 6; Jonás, IV, 2; Joel, II, 13; Salm. LXXXVI, 15).
6. Apoc. I, 1, 4.9; XXI, 2; XXII, 8. / (3) Apoc. I, 9.

¿Estuvo el profeta desterrado en Patmos y escribió allí su revelación? En caso afirmativo parece que hubo de debérselo a Clemente Romano que invitó a los profetas de Corinto a abandonar la comarca bajo amenazas posiblemente robustecidas por medios menos liberales. Dice exactamente que «estaba en la isla llamada Patmos a causa de la palabra de Dios y el testimonio de Jesús».

Una cosa es clara, que estuvo en un lugar de sufrimiento a causa de su calidad de profeta y que «por la palabra de Dios y por el testimonio que ellos tenían» fueron muertos los profetas del Antiguo Testamento y que el testimonio de Jesús es el espíritu de la profecía[7]. Pero Patmos ¿es una realidad o es una ficción literaria como tantas otras de este libro, en cuanto que pronunciada la *tau* como *zeta*, Pathmos en vez de Patmos, la raíz de dicho vocablo denota sufrimiento? Sólo se sabe que como buen jugador de la palabra, el entendimiento refinadamente simbólico del autor del Apocalipsis no perdía ocasión de utilizar sus recursos literarios, y que los nombres poseen para él importancia sustantiva. Vive en un mundo de vocablos. Busca por todas partes la «palabra de Dios», el dicho divino que justifique providencialmente tanto los hechos de la vida real como sus proyecciones simbólicas. Que estampó aquí la voz Patmos a causa de su «patetismo» y en oposición a la táctica de Roma, antro de delicias, parece más que probable. «Pathmos» escriben con frecuencia los padres latinos. Que estuviera realmente en Patmos ya es otra cuestión. En las

7. Apoc. VI, 9; XIX, 10.

islas de Pontia y de Pandataria estuvieron relegadas en aquel mismo tiempo Domitila y Flavia Domitila, parientes del cónsul y mártir Flavius Clemens con quien muchas veces se ha confundido a Clemente Romano. Patmos era más bien una isla de paso, pero en el fondo, puesto que era el paso obligado para Efeso, no se ve inconveniente para que poco o mucho tiempo, castigado o no, el autor del Apocalipsis permaneciera allí a su salida de Corinto, «por la palabra de Dios y el *testimonio* de Jesús».

A primera vista cabría pensar que aún siendo el Apocalipsis, según meridianamente se trasluce, respuesta a la Epístola de Clemente Romano, pudiera haberse escrito desde el Asia por alguien radicado allí. Sin embargo, no se requiere cavilar mucho para concluir que una obra de esta abrasadora lucidez sólo pudo ser concebida por persona vitalmente interesada por los sucesos, por un cerebro rico en «dones sobresalientes y reputados [8]», que padeció aquéllos como cordero víctima. Clemente redactó su libro infamatorio contra «uno o dos» profetas extranjeros. Es moralmente imposible eludir la conclusión: el autor del Apocalipsis no pudo ser otro que aquel a quien se le martirizó fratricidamente y se le dijo que más le valiera atarse al cuello una piedra de molino y tirarse al mar.

8. Clem. XXIII, 2.

## Los profetas, ángeles aulladores

Resueltos a lo que bien parece los enigmas
esenciales del Apocalipsis, surgen de inmediato otros subsidiarios. Uno de ellos, bastante
importante desde cierto ángulo, es el tono mismo tan furiosamente terrorista en que la mayor parte de sus capítulos fueron redactados.
Se comprende que su autor estuviese indignado
hasta su última médula por los sucesos de Corinto cuya gravedad se desconoce. Cierta es,
de otro lado, la tradición del profetismo judaico que machaca con insistencia de martillo sobre yunque las amenazas más aterradoras.
Jehová es un Dios al que el israelita le atribuye
bondades sublimes y sin cuento, pero que en
la boca de sus profetas trata a menudo de
imitar los rugidos de la tempestad en su dia-
pasón exterminante. El lector se pregunta a
trechos si la diferencia entre Dios y Satán radica sólo en la fuerza del aullido, mayor en el
primero. Y en cierto modo, aullido es, vocablo
que tanto se repite en los grandes profetas.
Porque en acuerdo con la idea de grey o rebaño
de ovejas que el pueblo israelita tiene de sí
mismo, los profetas desempeñan con frecuencia el oficio de canes aulladores que bajo el
imperio del terror mantienen apretujados unos
contra otros los miembros del rebaño, creando
en ellos una suerte de masoquismo que, al ne-
cesitar de esas amenazas, mantiene viva y alerta una tónica de destino común.

En este sentido se diría que el Apocalipsis
extracta la fuerza de muchos de los terrores
contenidos a lo largo de la Biblia para despedir-

la en figuras nuevas y pavorosa sobrepujanza contra el espectro de Clemente. ¿Pero cómo pudo ocurrir esto así en un alma que ha pasado de las cavernas del espanto al reino del Amor?

Ha de tenerse en cuenta que las palabras de Jesús en los sinópticos pecan de la misma intemperancia amenazadora, no demasiado compatible con la naturaleza caritativa que presta a Jesús el Cuarto Evangelio. ¿Fuerza judaica de la costumbre? ¿Técnica psíquica, sea ésta de carácter consciente o subconsciente? De ambas cosas puede haber. Inveterada técnica paterna ha solido ser el manejo de la intimidación para mantener al hijo entre linderos. Y el miedo al castigo y la atracción de la dádiva constituyen los dos polos opuestos, el incentivo y el acicate, que han dado forma psíquica al curso de la Edad Media, utilizando la muerte, la más perentoria de las amenazas, asociada a la idea eterna de ser, para forjar el destino de su mundo.

En este aspecto ningún escrito ha desempeñado durante la era cristiana ni remotamente, el oficio intimidatorio del Apocalipsis, cuyas páginas están verdaderamente embriagadas del vino del furor del Todopoderoso. ¿Simple reacción doctrinal y personalmente indignada ante la agresión del Romano? Aunque esa iracundia con sus imaginarios estampidos haya prestado el fondo tonal en que se desarrolla la pesadilla del Vidente, bien se ve que esta obra abriga propósitos más ambiciosos que el de responder a un aguijón anecdótico por grande que sea su malicia. El autor se ha precipitado a alma perdida en esa noche insondable que para el místico representa la Sabiduría de Dios. Contra el sistema de baja aleación espiritual instaurado por Clemente, el profeta de Patmos recoge en un solo haz todos los relámpagos de la Biblia. Y hay que convenir en que, si su inmediato propósito consciente fue oponerse al crecimiento del sistema clementino, fracasó por completo. Porque el Apocalipsis con su orgía de terrores ha sido en realidad uno de los mayores agentes cohesivos con que ha contado la iglesia romana para mantener durante la Edad Media su hegemonía soteriológica. En un comienzo el fin del mundo era para los cristianos esperanza sublime. Mas si no tardó en transformarse en una fuente de espantos se debió en gran parte al Apocalipsis. No hubo que esperar al año mil para que las almas cristianas se erizaran de pavor, congregándose en torno de la Iglesia que mitigaba sus zozobras y ofrecía a su desvalimiento algún consuelo. Bien vale la pena transcribir ciertos conceptos ya aludidos de Tertuliano para darse cuenta del modo como el Apocalipsis contribuyó a que el mundo hiciera suya la actitud de Clemente hacia el imperio romano y hacia los emperadores:

«Aún tenemos una obligación mayor que es rogar por los emperadores, y hasta para la continuación del imperio en general y por los intereses romanos. Sabemos que la fuerza tremenda que pende sobre el mundo entero y el verdadero final del mundo con sus amenazas de terribles aflicciones están detenidas durante algún tiempo por la existencia continuada del Imperio Romano. No deseamos presenciar ese suceso y, al pedir que sea aplazado, favorecemos la continuación de Roma [1]».

Tan desorbitado es el terror a que se halla asociado el Advenimiento del Verbo de Dios que la mente cristiana, a punto de sufrir ese colapso idealista equivalente a lo que en psiquiatría se llama desprendimiento de la personalidad, pudo permanecer pegada a tierra y arraigar en ella hasta acabar en el Renacimiento por interesarse por realidades y fenómenos de orden material. En suma, el Apocalipsis estuvo durante la Edad Media actuando de perro ladrador al servicio del Pastor de Roma.

En el plano psicológico trascendental en que se ha desarrollado la vida de nuestra cultura, ello ha sido cosa de providencia, necesaria, pues que gracias a tales intimidaciones se ha mantenido centrípetamente aglutinada en un sistema psíquico cualitativo o estado de espíritu Supernacional, una innumerable muchedumbre de individuos que por otro lado eran urgidos por la ineludibilidad de diferenciarse, inherente a la índole expansiva del sistema. La utilidad del Apocalipsis en este orden de evoluciones está fuera de discusión y, por tanto, su carácter providencial que no se redujo a este aspecto sino que se manifestó asimismo en su inclusión en el canon neotestamentario donde, además de cargarle a éste de Espíritu anuncia el fin oportuno de dicha situación e Iglesia. La duda que ocurre atañe al estado de conciencia de su autor. ¿Fue éste únicamente arrastrado por el torbellino de sus pasiones teológicas o su lucidez llegó al extremo de saber que estos terro-

---

1. Tertullianus, Apologeticus, c. XXXII.

res a favor de la Iglesia babilónica de Clemente eran necesarios? Algunas frases como aquella que dice: «el que es injusto sea injusto todavía, y el que es sucio sea sucio todavía»[2], invitan a sospechar que quizá no era el profeta tan inconsciente como parecería al pronto y que por su parte consideraba oportuno contribuir al empedernimiento que exaltara la maldad al grado de provocar la descarga de la cólera divina, propia del Advenimiento. Porque a fuerza de mirar al cielo, los conceptos psíquico-teológicos de los profetas de Israel parecen ajustarse a las leyes de polaridad eléctrica que regulan las tempestades.

El hecho de que en el sistema apocalíptico juegue visiblemente la dualidad Edom-Israel, que se recalque el valor de la fraternidad de la «paciencia» o Rebeca y que ésta desempeñe papel tan importante en el Cuarto Evangelio inspirado por el Apocalipsis dan a entender que el Profeta estaba penetrado de la mecánica indefectible en la Biblia, según la cual «el hombre animal es primero, luego el espiritual». En el Codicilo del Cuarto Evangelio está esto aún más expreso: el discípulo amado viene detrás de Pedro y es como el Mesías relativamente al Bautista, superior a él. Muy de presumir es, por tanto, que al redactarse el Apocalipsis fuera éste un axioma aceptado en la mente de su autor que relegaba el reino de los profetas para cuando caducara el del sacerdocio que por eso no temía fomentar.

Pero además el Vidente aduce junto a la versión huracanada e hipercatastrófica del proce-

2. Apoc. XXII, 11.

so espectacular que consituye el cuerpo del Apocalipsis y que tanto aterrorizó a la Edad Media, otra versión parejamente significativa pero más apacible, desapasionada y aséptica que la principal. Se encuentra repartida en las epístolas preliminares a las siete iglesias del Asia un poco según parece al modo de un juego de naipes bien barajado que se distribuyera entre siete jugadores. No obstante lo especial de la materia, bien merece que se le dedique cierta consideración porque gracias a ello puede percibirse la idea que en buena parte ha determinado esa extraña arquitectura del Apocalipsis compuesto de las cartas a las siete iglesias que le sirven como de exordio y clave, y las grandes jornadas posteriores. Va a verse cómo este ha sido el procedimiento que ha permitido resolver en forma brillantísima las exigencias que al profeta le imponían las normas de lo que hoy se llamaría su ética profesional, teológica naturalmente.

## Las epístolas a las siete iglesias

Si el profeta de la casa de Israel había de cumplir cabalmente su cometido, debía por un lado amonestar al impío condenado por Dios a muerte e invitarle a arrepentimiento y conversión. Así se le daba al impío oportunidad de salvarse, lo mismo que con mayor razón al justo desviado, y no sólo la moral del profeta sino la justicia y la equidad de Dios quedaban a cubierto. Mas de otra parte el profeta debía expresar su profecía «sellándola» de modo que los interesados se empedernieran hasta el día señalado por la presciencia divina, dando así ocasión a que el plan teológico de la historia se llevara a cabo. Según se ve, estas últimas instrucciones coinciden en lo fundamental con los designios que Newton suponía propios de la divina providencia en relación con los libros de Daniel y del Apocalipsis.

Pues bien, las epístolas a las siete iglesias de este último libro, parecen responder a los propósitos de Ezequiel [1]. Son amonestaciones y advertencias al impío y al justo que exhortan al arrepentimiento al primero, le comunican su condena a muerte, contrastan su posición con la del segundo y animan a éste a perseverar hasta el final en su camino. La responsabilidad divina queda, pues, para empezar a salvo. Las gentes han sido advertidas de la sentencia final. Mas de otro lado, ésta no es cosa que convenga declarar paladinamente puesto que la oscuridad es necesaria. El capaz de oír, oiga. Dios es misterioso para el hombre carnal. Será misterioso hasta el momento en que, gracias a la actuación de los profetas, se consume y revele, según anuncia el Apocalipsis. Tales advertencias misteriosas producen además el efecto de inducir a la conciencia a mirar y a remirar, a ahondar y a perfeccionarse tratando acuciosamente de comprender los enigmas sacros. Son prácticas terapéuticas en el campo de la conciencia entitativa o de la esquizofrenia trascendental, que un día darán fruto.

1. Ezeq. III, 16-21.

En cuanto al empedernimiento postulado por las recomendaciones de Isaías, el Apocalipsis cumplió su cometido con habilidad soberana. Su profecía quedó redactada tan paradójica y perfectamente, tan como libro a ciencia y conciencia sellado, conforme a las previsiones del capítulo XXIX de aquel antiguo profeta, que la Iglesia de Roma oyó y no entendió, vio y no comprendió. Sus fogonazos y estridencias cegaron y ensordecieron, aunque también indujeron a contrición y purificaron la atmósfera. Es decir, el Apocalipsis contribuyó poderosamente al fraguado del misterio de la iniquidad que sobre las bases sentadas por Clemente constituyó la personalidad cultural de Esaú-Edom, propia del desierto y precursora de la de Jacob-Israel, dueña esta última de la tierra que simbolizaba el paraíso prometido, o sea, aquella que fue prenda de la israelización del mundo de manera que la conciencia del ser humano acabe, al despertar de su sueño, por integrarse al foco de la realidad divina.

En las epístolas a las siete iglesias del Asia el Vidente ha combinado diversas posiciones de los dos campos que contendían en Corinto —y sin duda en toda la Ecumene—, el de los profetas y el del sacerdocio, correspondientes al culto directo del Espíritu y a la adaptación al mundo romano. Congruentemente, el Espíritu es quien en ellas se expresa y da direcciones porque «todos los que son guiados por el espíritu de Dios son hijos de Dios», había dicho el Apóstol [2] y «ahora somos hijos de Dios» [3], según Juan el presbítero.

2. Roman. VIII, 14.
3. I Juan, III, 2.

Se ha concebido al texto en forma epistolar. Sin duda para responder a la Epístola de Clemente. Ello explica la singularidad peregrina de esta primera parte del Apocalipsis. Pero en vez de dirigir su contestación a una sola iglesia el autor ha preferido siete quizá por ser éste el número de la Sabiduría, del Espíritu y del Verbo de Dios a que también Pablo se había quizá amoldado —en el pensamiento de aquellos días—, al escribir a siete «iglesias de Dios», y el de Patmos pierde raramente la ocasión de oponer al Romano el Apóstol de los gentiles. Tampoco parece imposible que el Vidente pensara a la vez en las siete mujeres del capítulo IV de Isaías, quienes «en aquel tiempo del renuevo de Jehová» piden sea llamado sobre ellas *su nombre* que las libere del oprobio.

Pero sobre todo esas iglesias angélicas son siete porque constituyen para Juan de Patmos la proyección de *la piedra* o Cordero de los siete ojos, los cuales, según asiente Zacarías y consiente el Apocalipsis, son «*los siete espíritus de Dios que recorren toda la tierra*»[4]. Clemente había hecho suyo un texto del Deuteronomio, según el cual el Altísimo había parcelado *la tierra* de acuerdo con «*el número de los ángeles de Dios*». Los ángeles de las siete iglesias que también son las siete estrellas de la diestra del personaje que representa el Espíritu de Jesús —su ángel— hablan por sí solos. Muy probable-

4. Zac. IV, 10; Apoc. V, 6. Adviértese que todo este capítulo IV de Zacarías ha sido incorporado al Apocalipsis, aunque alguno de sus versículos haya sido "diluido", como el que reza: "No con ejército ni con fuerza, sino con mi Espíritu, ha dicho Jehová de los ejércitos", el cual es como el lema invisible de la Visión de Patmos.

104

mente corresponden dentro del concepto territorial Asia —*pars pro toto*— a la idea del mundo configurado por dichos siete espíritus o candeleros que lucen como una *menorah* en el templo de Dios en el cielo. En lo que también se disciernen, como en otros lugares del Apocalipsis, resonancias concretas del Libro I Enoch.

En el encabezamiento de cada una de esas siete epístolas se exponen algunos de los caracteres del «que es y que era y que ha de venir», y al final se prometen, distribuidas, las recompensas que figuran en los últimos capítulos del Apocalipsis. También en cada una de esas cartas se repite al fin la frase: «el que tenga oído oiga lo que el Espíritu dice a las iglesias». Es éste un estribillo muy intencionadamente asociado a otra frase en parte idéntica que precede a la aparición de la Bestia segunda en el capítulo XIII, y que sirve para establecer una distinción entre las actividades malignas de Clemente Romano y las óptimas de la comunidad de la Paciencia. Mediante este término identificativo —«el que tiene oído oiga»— el autor parece proponerse declarar con toda deliberación que el asunto de que tratan estas siete epístolas es el mismo que se describirá allí con figuras. Por eso, contra las arbitrariedades seudo apostólicas de la Epístola Clementina, se pronuncian con toda contundencia en estas siete del Apocalipisis las admoniciones proféticas del Espíritu de Jesús.

## Los pasos laberínticos del milenio

El Milenio pudiera ser un broche de coherencia perdido. La mente católica tendría que dar larga marcha atrás para recogerlo, porque hace muchos siglos que sorbió su pulpa y desechó lo que parecióle hueso y cáscara.

Por lo ya vislumbrado, su dignidad parece suma. Se halla implícito desde el primer capítulo del Antiguo Testamento y a lo largo de él, al modo como para el teólogo estaba en ese libro implícita la personalidad de Cristo Jesús. Ambos, Cristo y Milenio, se concretan y explicitan, son dados a luz cristianamente, hacia la misma época, si bien el segundo varias décadas más tarde, en los tres últimos capítulos del Apocalipsis, profecía final del Nuevo Testamento. El círculo se cierra, principio y fin —primera y última página de la Biblia— se empalman. No sorprende, pues, que el Crismón [1], que es la ex-

1. Me refiero al Crismón ☧ , símbolo que durante la Edad Media se hallaba asociado mediante la muerte, a las esperanzas de Milenio y de resurrección. Me refiero al Crismón grabado en sarcófagos y toda clase de monumentos funerarios donde solía labrarse o pintarse por ser promesa de resurrección, de vida eterna. La resurrección a que hace referencia dicho signo, es, pues, la anunciada por Juan el Vidente, la asociada al advenimiento del Verbo de Dios. O sea, la que corresponde al término simbólico de *Milenio*. El Apocalipsis trata explícitamente de la materia en su capítulo XX donde repite en seis frases consecutivas y de manera no poco forzada y arbitraria la expresión *mil años* dando a entender, aunque hasta ahora no se haya así entendido por los comentaristas de este libro trascendental que su resurrección se refiere al *séptimo* milenario, al *Milenio* en su expresión más auténtica.

presión del Milenio apocalíptico y no de otro, se identifique con el nombre y sustancia de Cristo ni que el Advenimiento prometido de éste, bajo la advocación de Verbo de Dios, coincida, según el Apocalipsis, con el inicio del Milenio o día bienaventurado de «reposo».

El Milenio es, estrictamente, una idea-símbolo originada por un sentimiento de finalidad. Entraña también, como el reloj, una noción aunque indeterminada de tiempo. En su valor genuino, el Milenio presumía, para después de un lapso simbólico de seis mil años o revolución completa de cierto gran período humano, el acaecimiento de una *situación terráquea* universalmente perfecta, esencial, de la que no estuviera disociada la mente divina. «Del día y de la hora nadie sabe, ni aun los ángeles que están en el cielo, ni el Hijo, sino el Padre»[2], porque «no toca a vosotros saber los tiempos o las sazones que el Padre puso en su sola potestad»[3].

Dicho valor *terráqueo* inherente al Milenio, aclara el porqué carece hace ya muchos siglos de vigencia ante la mente católico-romana. Para ésta existe el «cielo» en oposición a la «tierra», la cual en sí ningún objeto tiene. Este mundo es mera oportunidad, circo para que el fiel cristiano merezca la vida eterna mediante su sumisión a las normas dictadas por Dios a través de la Iglesia bajo la dirección del Sumo Pontífice.

En cambio, a causa de esta misma razón te-

2. Marc. XIII, 32; Mat. XXIV, 36.
3. Hech. I, 7.

rráquea por la que se encontró en pugna con el sentimiento católico, el Milenio se amiga bastante bien, en substancia, con las ansiedades de la filosofía de la historia que aspira a comprender el sentido a que pueda responder la vida en el planeta. Desde este ángulo, el examen del Milenio ofrece interés positivo, por ser un concepto que parece hallarse vinculado con las intuiciones de destino universal más primitivas del hombre y promete facilitar el modo de explorar el envés de la conciencia.

Impórtale mucho a nuestra cultura tener presente que la idea-símbolo del Milenio traduce un sentimiento escatológico o de finalidad nacido de su esencia misma. Porque la cultura judeo-cristiana con su multiplicidad étnica se diferencia de las demás por sostener que la vida del hombre se halla intencionada por un impulso que física y psíquicamente la proyecta al universalismo. Hasta puede decirse que esta cultura nació como tal, cuando en la conciencia humana germinó en modo ya formulable esa presencia escatológica del futuro [4].

Cuando la vida dolorosa, no del individuo, sino de la tribu, necesitó compensar sus sinsabores y angustias crónicas mediante un sistema

4. La única religión que, además del judaísmo ha anunciado expresamente el reino de Dios, el mazdeísmo de que provienen los misterios de Mitra, dividía el tiempo en siete milenarios. Al fin del sexto ocurría una resurrección y juicio por el fuego entre buenos y malos, instaurándose el Milenio de la Edad de Oro o de Apolo correspondiente al sol. Luego, en posición octava, sobrevendría la conflagración última. Obviamente, el cristianismo se asimiló, cuando venció al mitraísmo, sus impulsos a los que debe su creencia en el día octavo o de la catástrofe absoluta.

de promesas que cuajara en el porvenir una meta hacia la que encaminar sus pasos, nació la circuncisión en cuanto pacto generacional con Dios. Quedó desde entonces dislocado el sentimiento de la vida que, una vez descompuesta en la conciencia la sensación de presente, se puso en movimiento hacia la futura redondez de la tierra bajo el signo del monoteísmo. Se hizo desde aquel día destino el concepto itinerante a que, en su ansia de perfección, el hebreo ajustó sus salmodias[5], y que desde entonces continúa vigente aunque su significación haya evolucionado. La vida del hombre es una peregrinación justificada por el punto de llegada, al modo como el vagar del pueblo por el desierto se justificaba por el acceso a la tierra de promisión donde el israelita, en vez de encontrar «reposo», siguió al hilo de sus contratiempos madurando su sueño de conquista ya material ya espiritual del universo imaginable. Bien se comprende por qué, tan pronto como el cristianismo —que también es Camino— cumplió su predicación por la ecumene triunfando oficialmente en el siglo cuarto, sintió desvanecerse en su conciencia de ser toda idea de finalidad terráquea, de modo que el afán milenarista con el que en un principio había contemporizado se atrofió. Así declara a su manera, como se verá mejor luego, que el contenido natural del Milenio era siquiera en parte terrestre. Perdió éste entonces su objeto, convertido en brújula sin polaridad magnética, por haberse

5. "Siendo Abraham de noventa y nueve años se le apareció Jehová y le dijo: Yo soy el Dios Todopoderoso; anda delante de mí y sé perfecto, *Gen.* XVII, 1.

cerrado el círculo que, conforme a ciertas nociones griegas, confería al alma conjunta la inmortalidad. El paraíso del principio había dado lugar a la idea del paraíso tras la muerte física, de manera que todo cristiano sentíase conectado personalmente con dicha realidad puesto que a quien competía por derecho divino cerrar el cielo a doble llave eliminaba cualquier otra interpretación posible. Hasta se llega a afirmar que ya en este mundo se ha realizado el paraíso[6].

Hoy es notorio, sin embargo, que este desenlace no representaba dentro de la vida material ni espiritual del planeta, la perfección presentida y ambicionada. La existencia terrestre no carece de algún sentido. En cuanto esto se patentiza vuelve a reclamar interés la idea-símbolo del Milenio en cuyo germen inicial pudiera hallarse en potencia el desarrollo y la finalidad del árbol ingente. Quizá la conciencia cristiana tomó, al desentenderse de esta idea-símbolo, por un camino extraviado, circunloquial, que convendría enderezar, sobre todo si la Sabiduría que posee la llave del Amado, esa Sabiduría que abre el cielo sin que ninguno otro lo pueda cerrar, se pone de nuestra parte.

A la idea-símbolo del Milenio está sin duda entrañada la pregunta «¿a dónde vamos?» que domina, por lo regular con tono lastimero, la problemática humana desde el día en que el hombre se dio cuenta de que la vida posee una razón dinámica y que por la misma naturaleza

6. "La Iglesia es el Paraíso, un jardín en el que Dios planta sus arbolillos" OPTATUS MILEVITANUS, De Schismate Donatistarum, Libro II, 11.

lógica de su conciencia, exige un planteamiento en número plural. En el punto histórico que hoy se vive, son dos las contestaciones principales que a esta pregunta suelen ofrecérsele. Una es de signo espiritualista, coincide con la cristiana de que se ha hecho mención y se funda en la esperanza de las grandes posibilidades a que en el reino del Espíritu debe aspirar el hombre aunque sea más allá de la muerte, según el testimonio de los mártires. La otra es el polo opuesto y su materialismo presenta las ventajas de una rigurosa organización social de tipo universalista, basada en la necesidad de alimentarse, pero dentro de la que el Espíritu divino tiene tan poco que hacer como el ave dentro de la campana pneumática. Nacida en oposición al panlogismo de Hegel, este sistema entiende por espíritu aquello que es capaz de captar con las manos y someter a comprobación y obediencia de la mente cuantitativa. Es claro que ninguno de estos dos bandos discrepantes contesta satisfactoriamente la pregunta planteada si ésta ha de coincidir con la perfección del hombre. A la una le falta tierra firme bajo los pies, a la otra firmamento en la frente, de manera que el «¿a dónde vamos?» está pidiendo en la actualidad una respuesta en que se integre lo positivo de ambas. Sobre todo que el más rabioso defecto de nuestros días, su problema esencial, es, como en el siglo de Augusto, la carencia que la vida humana tiene verdaderamente de sentido.

Aclarando así las cosas, la idea de Milenio tal como se enunció en tiempos antiguos y tal como, en cuanto perfección, se la concibió en el primer romanticismo representado por Novalis, ocupa un punto de real interés ya que en el primer caso fue dejado ese punto a·un lado por el espiritualismo católico y, en el segundo, al otro, por el materialismo dialéctico, es decir, fue eludido por dos mundos que se han mostrado incapaces de contestar imparcialmente a la pregunta escatológica en cuestión. En principio, pues, esa idea símbolo como un diamante aún no tallado, parece encontrarse referida a un tercer polo o ángulo cúspide del triángulo en que se articulan y justifican los otros dos. De suyo, esa posición es para el ansia de saber sumamente atractiva.

Razón de más para seguir las vicisitudes de dicha idea.

## Vicisitudes del milenio

Procediendo con cierto método, pues que ello no está reñido con el vuelo de la imaginación, se empieza por advertir que la idea de Milenio, aunque muy menospreciada como en general lo ha estado por lo más flamante y serio del pensamiento occidental, atraviesa, o manifiesta o solapadamente, la era cristiana con un hilo en que se engarzan sus distintas épocas o porciones. Cuando se tendría por seguro que su vigencia ha caducado, se la ve reaparecer al otro extremo del arteio o período sea cual fuere la posición relativa que éste ocupa en cuanto al sentido del mundo. Por tal causa y tomando lo invariable de la idea de Milenio como punto de referencia, cabe comprobar que los distintos caminos interpretatorios que en torno de ella se han seguido pueden comprenderse como las inflexiones circunvolutivas que en su desarrollo hacia su finalidad natural y conforme a los accidentes del campo en que se mueve, ha experimentado el progreso de nuestra cultura.

Panorámicamente, la era cristiana se divide en relación con el Milenio en varios grandes lapsos semejantes a aquellos en que suelen dividirla los historiadores: desde el Nuevo Testamento hasta las invasiones germánicas; desde aquí hasta el primer Renacimiento; hasta la Reforma; hasta el Romanticismo; hasta nuestros días.

Basta una ojeada para convencerse de que cuanto en la historia tiene movimiento, intención, esperanza, es milenarista a su manera. No puede en buena lógica dejar de serlo pues que el Milenio abarca dentro de su misma indeterminación el fin de todo impulso que no sea extraterráqueo. Pero además es que, bien sea en modo directo, bien tangencialmente, todos los sistemas se sirven del Milenio para jugar su carambola. Cuando, por ejemplo, pretende el socialismo instaurar una sociedad nueva y con tal objeto desencadena una obsesión política militante, se inscribe dentro de los límites del Milenio, una de cuyas promesas es la instauración de la Nueva Jerusalem o ciudad universal de la paz. Es la socialista una sociedad o polis cuyos santos son, a imagen y semejanza de quienes cantan itinerantemente en los desfiles internacionales la apocalíptica «lucha final», venerables proletarios. ¿Y la Sociedad de Naciones y las Naciones Unidas con sus ideales pacíficos? ¿y el positivismo con su época tercera en que la conciencia reine? ¿y los poetas a la Shelley, Blake, Victor Hugo o Whitman? ¿y la descendencia bastarda de Hegel, ese germanismo energuménico que por boca de su führer proclamó su ambición de coronarse rey de los mil años? Falta la razón divina, como es natural y al modo como en la orilla opuesta faltará también la humana. Pero aunque ninguna de estas ni de las otras tendencias ocupe el centro vertiginoso de la figura, todos esos empujes se incluyen en su esfera.

* * *

En aras de la mejor comprensión ha de sacrificarse el orden cronológico al examinar esas épocas en que se dijo dividida la historia del Milenio. Es éste un término cristiano cuyas vicisitudes han de comprenderse en función del cristianismo.

Dos momentos cruciales se advierten en su desarrollo y ambos relacionados con ese mismo germanismo que volvería a interesarse por él recientemente. Esos dos momentos corresponden a las invasiones germánicas y a la Reforma. El primero puede decirse que se centra en la personalidad señera de San Agustín en cuya frente se quiebra hasta formar un ángulo como de reflexión, el pensamiento cristiano. Quizá nada comprueba mejor este cambio de rumbo que la doble acepción que le mereció a su conciencia íntima la idea del Milenio.

Antes de que Agustín escribiera su *Ciudad de Dios*, sus ideas respecto al sentido de la historia habían sido ortodoxamente milenaristas.

114

Las expuso sin ambigüedad sobre todo en uno de sus sermones. He aquí extractados sus conceptos:

«El tiempo se ha compuesto de seis edades, la última de las cuales empieza con Cristo.» «Estamos en el sexto día», y «del mismo modo que en el Génesis fue formado el hombre en el sexto día a imagen de Dios, así en este tiempo, como en el sexto día de todo el siglo, somos renovados en el bautismo para que recibamos la imagen de nuestro Creador.» Al final de ese día sexto ocurrirá el Juicio o advenimiento de la cosecha para separar los buenos de los malos. «El séptimo día significa el futuro reposo de los santos en esta tierra — *in hac terra*. Porque el Señor reinará en la tierra con sus santos, según dicen las Escrituras». «Habrá entonces una Iglesia purificada a la que ningún malvado tendrá acceso y donde no se deseará engañar, mentir, ni disfrazar al lobo bajo vellón de cordero». «La cual significa los 153 peces de que hablamos alguna vez» — y de los que también será necesario ocuparse. Es decir, antes de la invasión de los bárbaros, Agustín prevé la instauración en esta tierra de una Iglesia en cierto modo parecida a la que ocho siglos después imaginara Joaquín de Fiore y más tarde todavía Swedenborg y Novalis en su *Europa*. Este será el séptimo día, vuelve a insistir, transcurrido el cual sobrevendrá la vida eterna y se volverá «a la inmortalidad y bienaventuranza de que cayó el hombre» [1].

Al sostener estas ideas, Agustín era lo que en el siglo segundo llamaba Justino mártir un

1. Augustinus, Sermo CCLIX.

cristiano ortodoxo en oposición a los que en ellas no creían, y se ajustaba, a ratos casi palabra por palabra, a los decires de otro de los grandes milenaristas, Lactancio. Es, por consiguiente, al cabo de un hilo que en él se corta cuando años después, como consecuencia en parte sin duda del cambio operado en la sensibilidad de las gentes por el saco de Roma —fenómeno tan conectado con las imágenes del Apocalipsis— exponga en su *Ciudad de Dios* sus nuevas convicciones. En realidad, estas segundas ideas de Agustín acerca del asunto son menos fijas de lo que suele pretenderse. Nunca al exponerlas se cree fuera del campo de lo opinable. Como su gran contemporáneo, san Jerónimo, Agustín se opone a cierta clase de quiliasmo o milenarismo que nada tiene que ver con el ortodoxo de san Justino y seguidores. Lo único que combate es el milenarismo degenerado de quienes propalan que los mil años estarán dedicados a la inmoderadísima satisfacción de los apetitos del vientre. En suma, ataca una interpretación sensual y exageradamente zafia de las creencias primitivas, cometiendo tácitamente, claro está, el sofisma de suponer que ésta, tan grosera y en ninguna parte escrita, es la verdadera doctrina quiliasta.

Sus ideas modificadas siguen ajustándose al plan milenarista del hexamerón o «seis días» aunque con interpretación nueva. Difícilmente podría ser de otro modo puesto que su *Ciudad de Dios* pretendía ser un entendimiento de la historia según las líneas fundamentales de la Biblia y, en cuanto a su finalidad, especialmente seguía el Apocalipsis. Para Agustín la historia sigue encontrándose en el sexto millar de años tras de los cuales advendrá el esperado sábado que, como el futuro imperio de Carlos v, no conoce puesta de sol, *quod non haber vesperas*. El séptimo milenario designa por consiguiente el reino de Dios en los cielos abstractos o mejor, tomando a la letra el concepto de Isaías recogido por el Apocalipsis, en un cielo y una tierra nuevos, cosa que cuando se conoce como se conoce hoy un poco lo que son materialmente los cielos, resulta difícil de tragar. Hoy parece más aceptable suponer que la conciencia de la realidad ha sido víctima en el cerebro de Agustín de una hemiplejía sectatoria que le ha impulsado a suprimir de un plumazo el milenio terrestre en que había creído, muy parecidamente a como, de otro plumazo, suprimió la existencia de los antípodas, o sea el complementario hemisferio físico.

Para estructurar sus nuevos sentimientos conforme al plan del hexamerón, Agustín hubo de proponer una interpretación notoriamente incorrecta en lo tocante al Apocalipsis, que tomó según es harto sabido del donatista Ticonio, cosa que quizá no carece de algún significado. El reino de los mil años que este libro anuncia, ha dejado de ser el que corresponde en dicho esquema al séptimo milenario para identificarse con el sexto. Por consiguiente, ese famoso reinado milenarista, en vez de estar llamado a ocurrir en el futuro, cuando en el reloj de Dios suenen las siete, está teniendo ya lugar bajo el cetro de la Iglesia romana desde la muerte de Cristo. La primera resurrección descrita en el Apocalipsis y de la que también se ocupan las epístolas paulinas se limitan a ser un modo alegórico de hablar. Está ya en funciones, puesto que comprendida a su modo —en realidad como la entendían también las religiones de misterios— se cumple en cada cristiano que resucita al recibir el sacramento del bautismo. He aquí el reino de la resurrección primera. Quienes aparecen en el capítulo XX del Apocalipsis sentados en los tronos dispuestos para juzgar a los mortales, son los dignatarios eclesiásticos que en todo tiempo gobiernan la Iglesia y la seguirán gobernando hasta el día séptimo o de la destrucción de cielos y tierra, sábado eterno en que los elegidos verán a Dios. Con esta esperanza termina el gran libro agustiniano [2].

## Las profecías medievales del abad Joaquín de Fiore

Siquiera algunos de los aspectos tanto casuales como finales del fenómeno de psicología colectiva a que se conforma esta torcida exégesis agustiniana son hoy sencillos de comprender [1]. Las personas de inteligencia excepcionalmente despierta de aquellos siglos, requeridas por el Espíritu, no podían imaginarse que la vida terráquea pudiera ofrecer satisfacciones intelectuales sino sensuales exclusivamen-

2. Ciudad de Dios, libro XXII, cap. XXX.
1. A todas luces en la mente agustiniana se ha efectuado una sustitución. Así el pensamiento de Agustín supone realizado el Milenio o reino de Dios en la tierra cuya implantación sigue solicitando el padrenuestro.

te. De otro lado, individualizada la conciencia por el cristianismo en forma casi absoluta, sin razón colectiva, étnica o de otro género, que prestase a la vida personal otra significación, no hallaba el intelecto más vía satisfactoria que la que le ofrecía la introversión onírica del *noli foras ire*. La caridad inflamada sí conocía otros quehaceres, pero la inteligencia no. ¿Qué le interesaba al individuo del siglo quinto, identificada su conciencia de ser con el destino de su cuerpo, lo que pudiera ocurrir siglos más tarde? Sí, en cambio, por esa misma identificación de su conciencia de ser algo eterno con su cuerpo, le interesaba la resurrección. Era la única fórmula que llenaba las exigencias de su doble naturaleza. Mas no una resurrección en esta tierra donde la inteligencia carecía de objeto justificante y donde las promesas se reducían a comer, a beber, a engendrar y, tal vez, a entonar himnos, cosa en grave desacuerdo con sus apetencias espirituales. En el conflicto entre estas realidades inmediatas y el sentido, no poco confuso por otra parte, que pudiera tener un libro tan discutido y de carácter alegórico como era el Apocalipsis, a éste le tocaba ceder consintiendo una interpretación que permitiera seguir viviendo. Así ocurrió. Mas lo cierto es que, independientemente del contenido real que bajo su frondosidad imaginaria pueda encerrar el Apocalipsis, su enunciado intuitivo parece hallarse más cerca de la realidad futura que lo estaba la interpertación subjetiva de Agustín y de la que en pos de él, la Edad Media cristalizó escolásticamente en la tierra sin ningún sentido de santo Tomás. Mas durante ese tiempo, el Crismón que es la expresión del marginado milenio apocalíptico, floreció sigilosamente.

Floreció sigilosamente y caracterizó la vida de la Edad Media que para la especulación religiosa, no obstante haberse rebasado los fatídicos seis mil años de la cuenta, siguió llamándose escatológicamente —díganlo Isidoro de Sevilla, Julián de Toledo, Rabano Mauro y demás gente ilustrada—, «sexta edad». No sorprende que su subconsciencia trasudara milenarismo puesto que estaba saturada de Apocalipsis. Sus manifestaciones son indirectas como provenientes de un estrato subyacente, pero tan innumerables que quizá se requiriera un grueso volumen para detallarlas y especificarlas. Testigos excepcionalmente fidedignos son las artes plásticas que expresan las ideas fehacientes de la comunidad, la pintura, la escultura. Pero sobre todo las catedrales en que cristalizan esos tiempos introvertidos, y que son imágenes arquitectónicas de la ciudad celeste o Nueva Jerusalem. En realidad, resulta muy difícil formarse una idea de cómo hubiera sido material y espiritualmente la Edad Media de no haber existido el Apocalipsis que tan acusadamente la moduló, la fisiognomizó y proyectó hacia el más allá.

* * *

Muy significativo resulta que cuando la noche medieval dobla uno de sus cabos decisivos y no obstante el desprecio que había de merecerle a la mente metafísicamente sistemática de Santo Tomás, la intuición espiritualmente más despierta e incisiva de aquellos tiempos, el abad Joaquín de Fiore, dotado en verdad de espíritu de profecía como sentenciaba Dante, se anticipara al Renacimiento, volviendo a asir el hilo seccionado por Agustín. De tal naturaleza son los desafueros en que ha caído el papado durante aquellos tres últimos siglos, tan dejada se encuentra la Iglesia de la mano de Dios, que en su tremenda angustia teológica, la intuición natural vuelve a descubrir la estrella perdida. La historia terráquea tiene un sentido trascendental. Le basta a Joaquín de Fiore enfrentar el Antiguo al Nuevo Testamento utilizando la clave del Apocalipsis, para darse cuenta de que en el desarrollo lógico de la mente divina en que se apoya la inteligencia del hombre, es necesario el advenimiento de una tercera época correspondiente a la Tercera Persona que es el Espíritu. El tiempo posee una virtualidad creadora semejante a la de Dios. Siendo substancialmente de naturaleza sucesiva, las tres personas de que aquél se compone, deben manifestarse sucesivamente.

Encontrada esta clave, le es fácil a Joaquín sentirse asistido en su intuición por los dichos mismos de las Escrituras que lo saben todo. La idea de sucesión no está ausente de los conceptos teológicos en que se fundan los Testamentos. Cuando a una de las personas divinas se la denomina Padre y a otra Hijo se está estableciendo un orden de prelación temporal. Si no, se las hubiera llamado de otra manera. Cuando Jesús asegura que detrás de él vendrá el Espíritu, está proponiendo otra prelación. Los mismos Testamentos de Padre e Hijo corresponden a una sucesión en el tiempo. Ciertamente, no puede negarse que la lógica en que descansa el sistema de Joaquín es, en lo esencial, de rigor impecable, aunque en lo accidental fallara. Cometió la torpeza de fijar la fecha de 1260 al advenimiento de ese tercer mundo espiritual o Milenio, como Nicolás de Cusa la fijaría en 1734, o como Swedenborg en el año 1757 en que nació Blake. Pero aunque a causa de este fracaso literal los conceptos del abad de Fiore fueron repudiados por muchos de sus prosélitos, ya no se volvió a restañar el rompimiento que en la conciencia de su época había significado su aparición. El Renacimiento empezaba a gravitar sobre los espíritus más desentendidos de aquel mundo inmediato. Y la inteligencia vislumbraba ya la posibilidad de encontrar algún objeto, algún quehacer en el campo material y terrestre. Se iniciaba la adaptación del hombre al universo mundo, cuya pendiente natural conduciría a la Reforma.

Debe advertirse que aunque el sistema de Joaquín de Fiore sea enteramente milenarista evita pronunciar el vocablo Milenio. Dirá que tras los seis tiempos se aproxima el sábado espiritual que corresponde al séptimo día. De este modo se adapta cabalmente, según se ve, al doble significado del Crismón en que se unifica el sistema milenarista con el del reino del Espíritu a que se refieren con su trasfondo colombino el Alfa y la Omega. Se ocupará también con detalle del Anticristo y del Advenimiento. En suma, acepta el sistema en su integridad estructural, pero elude la palabra Milenio que desde el siglo v venía considerándose, injustamente, de estirpe judaica y propensión heterodoxa. Fue ésta, fechoría de la *Ciudad de Dios* y del impenitente panfletista san Jerónimo, que dejaron el término inserviblemente averiado en el seno de la Iglesia. Precisa tener esto en cuenta si se ha de comprender el fenómeno en su integridad. Ya no se apellidaron milenaristas quienes defendían todo o parte del contenido de la idea-continente Milenio, sino espirituales o reformadores o de cualquier otro modo menos de aquel que realmente sonaba a cosa provecta. Ejemplo, esas fraternidades del Libre Espíritu condenadas en diversas ocasiones por las autoridades religiosas —y orientadas hacia el Nuevo Mundo— cuyos ideales disidentes y a veces de no mucha alzada, acabaron por expresarse en lo que hoy se supone ser la pintura del Milenio por Jerónimo Bosco [2].

Cabe, pues, sustentar que fue en parte milenarista Juan de Wycliffe cuyas ideas contribuyen a preparar en Inglaterra con siglo y medio de antelación el triunfo de la Reforma. Los términos apocalípticos son sus términos y los de la perfccción que espera. Semi-milenaristas habían sido los espirituales franciscanos, en la mejor línea de Joaquín de Fiore, que remitían sus afanes a la crisis concluyente del Apocalipsis. Y milenaristas fueron, también a su manera, los Protestantes.

2. *Wilhem Franger, The Millenium of Hieronymus Bosch*, London and Faber, 1942. Joaquín de Fiore representa el renacimiento de la razón bíblica dentro del cercado de la Iglesia, aunque a su borde. A su borde también, mas por la parte de afuera, se sitúa el movimiento presidido coetáneamente en Francia por Amalrico de Chartres. La historia de las ideas occidentales registra más atrás las muy notables intuiciones de Juan Escoto Erígena, comentarista del IV Evangelio (S. IX). Sin embargo, ninguno de estos dos últimos autores tuvo necesidad de acudir al artificio sabático del Milenio para componer su sistema.

La gravedad del factor «tierra», mucho más fuerte desde que se descubrió el *Nuevo Mundo*, curvó en el Renacimiento la línea del pensamiento religioso. A partir de la Reforma, el Apocalipsis recuperó el prestigio de profecía relacionada esencialmente con el proceso histórico de nuestra cultura, que había perdido hacía largos siglos. Una dislocación angular, simétrica, en cierto modo, a la operada en la mente de Agustín, volvió a registrarse en la de Martín Lutero que, con diferencia de veinte años, escribió dos prefacios distintos al Apocalipsis. En el primero su afán reformador empezó por desechar rotundamente, por inservible y sin sentido, la visión de Patmos. Pero al redactar el segundo se hizo responsable de la revitalización de profecía tan contumaz que muere para, como el fénix, nacer de nuevo, lo que le permitió, entre otras cosas, llamar Anticristo al Papa y anunciar el fin de la iglesia de Roma. Ello no le impidió a Lutero desentenderse de los famosos «mil años», tan venidos a menos, que su interpertación sitúa en el pasado, en compañía sin duda del paraíso y de la edad dorada de Saturno.

Toda la gran rama de pensamiento que desde entonces, sobre todo en Alemania e Inglaterra, reclamó la libertad espiritual de interpretar las Escrituras y permitió a la mente humana interesarse por los bienes temporales sin perder el sentimiento religioso, trabaja expresamente dentro de las grandes líneas milenaristas del Apocalipsis. Continúa, eso sí, en la tradición luterana, sin pronunciar al principio la voz Milenio que, sin duda se ha vuelto tabú por su cargo a la muy mal vista personalidad judaica y que sólo puede vivir a la sombra equívoca del ocultismo.

Tímidamente milenaristas manifiestan ser asimismo por entonces las especulaciones utópicas que empiezan a despuntar en Europa al conjuro de la *Nueva Tierra*, descubierta. Porque haciendo sólo medio honor a su nombre el utopismo se complace en imaginar ya un lugar como fluido, como pensamiento a medio coagular, donde resulten realizables diferentes aspectos de esa humana perfección hacia la que nuestra cultura tenía, desde su pacto de Abraham con Dios, enderezada voluntariamente su marcha. Tomas Moro, con su utópica ciudad llamada primitivamente *Abraxas* y adoradora del Ser supremo bajo el nombre de *Mitra* (designaciones ambas del Año por excelencia), es evidentemente una gran piedra miliar en esa vía que conduce en línea recta al mejor socialismo del siglo diecinueve. Más textualmente milenarista es aún Francis Bacon en su *Nova Atlantis* con su «*Casa de Salomón*» o «Colegio de las *obras de los seis días*» en la ciudad de *Bensalem* —hijo de la paz— que es «la virgen del mundo», entre otras mil cosas. Como lo es Tomaso Campanella cuya *Ciudad del Sol* trascendida por el afán del «siglo venidero» y la «renovación del mundo» tras el Anticristo, así como ávida del celestial «arte de volar», resulta ser, bajo un disfraz de época, la de la luz tan deseada sin ocaso. ¿No se compone celestialmente también de siete círculos en el céntrico de los cuales se levanta un tiempo abierto, pavimentado con piedras preciosas y alumbrado con siete lámparas de oro «según el modelo del universo trazado por Moisés», que son las del Apocalipsis, mientras que en el altar sólo se ven dos grandes globos que simbolizan uno al *cielo* y otro a la *tierra*, o sea la representación de las dos naturalezas realizadas o sea «el cielo y la tierra nuevos»? No porque todos ellos y sus innumerables continuadores estén mirando de reojo a la República de Platón dejan de ser milenaristas, puesto que este mismo, en cierto modo tangencial, pudiera decirse que *avant la lettre* lo fue también. En todas esas especulaciones brujulea el espectro de la Jerusalem futura y sienta expresamente sus reales la Sabiduría que las consigna a la ciudad pacífica del rey Salomón con sus *mil mujeres.*

Curiosamente, toda esa literatura utopista que tanta enredadera irá estirando, parece dedicada a indagar las calidades humanas de cierta *tierra incógnita* que otro libro escatológico, coetáneo y paralelo al Apocalipsis, el IV de Esdrás, profetizará para el reinado del Mesías cuando manifiesta: «Entonces la ciudad que ahora es invisible aparecerá, y será vista la tierra ahora oculta»[1]. Allí es donde

> está abierto el Paraíso,
> plantado el Arbol de la Vida;
> preparada la Edad futura,
> la Abundancia predispuesta;
> construida la Ciudad,
> determinado el Reposo;

1. IV Ezra, VII, 26. The Apocrypha and Pseudepigrapha of the Old Testament, Oxford, Clarendon Press, 1913. Vol. II, pág. 582.

seguras las buenas Obras,
dada la Sabiduría.

Dentro de este escenario ilimitado, aunque menos rico que el del Apocalipsis, es donde, a partir del siglo XVI, el utopismo se complace en imaginar a ras de tierra, como la mies que brota, una modesta bienaventuranza. Ya prosperará con el tiempo. Otros atisban desde puestos distintos; pero la ciudad asediada por dentro y por fuera no puede dejar de ser la misma. De modo que, hasta sin excesivo riesgo podría quizá sugerirse, que al crecer renacentista de la historia, sin que no siempre sus autores materiales lo hayan querido, aunque con frecuencia lo hayan evitado, del baúl del buhonero se han ido extrayendo en forma seductora aspectos parciales del contenido que encierra el concepto milenario de Juan. Todos los inconformes del mundo, aficionados a rehusarlo; cuantos indignamente reclaman por razones internas o externas el advenimiento de Cristo con su orgía de horrores con tal de que conozcan fin las prevaricaciones terrenas y se pormulgue el reino de la Justicia; aquellos que en cualquier crisis política o religiosa aborrecen al transgresor de sus conceptos morales, se han sentido y se sienten incluso todavía, solidarios del Apocalipsis y de él se sirven, positiva o negativamente, ya para abrillantar las esperanzas, ya para fulminar al adversario inicuo.

Esta es sólo una de las vertientes. Porque al mismo tiempo las ideologías que desde el Renacimiento han ido determinando el progreso de la humanidad en cualquier orden de cosas, por muy laicas que parezcan, están mediata o inmediatamente informadas por el fantasma descarnado del Milenio cuyo nombre vuélvese descaradamente a pronunciar a partir por lo menos del siglo XVII. Véase cómo se expresa acerca de la evolución del pensamiento inglés un investigador de nuestros días:

«A principios del siglo XVII, el gran erudito bíblico inglés Joseph Mede (un maestro de los platónicos de Cambridge) revivió la creencia cristiana primitiva de que un milenio —un período de gran felicidad para la humanidad en la tierra— estaba aún por venir como remate y culminación de la historia humana. Este concepto, que había parecido virtualmente extinguido durante más de mil años, concordaba con las opiniones optimistas que algunos filósofos de la historia como Bodin y Hakewill habían propuesto. Su popularidad se hizo pronto avasalladora. Pareció entonces que el curso de la historia debía dirigirse hacia arriba. Henry More llevó la idea aún más lejos, sugiriendo que el método de Dios para operar la salvación humana podía ser una gradual redención general del hombre por medio del mejoramiento progresivo de la humana naturaleza mediante una serie de épocas ascendentes de la historia. Existen pruebas, apuntaron algunos milenaristas, de que Dios ha llevado a cabo una edad de ilustración general lo mismo en el orden teológico que en el secular, como preparación para una época milenaria. El milenio mismo vino a ser considerado como una verdadera utopía, una «celeste ciudad de los virtuosos», donde las actividades del hombre hasta en los campos como el de la ciencia, habían de tornarse más amplias y eficientes.» [2]

2. Ernest L. Tuveson, *Millenium and Utopia*. A study

Claro que estos modos de enfocar el concepto corresponden a perspectivas preponderantemente terrenas, distintas de las anteriores. Para comprender conforme a naturaleza racional y mente científica la naturaleza del Milenio hubo que transferir el cometido de la divina providencia a las leyes naturales que era únicamente por donde el pensamiento racionalista concebía que el plan divino podía llevarse a efecto en la historia. En lo que quizá sólo en parte estaba en lo cierto. De todos modos, al pensar así la mente científica laboraba en la estela de los místicos y poetas que más o menos oscuramente habían ya, como Boehme y Milton, señalado con sus aspiraciones la presencia de un paraíso *at hand*, al alcance de la mano. «La tierra entera será entonces un Paraíso más bienaventurado que este Edén y los días mucho más felices», aseguraba el arcángel Miguel casi al final de *Paraíso Perdido*... para ser recobrado [3].

No es necesario para el propósito que aquí se persigue insistir sobre la materia. Basta percatarse de la traducción que a lenguaje civil experimentan los conceptos apocalípticos en que se apoyan las diferentes palancas, al grado que

in the back ground of the Idea of Progress, University of California Press, Berkeley, 1949, pp. VII-VIII. Cf. pág. 76, ss. Mede expuso estos nuevos puntos de vista en su *Clavis Apocalyptica* (1627), algunos años después que Johannes Piscator (1564-1625) lo había hecho en Alemania. *(Commentarii in Omnes Libros Novi Testamenti).* Sostuvieron a continuación en Inglaterra la misma tesis Henry More, Thomas Goodwin, William Sherwin, Thomas Burnet, etc., en una línea que con Thomas Newton llega hasta fines del siglo XVIII.

3. Paradise Lost, Book XII, V. 462-65.

el mismo Tuveson antes citado puede atreverse a sostener que, en su origen, «la doctrina del progreso guarda más puntos en común con la mente religiosa que con la científica» [4]. Lo digno de atención en el presente caso es que al referirse a la época de las grandes mudanzas, haya podido el pensamiento académico permitirse, sin deformar demasiado la realidad, expresarse del siguiente modo que aquí evita muchas disertaciones:

«Aun en las filosofías seculares de la historia producidas en el siglo dieciocho y a principios del diecinueve, subsistió el carácter teológico de las interpretaciones religiosas y continuó ejerciendo influencia poderosísima sobre el pensamiento histórico moderno. La Nueva Jerusalem fue enfocada en diversas formas. Voltaire la concibió como progreso hacia una iluminación y felicidad generales; Hegel como la conciencia de la libertad mediante la realización del estado deificado; Marx como la consecuencia de la libertad real en el paraíso de una sociedad sin clases y consecuentemente sin estado. Así cuando Comte, Spencer y otros reemplazaron la filosofía especulativa de la historia por otra «positiva» que pretendieron era estudio científico de la historia, la estructura teológica sobrevivió.» [5]

Cuya estructura teológica es la milenaria del

4. E. L. Tuveson, ob. cit., pág. 3.
5. Hajo Holborn, "History and Humanities", en "Journal of the History of Ideas", New York and Lancastern, Vol. IX, 1948, p. 65. La misma tesis había sostenido un año antes NICOLAI BERDYAEV en su *Dialectique existentielle du Divin et de l'Humain*, París, Janin, 1947, pp. 208-10.

Apocalipsis. Porque cuando se toma como punto de referencia el pensamiento de san Agustín y se trastrueca su sentido proyectándolo a la corteza terrestre, lo que se hace es restituir a la ciudad perfecta parte de su amputada significación original, esto es, su milenarismo. De otro lado, no caben incertidumbres acerca de la rama paterna o materna —judaica o helénica— de donde le vienen a nuestra cultura occidental estos conceptos e impulsos, puesto que ni griegos ni romanos, como muy bien se ha advertido, concibieron la idea de progreso [6].

Los materiales ofrecidos al estudio por esos siglos que llevan a las revoluciones y las rebasan son prácticamente inagotables. El pensamiento de la época en el que contienden a veces y otras se amalgaman poesía, religión, ciencia, filosofía, sociología incipiente, ocultismo, etc., tiende directa o indirectamente a una situación de naturaleza humana distinta. Por mucho que la mente haya evolucionado, sigue expresándose en conceptos y aspirando a ideales bíblicos, a los que pretenderá dar contenidos en acuerdo con sus preocupaciones de sazón. Como de los vivos hacia el porvenir, puede afirmarse que la historia de esos progresivos tiempos va adquiriendo cada vez más pronunciado tono escatológico que, quiérase o no, la refiere al Apocalipsis cuya alegórica finalidad es la única que puede englobar en una sola configuración la variedad de propósitos. El caso de Swedenborg, corroborado por el incontenible milenarismo de William Blake, es por decirlo así fehaciente.

6. John B. Bury, *The idea of progress*, New York, Macmillan, 1932, p. 7.

Pero existen numerosos más, de modo que si cupiera someter a un proceso como de destilación conjunta los cerebros occidentales de esos dos y pico siglos, se obtendría un extracto no poco volátil que merecería con toda probabilidad ser rotulado «esencia de Milenio». Cuando —un ejemplo entre los innumerables— Joseph Priestley que acabó después de sus duras luchas, y quizá no sin significación, por trasladarse a América, escribe que «cualquiera que haya sido el principio de este mundo, su fin será *glorioso* y *paradisíaco* más allá de lo que nuestra imaginación puede concebir [7]», es obvio que está siendo arrastrado por la corriente escatológica milenario-apocalíptica, asociada en sí y reasociada por el sentir de las generaciones, al destino de la historia terrestre.

Más expresamente significativa a este mismo respecto es, sin embargo, la actitud del conde de Saint-Simon, tan auténtica heredera en el plano de lo social de los impulsos de Swedenborg, de Blake, de Novalis, que él mismo acabaría por titularla «Nuevo Cristianismo». Dejando a un lado los comportamientos extravagantes de sus secuaces, siempre conforma rememorar aquellas sus preciosas palabras tan repetidas, cuyo interés hacia el prójimo y voluntad de perfección se proyectan, por lo que al orden práctico se refiere, a la «ciudad» soñada del Apocalipsis. En realidad constituyen el lema en que se condensa el sentido general de la diversidad de movimientos que suelen com-

---

7. Joseph Priestley, *An Essay of the first principles of Government and on the nature of political, civil and religious liberty*, 2.ª edic., London, 1771, p. 5.

prenderse bajo el nombre de socialismo utópico. Pero existen además otras razones por las que merecen dichas palabras volver a escribirse aquí:

«La imaginación de los poetas ha situado la edad de oro en la cuna de la especie humana entre la ignorancia y la tosquedad de los tiempos originales; hubiérase más bien debido relegar allí la edad de hierro. La edad de oro del género humano se halla atrás, está delante de nosotros; está en la perfección social; nuestros padres no la vieron; nuestros hijos llegarán a ella algún día; a nosotros nos toca abrirles el camino [8].»

La substancia milenarista de estas ideas así como su dirección positiva se aclaran cuando se advierte su identidad conceptual con los dichos de uno de los milenaristas más reputados de todos los tiempos. En los días constantinianos que vieron el triunfo de la Iglesia, sintió Lactancio la necesidad de representarse, conforme a los datos allegados por la sabiduría de aquella época, la razón de la esperanza cristiana. Vislumbró a lo lejos, tras la necesaria catástrofe mutativa, una «vida feliz» en la ciudad terrestre de los «mil años»: «reinado de la Justicia» en que Dios creador cohabitará con los suyos en la Nueva Jerusalem situada en el centro del mundo.

«Y por fin se realizará entonces lo que los poetas dijeron que aconteció en los tiempos dorados, bajo el reinado de Saturno. Error debido a que los profetas suelen proponer y enun-

8. Claude Henry Saint-Simon, *De la reorganisation de la société européenne*, París, 1814, pág. 111.

ciar como ya verificadas las cosas de los venideros.» [9]

La identidad de estos conceptos con los de Saint-Simon sería total si el esquema del último, inclinado como el labrador hacia la tierra, no diera la espalda al problema de la conciencia divina, vinculado a la esperanza en el Advenimiento del Espíritu, que dio vida a la cristiandad. Pero dando, como lo da el labrador, el cielo por supuesto, en nada esta actitud humanitaria contradice, bien se ve, la intención escatológica-milenario-apocalíptica del impulso saint-simoniano, convertido en caricatura de religión por sus sucesores. Salta a la vista, por otra parte, que sus conceptos acerca de la edad futura a que debe aspirar la «sociedad europea», se acoplan perfectamente con los espiritualistas de Novalis, fanático de la misma edad de oro y en especial con los aún inéditos por aquellos días, de su *Europa o la Cristiandad* que sólo se publicaron a los treinta años de su muerte.

A la luz de la anterior identidad conceptual resulta visible que cuando un Roberto Owen en competencia con la «sociedad divina» que quisiera instaurar el fourierismo, no se limita a fundar en suelo norteamericano la colonia *New Harmony* sino que se dirige en 1882 al gobierno de México en solicitud de las provincias de Coahuila y de Texas para constituir en su territorio una sociedad que verifique un «cambio radical en la raza humana» y evite la guerra

9. *Lactantius, Divinarum Institutionum*, lib. VII, *De vita beata*, Cap. XXIV, *De renovato mundo*, PL. VI,

que estallará en efecto veinte años más tarde, sigue sin duda, alguna viviendo en los suburbios seculares y defendiendo los intereses pacíficos de la Nueva Jerusalem [10].

Cosa por cierto natural en Norteamérica pues que su tierra de «revivalismos» se abrió desde el comienzo a los impulsos ulteriorizantes que, como ajustándose a las previsiones de Esdrás, el pensamiento europeo vertió por el cauce anglosajón al Nuevo Mundo. Sobre las huellas religiosas de los Padres Peregrinos hacia su tierra prometida y de las de los hermanos Moravos, buscadores con el aliento de Zinzendorf, del reino de «Dios en el Espíritu», un auténtico y espontáneo milenarismo floreció constantemente en las llamadas comunidades de frontera, nutridas de idealismo popular. Pero si el ignorante sentía que su situación de ningún modo se definiría mejor que con la esperanza del Milenio cristiano, el erudito pese a sus rigores lógicos y por mucho que evitara pronunciar la palabra, no disentía de aquél. Por ello, cuando trata de comprender en síntesis el sentimiento religioso de la primera Norteamérica, puede hoy afirmar la crítica:

«El único artículo común de fe en todas las colonias, era la persistente convicción protestante de que las prosperidades espiritual y material avanzan mano a mano, entreayudándose una a otra. Radicales y conservadores, izquierda, derecha y centro, mantuvieron el mismo

10. Robert Owen, "Petición al gobierno de la República mexicana", en "Cuadernos Americanos", México, vol. XLIX, pp. 148-154.

ideal de establecer *en esta tierra* el reino de Dios.» [11]

Esto es, de establecer el Milenio. Así desde los albores del Romanticismo se descubren en la nueva tierra sus renuevos por todas partes. La muy curiosa «Iglesia del Milenio» o sociedad cuáquera de creyentes llamados «Shakers»; las congregaciones anabaptistas y mormonas deseosas de constituir a su modo la nueva Jerusalem, como al suyo distinto lo deseaban y lo desea aún la Nueva Iglesia swedenborgiana muy próspera durante algún tiempo; el siempre renovado adventismo a plazo fijo con sus regustos medievales, que con William Miller mantuvo en vilo a las multitudes previamente al año 1843; así como otras muchas manifestaciones de la personalidad de este continente, milenaristas en segundo o tercer grado, representan un haz de impulsos o «signos del tiempo» que, antes de diluirse en la actual sociedad norteamericana, diseminaron por su territorio, como intencionándolo y caracterizándolo, la añeja esperanza mítica. Particular mención merecen la secta todavía vigorosa de los «Discípulos de Cristo», iniciada por el eminente Alejandro Campbell, editor de *The Millennial Harbinger* (1830-1864), y para quien el Milenio fue el punto de referencia, «al alcance de la mano», de una verdadera filosofía de la historia [12] y las propagadas teorías milenaristas

11. Ernest S. Bates, *American Faith, its religious, political and economic foundations*, New York, W-W Norton, 1940, p. 84.
12. "Cada revolución en la tierra y todos los incidentes registrados en la historia humana sólo son diversas preparaciones para la instauración del último y más perfecto

del casi contemporáneo Charles Taze Russell. Pero éstas son cosas que, aunque muy cargadas de sentido, sólo pueden rozarse aquí.

Mientras tanto, esquilmada España por la persistencia del Espíritu inquisitorial, no colaboró con el resto de Occidente en este orden de inquietudes tanto en lo espiritual como en lo material reformistas. O Dios o nada, parece haber sido la divisa que la vino como reservando para otros fines, de que es índice el de Unamuno, y quizá también para otros principios. El pensamiento en lengua castellana no carece, sin embargo, de un caso milenarista particularmente singular suministrado por la persona del jesuita chileno Manuel Lacunza. Padecía destierro en Italia cuando su hondo sentimiento cristiano, secundado sin duda por su añoranza del Nuevo Mundo, rehizo en su inteligencia con ayuda de la adecuada erudición, las estructuras del Milenarismo más acendradamente linajudo y ortodoxo. Dejó expuestas sus averiguaciones en un escrito que anuncia *La Venida del Mesías en gloria y majestad*. De ningún modo parece insignificante. Como no lo es tampoco el hecho de que al ser publicado años después de la muerte de su autor, ocurrida en 17 de junio de 1801, acabara, tras algunas polémica, por ser obra relegada al «Indice de libros prohibidos». *Sic transit gloria Novi Mundi* [13].

---

estado de sociedad en la tierra, el *Millenium"* (Alexander Campbell and Robert Owen, *A Debate on the evidence of Christianity*, Bethany 1829, vol. II, pág. 185).

13. Del P. Lacunza se ocupó Marcelino Menéndez y Pelayo en la Adición al Libro VI, cap. IV de su *Historia de los Heterodoxos Españoles*. Las ediciones completas

# El juicio de la piedra

No es quimérico presumir que algún Tomás haya encontrado dudosa y sin base lo bastante segura la afirmación de que los contenidos de las Epístolas a los ángeles de las siete iglesias del Asia de la primera parte del Apocalipsis constituyen diferentes combinaciones de las dos actitudes que acabarán por exponerse en forma disyuntiva en las dos últimas de Filadelfia y Laodicea. Mas tal posición escéptica aparece menos sostenible en cuanto se examina con sinceridad, según va a intentarse ahora, el argumento del Codicilo del Cuarto Evangelio donde se repite el mismo propósito enfocado desde un ángulo imaginario distinto.

El Codicilo resulta ser, en efecto, una ilustraición al vivo del tema elaborado en forma epistolar en los capítulos II y III de la visión de Patmos. Pero con añadiduras, porque es algo más también. Así como las siete epísto-

---

de la obra del jesuíta chileno (1813 a 1816) son por lo escasas difíciles de manejar. Se halla ampliamente extractada en: *Las doctrinas del P. Manuel Lacunza en su obra La Venida del Mesías en gloria y majestad*, por MIQUEL RAFAEL URZUA, Santiago de Chile, Impr. y litografía Universo, 1917. No pasó esta obra desapercibida para la cultura de habla inglesa gracias a la traducción de Ed. Irving, *The Coming of Messiah in glory and majesty* (London, Thames Ditlon, 1827, 2 vols.), reeditada en compendio no mucho después (Dublín, 1833). Curiosamente, en el British Museum se conserva un ejemplar de la primera con notas manuscritas del poeta Samuel T. Coleridge. Un siglo más tarde y bajo el título *A new Antichrist* han vuelto a traducirse y publicarse trozos de la obra del P. Lacunza por William D. Smart (Los Angeles, Cal., 1929).

las constituyen una versión serena y como teórica del contenido general del Apocalipsis, el Codicilo en que viene a proyectarse el sentido orgánico del Cuarto Evangelio, proporciona a quien lo lee otra nueva versión del mismo drama. Y esta última no se limita a confirmar el contenido de la visión de Patmos, sino que lo aclara, prolonga y especifica a la vez que ayuda a comprender el estado de conciencia amorosa que determinaron los sucesos de Corinto en quienes fueron sus víctimas.

He aquí algo capital. La reacción complejísima que provocó en los profetas la intervención de Clemente Romano se nos muestra en este Evangelio señoreada por el sentimiento cuya expresión ha dotado a nuestra cultura de esa misteriosa e inextinguible llama de amor vivo en cuya virtud el hombre de Occidente ha sentido en lo profundo de sí la emoción de la presencia divina. *Roma* y *Amor*, la inversión de valores respecto a la verdad cordial, constituye aquí también la discordancia básica. Dos son los discípulos que desempeñan en este Codicilo un papel destacado entre los siete que en él figuran. Al uno se le designa por su nombre y apodo: Simón Pedro. Al otro en cambio por su cualidad esencial: «el discípulo amado de Jesús». Amado, ésta era la significación del nombre de David que sirvió al espíritu profético en el primer Testamento para expresar la mayoría de sus predicciones acerca del futuro reino de Israel. Amado porque, en la balanza de la justa reciprocidad a que se atiene la psicología absoluta, amaba. No es necesario expresarlo por ser valor sobrentendido. Así este discípulo es el que al mismo Evangelio presenta recostado sobre el seno de Jesús y el que dará testimonio de cómo en el Gólgotha salió de su costado herido agua y sangre.

En reacción contrastada con este discípulo ideal cuyo nombre propio no se pronuncia, el Codicilo propone a Simón Pedro. Coherentemente, va a ser éste examinado y juzgado en la segunda parte del Codicilo por la calidad de su amor, que es lo que allí cuenta. La misma intención observada con motivo de las epístolas de Filadelfia y Laodicea en el uso de los verbos *fileo* y *agapao* para designar dos índoles distintas de amor, servirá de prueba aquí para verificar el juicio por el que al fin del tiempo se condena a muerte a Pedro y se exalta al discípulo amado de Jesús. No tardará en apreciarse con detalle.

Mas no sólo en esto se funda la identificación entre el ángel de la iglesia de Laodicea, «justicia del pueblo» o «juicio de la piedra», vomitado de la boca por el Verbo de Dios en el Apocalipsis, y el Simón «piedra» del Codicilio. Recuérdese que a aquél se le dice «pobre, ciego y desnudo» y se le exhorta a adornarse «con vestiduras blancas para que no se descubra la vergüenza de su desnudez».[1]

Semejantemente se le muestra aquí en esta barca a Pedro en la oscuridad de la noche, sin haber pescado nada ni tener nada que dar de comer. No reconoce a Jesús cuando aparece en la orilla, siendo preciso que el discípulo amado se lo descubra. Comete entonces Pedro el

1. "Bienaventurado el que vela y guarda sus vestiduras para que no ande desnudo y vean su vergüenza" (Apoc. XVI, 15).

despropósito de vestirse las ropas para, abandonando la barca, tirarse al mar. El evangelista se las ha ingeniado para sugerir con gustoso disimulo cuanto le interesa. Hay varias cosas importantes en la frase: «Y Simón Pedro como *oyó* que era el Señor, ciñóse la ropa, porque estaba desnudo y echóse al mar». Se trata de dar a comprender que Pedro estaba desnudo como el ángel de Laodicea. Que había sido hallado desnudo por Jesús al modo como en la parábola de las vírgenes imprevisoras, cuando viene el esposo se encuentra sin aceite sus lámparas. En la mente joanina era el de la desnudez un concepto que entrañaba significado profundo. Porque Pablo había enseñado en sus dos Epístolas a los Corintios cierta doctrina que, con referencia al cuerpo mortal y corruptible, predicaba la necesidad de vestirse de inmortalidad que es lo que significaban las vestiduras blancas y de lino brillante de que se habla con insistencia en el Apocalipsis y de las que estaba desprovisto el ángel de Laodicea. Y a tal propósito exclamaba Pablo:

En verdad habremos sido hallados vestidos y no desnudos [2].

Así pues, repitamos, cuando el evangelista declara que Pedro se ciñó los vestidos está dando a entender paradójicamente, que en este sentido ha sido hallado Pedro desnudo en el Advenimiento del Señor.

Otra cosa importante expresa en esta frase arbitraria su parte última: luego de vestirse, Pedro «se tiró al mar». Recuérdese el altercado de palabras antes advertido, entre la Epístola

2. 2 Corint. V, 3-4.

de Clemente y el Apocalipsis acerca del hombre a quien más le valiera atarse una piedra de molino al cuello y tirarse al mar, que en la imaginería del Vidente se transforma en Babilonia o la ramera sentada sobre muchas aguas que así es lanzada por un ángel a lo profundo. Aquí es Simón Pedro, «piedra», el «ángel» que por sí mismo juzga —«juicio de la piedra»— que, habiendo sido hallado desnudo, más le vale abandonarlo todo y tirarse al mar. De este modo el buen entendedor comprende que tanto Simón Pedro al frente de la barca pescadora como el ángel de la iglesia de Laodicea y la ramera del Apocalipsis sentada sobre muchas aguas, aunque tratados diferentemente, son para la mente joanina la misma cosa: Roma y su iglesia, tal como sobre el prestigio de Pedro la estableció Clemente. Por eso le importa mucho al evangelista hacer hincapié en el carácter del discípulo amado que, frente a la inversión amorosa de Roma, condena con su contraste a Pedro. Contra *Roma, Amor*.

Tan notoriamente es esto así que el evangelista habiendo encontrado en su retórica verbal el modo de efectuarlo, se ha complacido en recalcar este concepto incomprendido como tantos otros por la crítica a la letra, del pasado y del presente. No es otra la razón por la que sitúa la escena simbólica del Advenimiento en el mar que llama de Tiberias. He aquí uno de los agarraderos con que contaba la crítica para mantener que el Codicilo fue escrito con posterioridad al resto del Evangelio. El geógrafo Fürrer en efecto averiguó que el mar de Galilea o de Genezareth no fue conocido bajo el nombre de Tiberiades hasta entrado el siglo II [3]. Pero ha de tenerse presente que tampoco existía a la sazón ni ha existido después el pueblo Caná de Galilea, ni el pez *opsarion* que desempeña aquí oficio clave. Para la mente profética, conviene recordarlo nuevamente, no cabe mayor realidad que la del Verbo o Palabra. Tiberias, a orillas del lago de Genezareth, era en Palestina la ciudad romana por excelencia. Y el mar de Tiberias, designación inventada quizá por el evangelista y generalizada luego [4], era, en su sentir simbólico, el mar de la ciudad del Tíber, el mar romano o Mediterráneo que para el Apocalipsis ha de dejar de ser en el día decisivo [5]. Por eso la escena de la abolición de la iglesia romana se representa desembarcando a la otra orilla, en el «ultramar» — πέραν τῆς θαλασσης[6] — donde había tenido lugar la significativamente milenarista ingestión de los panes y peces multiplicados.

Basta lo apuntado para resellar la convicción de que la estructura y el sentido que contiene la parte del Apocalipsis dedicada a las siete iglesias y que es como el sumario del libro, abriga idéntica substancia y finalidad que el Codicilo del Cuarto Evangelio. Pero ello no puede encubrir que entre una y otra versión

3. Conrad Fürrer, *Zeitschrift für Neu-Testamentlichen Wissenshaft*, pág. 261 (según J. E. Carpenter, *The Joanine Writings*, Boston and New York, Houghthon Mifflin co. 1927, p. 246).
4. Se lee esta palabra dos veces en el Cuarto Evangelio (VI, 1 y 23). Se ha pretendido explicar la primera como una apostilla integrada al texto, cosa que no reza con la segunda.
5. Apoc. XXI, 1.
6. Juan, VI, 1.

existen variaciones considerables que obligan a revisar, para ampliarlos, los conceptos obtenidos al examinar aisladamente la visión de Patmos. Resulta, en primer término, que en virtud de los siete pescadores que Pedro acaudilla, las siete iglesias del Asia se han transformado en las siete iglesias del mundo entero, presididas por la de Roma. Se comprueba así, muy satisfactoriamente, que la palabra Asia y los nombres de las siete iglesias correspondían a entidades ficticias, según se había supuesto, utilizadas simbólicamente, como elementos verbales. Gracias a ello, se pudo sugerir, en el Apocalipsis, por Sabiduría críptica, el término Europa.

Prolongando el concepto, en el Codicilo se asiste a lo que el evangelista concibe como fin de Roma-Europa y retorno a la tierra firme del continente asiático, donde, a la venida de Jesús-Verbo, debe realizarse con el Milenio, la nueva Jerusalem.

Ahora bien, del contenido del Codicilio se deduce sin incertidumbre que los redactores de los textos joaninos eran más conscientes de la realidad de lo que permiten sospecharlo los aspavientos de ese fenomenal espanta-espíritus que es el Apocalipsis. Que los autores de ambos documentos estaban en acuerdo íntimo es cosa manifiesta. Ambos escritos se fundan idénticamente en las ideas muy particulares del Cordero de Dios y del Logos. Ambos terminan en el Milenio, responden a los mismos alicientes, acatan la misma teología, usan los mismos sistemas crípticos, adoptan la estructura de los siete ángeles de las iglesias, se fundan en la misma antinomia Roma-Amor, etc., etc. Pero,

144

lo que es aún más elocuente: en algunos aspectos parecen esos escritos haber sido concebidos en modo complementario como las voces de un dúo que se distribuyen ambiguamente la expresión de un sentimiento compartido. No parece incorrecto, pues, referirse a una mente joanina en que se engloban ambos libros, dejando sentado que no por ello se pretende que el Evangelio y la Revelación fueron *redactados* por una sola persona.

## La gran obsesión de Juan el presbítero

Desentrañada, pues, la primera parte del Codicilo, y en posesión de estos antecedentes, se ha de examinar ahora la segunda que dice así:

«Cuando hubieron comido, Jesús dice a Simón Pedro. Simón de Juan, ¿me amas más que éstos? Dícele: Sí, Señor; tú sabes que te quiero. Apacienta mis corderos.

»Dícele de nuevo segunda vez: Simón de Juan ¿me amas? Dícele: Sí, Señor; tú sabes que te quiero. Dícele: Pastorea mis ovejuelas.

»Dícele la tercera vez: Simón de Juan ¿me quieres? Se apenó Pedro de que le dijera la tercera vez ¿me quieres? y dícele: Señor, tú sabes todo, tú conoces que te quiero. Le dice Jesús: Apacienta mis ovejas.

»De cierto, de cierto te digo que cuando eras más joven, te ceñías tú mismo e ibas a donde gustabas. Pero cuando envejezcas extenderás tus manos y otro ceñirá y te llevará donde no quieres.

»Decía esto señalando con qué muerte glorificara a Dios. Y dicho esto, le dice: Sígueme.

»Se vuelve Pedro, ve al discípulo a quien amaba Jesús, que seguía, el cual también se había reposado en la cena sobre su pecho y había dicho: Señor ¿quién es el que te entrega?

»Viendo pues a éste, dice Pedro a Jesús: Señor, ¿y éste qué?

»Dícele Jesús: Si quiero que éste permanezca hasta que vengo ¿qué a ti? Tú sígueme.

»Salió pues este dicho entre los hermanos que el discípulo éste no muere. Mas Jesús no le dijo que no muere sino: Si quiero que permanezca hasta que vengo ¿a ti qué?

»Este es el discípulo que atestigua estas cosas y el que escribió estas cosas. Y sabemos que su testimonio es verdadero.»

Con los datos reunidos es claro que el redactor de esta página conforma sus razones a la compleja situación en que se encuentra y a los distintos tiempos a que ésta se refiere. *De un lado* destaca la intención firme del evangelista de favorecer la constitución de la iglesia mediterránea de Pedro. Jesús lo nombra pastor de sus ganados. Según se avanzó, los profetas de Corinto han comprendido merced a la intervención de Clemente, que esa es la voluntad creadora, implícita ya en las relaciones protoevangélicas. Pedro personifica el aspecto literal, corpóreo y eclesiástico de la profecía de Jesús, entregado a los gentiles. Es la «piedra» del escándalo necesario con la que debe tropezar el pie del Hijo de Dios, según se indica en la escena de la tentación en el desierto, pero *de otro lado*, se prepara simultáneamente el Advenimiento con el juicio y la condena a muerte de

146

la iglesia romana, una vez que su misión haya sido cumplida.

Por tratarse del juicio de la iglesia de Roma o «Laodicea», Jesús empieza por someter a Pedro a interrogatorio de manera que el interesado haga la confesión que jusifique el veredicto. Las preguntas y respuestas están hechas con muy intencionada gradación y giran en torno al *Amor*. Salta a la vista que, según el estilo mental propio del pensamiento joanino para el que todo juicio es una opción entre dos términos que se contraponen, en estas preguntas y respuestas se encaran dos razones amorosas. Exactamente las mismas dos especies de Amor que se advirtieron al examinar el contenido de las epístolas a Filadelfia y Laodicea, y las mismas que Plotino, con referencia a las dos Afroditas distingue con los nombres de «amor celeste» y «amor vulgar». Para definir a la una, el escritor utiliza aquí como allí el verbo *fileo*, mientras que a la otra se adjudica la voz *agapao* correspondiente al ágape o comida unificatoria de las primitivas comunidades cristianas. Y ambas están representadas por los dos personajes que aquí descuellan; Simón Pedro y el designado mediante las significativas perífrasis: «el discípulo que amaba Jesús» y «que se había reposado en la cena sobre su pecho» o corazón.

La razón del juicio es el Amor porque según el Cuarto Evangelio este es el mandamiento —la palabra— que el Verbo de Dios ha dado a los suyos:

Un mandamiento nuevo os doy: que os améis unos a otros; como os he amado, que también os améis unos a otros.

En esto conocerán todos que sois mis discípulos, si tuviereis amor los unos con los otros [1].

Este es mi mandamiento: que os améis los unos a los otros como yo os he amado [2].

Esto os mando: que os améis los unos a los otros.

Este amor de caridad es la gran obsesión de Juan el presbítero. «Dios es amor» ($\dot{\alpha}\gamma\alpha\pi\eta$) afirmará en su epístola universal [3] donde exalta dicho sentimiento con reiteración casi patológica a su dintel sublime. Tampoco está aquí de más insistir en que la conciencia de esa pasión amorosa, o de la necesidad cristiana de darse a la caridad sin restricciones, hasta llegar por la negación de sí mismo a la presencia de Dios, enunciada germinalmente por Pablo a los Corintios, parece haber sido resultado de la actitud antiamorosa de Clemente hacia los profetas de dicha localidad, quienes al reaccionar contra la hipocresía del obispo de Roma se vieron gratificados anagramáticamente, por el Verbo mismo, con la palabra *Amor*.

Pues bien, con arreglo a ese código espiritual de un sólo mandamiento ignorado por los sinópticos, Jesús le examina a Pedro-Clemente, iglesia de Roma: «¿me amas más que éstos?», es decir, ¿eres mayor que éstos en el Amor? Pedro confiesa la calidad de su persona al contestar con seguro aplomo: «Sí Señor, tú sabes que te quiero». La pregunta de Jesús trata del amor caridad, *agapao*, y la respuesta de Pedro, bajo apariencia positiva es contraria pues que

1. Juan, XIII, 34-35.
2. Juan, XV, 12.
3. I Juan, IV, 8 y 16.

usa el verbo *fileo*. El evangelista declara así que Pedro ama a Jesús con una afición inferior, mundana, que no corresponde a su mandamiento. Por ello, porque el que precede es menor al que tras él ha de venir, Jesús le encomienda a Pedro iglesia de Roma el apacentamiento inicial de su rebaño.

Vuelve Jesús a la carga por segunda vez, bajando de punto, porque ya no le pregunta si le ama más que los otros discípulos sino simplemente: «¿Me amas?» — *agapao*. Pedro vuelve a responder como la primera vez: «Sí, Señor, tú sabes que te quiero» — *fileo*.

A la tercera vez, con el fin de precisar y recalcar el significado del interrogatorio, condesciende Jesús de palabra para preguntar un escalón más abajo: «¿me quieres?» — *fileo*. El evangelista comenta que Pedro se afligió al escuchar tal pregunta. Suele indicarse que la tristeza de Pedro provenía del gran amor que profesaba a Jesús y de la insistente desconfianza de éste que aludía a las negaciones del apóstol. Ciertamente no parece que fuera ésa sino muy otra la intención sincera del evangelista para quien la pena de Pedro se debía a que la tercera vez Jesús le había preguntado si le quería en vez de si le *amaba*, puesto que era un reconocimiento de su deficiencia de amor caridad. Pedro se ve obligado a confesar que no ama a sus hermanos, lo que no quita para que por tercera vez se le sitúe a la cabeza del rebaño [4].

4. ¿Razón para esto último? que en algún pasaje del Cuarto Evangelio se emplean estos verbos indiferenciadamente, al parecer. La realidad es como sigue: en las tres epístolas de Juan figura más de sesenta veces la voz *agapao* y ni una sola *fileo*, aunque en algún lugar se hable de afición al mundo, cosa que invita a presumir

149

Suele la exégesis sostener, tomando tales especies a la letra, que estas tres preguntas de Jesús con las consiguientes protestas amorosas de Pedro, fueron el modo de absolver las tres negaciones anteriores al alba, referidas —con no mucha caridad sino hubiera razones que lo requiriesen— por los cuatro Evangelios. La referencia a las tres negaciones parece, en efecto, inobjetable. Pero lejos de ser dirimente, confir-

---

que el texto original pudo ser en este aspecto indiscriminadamente corregido. El Cuarto Evangelio matiza mucho más. Pero de otras sesenta y tantas veces que en él figuran estos términos, sólo en tres ocasiones parece hacerse caso omiso de la regla semántica en cuestión. Porque cuando los judíos o los hermanos de Lázaro dicen relativamente al sentimiento de Jesús por su amigo: "Mirad cómo le quería" o "el que quieres está enfermo" (XI, 3 y 36), los personajes están expresando su propio concepto judaico del amor. Las tres ocasiones indicadas son: 1) "El Padre quiere al Hijo (V, 20); 2) "El mismo Padre os quiere porque vosotros me *quisisteis* y habéis creído que yo salí de Dios (XVI, 27); 3) María Magdalena "vino a Simón Pedro y al otro discípulo al cual quería Jesús" (XX, 2). No sería imposible explicar estas tres excepciones de algún modo. Para las dos primeras quizá bastase recordar que el verbo *fileo* significa también *besar* y que en el famoso salmo II empleado directamente en el Apocalipsis, se lee: "Besad al Hijo". En cuanto a la tercera, puede y hasta quizá debe atribuirse el *fileo* a la mente de la hermana de Lázaro que es quien en ese momento va, ve, corre y dice.

De todos modos, el significado del Codicilo es en este aspecto tan exacta y ostensiblemente intencionado que parece invulnerable. El cálculo de probabilidades milita tajantemente a su favor. Coincide, cosa capital, con el juego de estas voces en las epístolas a Filadelfia y Laodicea —"juicio de la piedra"— en el Apocalipsis. De haber realmente incorrección, habría que atribuirla a alguna enmienda arcaica semejante a la que presumen las epístolas de Juan, más que al deseo del redactor de disimular sutilmente las cosas.

ma y empeora la situación. En el plano de las figuras históricas, la Iglesia de Roma niega tres veces en el Codicilo, por boca de Pedro, el amor exaltado de quienes por él se niegan a sí mismos como se negó Jesús. Por tres veces en la escala agustiniana de valores —*Jerusalem facit amor Dei, Babylonia facit amor saeculi*—, la iglesia romana de Clemente ha reconocido su babilonidad apocalíptica y justificado su condena. Porque antes se había legislado la sanción: «al que me negare delante de los hombres yo también le negaré delante de mi Padre que está en los cielos».

La cosa, dentro del concepto joanino del mundo, no puede, según se anticipó, ser más sencilla. El esquema personificado del Apéndice o Codicilo del Cuarto Evangelio es una proyección o figura histórico-cultural del que se presenta en el primero de sus capítulos. Juan Bautista, la voz que clama en el desierto, el que bautiza con agua y predica el arrepentimiento o purificación, precede al Cordero de Dios que bautiza con Espíritu Santo y es en sí mismo la Palabra articulada que transporta al Paraíso. Semejantemente, Pedro, que para el evangelista representa el agua que junto con la sangre «vio» brotar del costado de Jesús, observa que viene tras él aquel discípulo amado que se había recostado sobre su corazón en la cena. El uno personifica la forma primaria, vulgar y egoísta del amor religioso —la oración, el arrepentimiento—, mientras que el otro substancia la cualidad espiritual, celeste, divina. Por asociarse al agua, el dominio del primero es naútico o piscatorio, mediterráneo, europeo, mientras que el del segundo corresponde al de los ciento cuarenta y cuatro mil testigos de sangre de Jesús que constituyen la fraternidad de la paciencia o cuerpo del Cordero, representados aquí por los peces traídos a la orilla de que Simón Pedro tiene que hacer entrega. También en esta ocurrencia el que viene detrás es superior en el orden del espíritu cristiano al que lo precede. El último es el primero, el príncipe. Marcando con visible intención el orden prelativo, el mismo Evangelio había dejado expreso como el día de la resurrección, Pedro y el discípulo amado corrieron juntos al sepulcro. El último, más ágil, se adelantó pero no quiso entrar sino que esperó a que Pedro llegara y entrase previamente. Los primeros serán postreros y los postreros primeros, porque muchos son llamados mas pocos elegidos[5].

He aquí una de las razones por la que, comprendiendo el sentido del proceso teológico, los profetas de Corinto, los elegidos, se sometieron a la tutela y yugo de Roma. Estaba preceptuado: «el que es mayor de vosotros será vuestro siervo»[6]. En vez de dar la batalla por la primacía o de declararse autónoma, la hermandad profética de la Paciencia, consciente de la superioridad del Espíritu que la inspiraba, acató la penosa jefatura de la iglesia de Pedro-Clemente, reservándose para cuando quitada la piedra, se verificara la resurrección espiritual, la apertura de los sepulcros o cuerpos, conforme a como en los escritos joaninos quedó prevista.

En otro lugar dejaron éstos determinado:

5. Mat. XX, 16 Id. XIX, 30; Marc. X, 21; Luc. XIII, 30.
6. Mat. XXIII, 11; Marc. IX, 35; Luc. XXII, 26.

El que en vosotros está es *mayor* que el que está en el mundo.

Ellos son del mundo; por eso hablan del mundo y el mundo los oye.

Nosotros somos de Dios: el que conoce a Dios (el Espíritu) nos oye: el que no es de Dios no nos oye. Por eso conocemos el espíritu de verdad y el espíritu de error [7].

Pero sobre todo, en los sinópticos destaca un texto muy importante a los propósitos anteriores, porque contiene la respuesta de Jesús *precisamente* a *Jacobo* y a *Juan* cuando éstos piden sentarse a derecha e izquierda del Hijo del hombre en *su gloria*. Son palabras cargadas de intención, de destino:

Sabéis que los que se ven ser príncipes entre las gentes se enseñorean de ellas, y los que entre ellas son grandes, tienen sobre ellas potestad.

Mas no será así entre vosotros: antes cualquiera que quisiere hacerse grande entre vosotros, será vuestro servidor.

Y cualquiera de vosotros que quisiere hacerse el primero, será siervo de todos.

A la referida equivalencia: Bautista es a Jesús lo que Pedro es al discípulo amado, parece haberse debido que en el interrogatorio Jesús le llame a Pedro las tres veces hijo o continuador de Juan. También se lo llama en el primer capítulo de este mismo evangelio, cuando, después de hablar del Bautista y de quien tras él viene, a Pedro se le nombra «Cephas, que quiere decir piedra» [8]. Cierto es que los manuscritos

7. I Juan, IV, 4-6.
8. Juan, I, 42.

antiguos ofrecen dos versiones distintas a tal respecto: donde unos dicen Juan, otros escriben Jonás. El sentimiento de los especialistas, aunque dudoso, tiende a inclinarse hacia esa segunda forma, Jonás, porque también figura en la confesión de Pedro en Mateo XVI, 17, donde se le apellida *Barjona*. La garantía de este último testimonio es, sin embargo, más que problemática, por cuanto que su texto, ausente en Marcos, parece ser consecuencia del de estas dos escenas del Cuarto Evangelio donde a Simón se le nombra Pedro y Pastor. Ahora bien, como el Cuarto Evangelio fue escrito no pocos años después de la muerte de Simón Pedro, cuando probablemente nadie recordaba su filiación precisa y como, por otra parte, no parece haber palabra en los escritos joaninos que no esté cargada de intención, el hecho de que se haya consignado en ambas ocasiones significativamente solemnes la ascendencia de Simón Pedro, induce a presumir que para el evangelista encerraba significado simbólico. El nombre de Juan lo tiene muy substantivo dentro de la configuración de este evangelio, según acaba de verse. También, en cuanto predicador del arrepentimiento a los ninivitas, participa en uno de sus aspectos, del mismo sentido la figura compleja de Jonás. Pero Jonás posee además el valor sobresaliente, utilizado asimismo en los sinópticos, de ser trasunto profético del Espíritu —Jonás, «paloma»— encerrado durante tres días y tres noches en el sepulcro. De ahí el dicho evangélico de que a la generación execrada no se le dará más signo que el de Jonás. En modo alguno podía el evangelista llamar «espíritu» a Pedro, ni consignarlo a la resurrección, puesto que estaba escribiendo acerca de él exactamente lo contrario. En el edificio de sus ecuaciones, Jonás se asociaba con Jesús sobre cuya cabeza descansó la «paloma» y con el discípulo de su Amor, tragado por la ballena para resucitar en su día, mientras que Pedro y su iglesia representaban el monstruo marino. En el fondo, las tres negaciones y las tres preguntas redactadas intencionalmente con graduación temporal, corresponden a los tres días sepulcrales. De donde es forzoso concluir que el original del Cuarto Evangelio decía «Juan», equiparando a Pedro con el Bautista, y que, quien sin comprenderlo quizá, derivó de él la interpolación que se lee en Mateo, lo transformó en «Jonás» invirtiendo los valores en beneficio de la iglesia Romana. Es lógico que la interpolación de Mateo diera posteriormente como consecuencia que en algunos manuscritos del Cuarto Evangelio se cambiara el nombre auténtico de Juan por el de Jonás. Así todo el juego de circunstancias se despeja. Porque ese mirar de Pedro al discípulo amado que *tras él viene*, asociado, si no amorosamente identificado como está con Jesús, consiente pocas incertidumbres, si alguna.

Recuérdese cómo en el Apocalipsis, Roma y el desierto donde la Ramera se sienta sobre la Bestia de muchas aguas, se confunden. Y además cómo Clemente Romano predicaba el «bautismo de Juan» o de arrepentimiento. Y por último, cómo en este Evangelio no se le dice al discípulo que sigue Juan ni por casualidad, sino el Amado.

La materia es demasiado trascendental para prescindir de estas que pueden antojarse menudencias. Piénsese que se está apreciando la suprema substancia anímica del Nuevo Testamento en que se funda el ser de la cultura judeo-cristiana y de la que depende el porvenir de nuestra crisálida o, si se prefiere, el acceso de nuestra conciencia a la paradisíaca luz esencial. Por la misma razón no conviene dejar inadvertido que la figura colectiva de Pedro está en la mente del evangelista conscientemente vinculada a la de Judas. Son varios los detalles que lo traslucen y la causa a que se debe es comprensible.

Como Judas que había entregado a Jesús a los judíos para que éstos se lo pasasen al representante del César [9], Pedro-Clemente había sido el encargado de entregar la persona divina de Jesucristo al imperio romano. El Apocalipsis ruge con la cólera que, en el plano del cristianismo absoluto, engendra lo que el fenómeno tiene desde allí mirado de perfidia. Cuando en el Codicilo se hace uso de un circunloquio en apariencia intempestivo para designar al discípulo Amado, es porque trata de evocarse, consignada a Pedro, la traición de Judas. Mírese con imaginación despierta si no está el propósito patente:

Se vuelve Pedro, ve al discípulo a quien amaba Jesús, que seguía, el cual también había reposado en la cena sobre su pecho y había dicho: ¿Señor, quién es el que te entrega?

Si el recuerdo de la felonía está en ese momento traído, al parecer tan impropiamente, por los cabellos, se debe a alguna razón. Y ésta no puede ser otra que hacer resonar allí de

9. Juan, XVIII, 35; XIX.

156

modo indirecto la misma pregunta: «¿Señor, quién es el que te entrega?», a fin de que el buen entendedor la conteste. Desde luego, entre las dos personas que entonces se contraponen, la traición no es atribuible al discípulo Amado, primero, por lo que éste es y por lo que significa y, segundo, por decirse él mismo el redactor del texto. De otra parte, la situación representada es equivalente a la de la cena. Cuando en el capítulo XIII que de ella trata, Judas ingiere el bocado que le da Jesús y, poseído de Satanás, sale a entregar al maestro, éste dice que el Hijo del hombre va a ser glorificado. Parejamente, en el Codicilo, en cuanto Pedro ingiere la porción de comida que le toca, se sugiere su traición y se habla en futuro de la muerte «con que glorificará a Dios». Y resulta que Judas, según se encargará de interpretar san Jerónimo, significa *glorificans*. A continuación en el mismo capítulo XIII Jesús promulga su nuevo mandamiento caritativo por el que los discípulos han de amarse los unos a los otros y que será aquel por el que en el Codicilo es juzgado Pedro a quien allí se le predice que luego «seguirá» a Jesús, cosa que aquí se corrobora con el mandato: «Sígueme». Y Pedro promete que pondrá su vida por el Señor, mientras que éste le anuncia que antes de que cante el gallo le negará tres veces, cosa que también en el Codicilo, según se ha comprobado, está a punto de pasarse de implícita. La razón de tan llamativa paridad entre ambas secuencias parece estribar en que tras los rasgos de Judas «de Simón», se está bajo cuerda prefigurando en el capítulo XIII a «Simón Pedro». Por eso es este apóstol quien hace que el discípulo amado pregunte a Jesús, con proyección al Codicilo, quién es el que le va a entregar [10].

A este respecto cabe pensar que el juego del «¿me amas?», «te quiero», lleva envuelta una intención oscura. Porque el verbo *fileo* significa no sólo querer, sino también *besar*. Y no puede olvidarse que con un beso fue como Judas entregó al Hijo del hombre. La tercera interpelación podría, pues, traducirse así: «¿Me besas? Señor, tú que sabes todas las cosas, sabes que te beso». Es decir, sabes que te entrego al mundo romano de la fuerza, cosa que justifica plenamente la alusión que en seguida se hace a la entrega de Jesús.

Puede, pues, sacarse la conclusión de que aquel reposar en la cena sobre el seno de Jesús, aquí recordado, representa para el evangelista el ágape del amor divino —sentado a la diestra en el reino—, en que se aplica figuradamente la doctrina expuesta por él en el capítulo cuarto de su epístola primera. Frente a ese convivio que declara la calidad del discípulo Amado, Pedro en persona había cometido el «yerro», referido por Pablo a los Gálatas, de comer hipócritamtne con los gentiles [11], cosa que la mente joanina, ni aquí ni en el Apocalipsis, echó en saco roto. El «mata y come» de la visión de *Cesarea* registrada en los Hechos trata de justificar la misma propensión devoradora

10. Jesús responde: "Aquél es al que yo, habiéndole *mojado la porción*, se la sobredaré. Y habiendo untado la porción se la dio a Judas de Simón Iscariote" o Clemente. Es claro que la porción "mojada" y "sobredada" fue en el campo representativo la que le correspondió a Pedro, asociado con el agua.

11. Gálat. II, 11 y ss.

—leviatánica— inherente a la figura del llamado príncipe de los Apóstoles[12]. Judas se define negativamente al ser como fulminado por la substancia amorosa de aquel ágape, lo mismo que Pedro-Iglesia en el Codicilo. Por tanto, uno de los discípulos representa el celeste amor de Dios y otro, calificado por la conducta antifraterna de Clemente, el vulgarizado en este mundo infiel. Al primero le conviene el verbo *agapao* y al segundo el *fileo*, de acuerdo con el sentir semántico de Orígenes, según se vio antes al tratar del Apocalipsis. Aquél es propio de la vida esencial o paradisíaca pertinente a la Parousía —el primer amor o *ágape* de que se le habla a la iglesia de Efeso— mientras que éste lo es de la vida mundana o sacerdotal —el de la iglesia de Laodicea— que se eliminará en el momento de la catarsis porque, según se especifica al final del Apocalipsis, el «filón» ha de ser excluido de la ciudad amada. Cuando se quiebre la rueda milenaria de las generaciones, significada por el Crismón.

Es, pues, un hecho que para Juan la actitud romana de Clemente-Pedro era anti-cristiana, homicida y tenía las manos, por lo menos simbólicamente, manchadas de sangre como Caín y los príncipes de Sodoma de Isaías, homicidas

12. Claro que los capítulos X y XI de los Hechos redactados por el compañero de Pablo donde recoge dos veces la visión de Cesarea, pueden muy bien haber sido un aditamento posterior, puesto que su contenido no se compadece con lo que acerca del reparto de la circuncisión y de la incircuncisión aquél les escribió a los Gálatas. En cambio, dicha visión, calificada demasiado bien por la persona de *Cornelio*, Centurión de la cohorte Itálica, domiciliado en *Cesarea*, justifica con exactitud la con-

también [13]. Era la correspondiente a la de la
«piedra de escándalo», basada en la mentira
propia también del «homicida que ha sido desde el principio [14]», frente a la actitud plegada
al mandamiento nuevo. Porque

«El que ama a su hermano está en luz y *no
hay escándalo en él*. Mas el que aborrece a su
hermano está en tinieblas y no sabe a dónde
va porque las tinieblas le han cegado los
ojos».[15]

Me parece ser otra la razón por la que se le
dice a Pedro Iglesia de Roma en este lugar del
Codicilo que «extenderá las manos» suplican-
temente, como las extienden los ciegos. Dios no
oirá porque son manos manchadas de sangre,
manos romanas o sodomitas, de invertido
Amor. Por eso será «ceñido por otro», por el
enemigo o adversario que, como a Judas, lo
llevará a donde no sabe que va ni quiere, ya
que «las tinieblas le han cegado los ojos». A la
muerte, que es su fin natural puesto que quien

ducta de Clemente que se había proclamado heredero de
Pedro y Pablo, por lo que el Apocalipsis le atribuía
*cuernos* como de cordero. Lo mismo ha de decirse de su
fardo lleno de cuadrúpedos de la tierra, de bestias y
reptiles, en oposición al vaso de Jesús. Mas se advierte
que en esta comida de Pedro, que abarca los cuatro cabos
del mundo, se integran también "las aves del cielo", es
decir, los cristianos espirituales que a su jefatura se
someten, como en Corinto se sometieron los profetas y
los pescadores en el Codicilo. Todo parece indicar que se
trata de un texto tardío.

13. Aunque sin esperanza de resolverlo, en éste como
en otros lugares se formula por sí misma la pregunta
de si el "Antipas, mártir" que figura en la carta al ángel
de Pérgamo o "ciudadela" en el Apocalipsis no sería quizá
una víctima de los sucesos de Corinto.

14. Juan, VIII, 44.

15. 1 Juan, II, 10-11.

no ama heroicamente —agapao— a los hermanos, es incapaz de pasar de muerte a vida.

Sobre esta fundamentación justificada de la sentencia a pena capital, Jesús, en ese instante en que se describe en forma indirecta el Advenimiento y pasando del dicho al hecho, le espeta a Pedro: «Sígueme». Quiere decirse que entra en acción la Espada del Verbo para decretar sobrentendidamente: «perece». Porque el verbo «seguir» está empleado, por no perder la costumbre anfibológica, en dos acepciones distintas. Del discípulo amado se declara «que seguía», mientras que a Pedro se le ordena: «sígueme». En la primera expresión significa dejarlo todo para servir a Cristo. Así se les dice a los apóstoles y se les sugiere a quienes apetecen ser perfectos [16]. Por plegarse a esta ordenanza el discípulo Amado es merecedor de loa y galardón. En cambio, el valor del «sígueme» destinado a Pedro lo había dejado expreso el Cuarto Evangelio en otro pasaje anterior, íntimamente ligado a éste de las tres negaciones con respecto al Amor, en que Jesús anuncia su propia muerte. Conviene comprobarlo aun a costa de repetir algún concepto.

Pero antes, para disipar dudas, téngase presente la interpretación que de este pasaje del Codicilo se descubre en la Segunda Epístola

16. Mat. VIII, 19-23; IX, 13; XIX, 21. Marc. II, 14; VIII, 34. Luc. V, 27; IX, 56-61; XVIII, 22.
El pasaje del Cuarto Evangelio donde se toca el mismo tema es elocuente por el modo en que se realiza y lo muy trabado que está con el juicio del Codicilo: "Aquel que ama su vida, la perderá; y el que aborrece su vida en este mundo por vida eterna la guardará. Si alguno me sirve, sígame; y donde yo estuviere allí también estará mi servidor". (Juan, XII, 25-26.)

de Pedro cuando éste afirma que pronto falle-
cerá o dejará su tabernáculo «como nuestro
Señor Jesucristo me tiene declarado». ¿Dónde
y cuándo se lo declaró? En la aparición imaginada del Codicilo y en el capítulo XIII del
mismo Evangelio [17]. Claro que ésta es una epístola apócrifa, puesto que está redactada, bien
se ve, con posterioridad a los escritos de
«Juan», pero ello en nada menoscaba, sino al
contrario, incluida como se encuentra en el
canon del Nuevo Testamento, su testimonio
acerca del modo como debe ser entendido el
«sígueme».

Los acontecimientos se complacerían en demostrar, siglos más tarde, que también en este
aspecto la mente del evangelista coincidía con

17. 2 Pedr. I 13-15. Parece muy probable que esta segunda epístola de Pedro, a todas luces pseudónima, fuera
escrita por persona allegada a los profetas de Corinto
puesto que favorece su causa. Afirma "Pedro" saber por
declaración de Jesús que debe morir, reconocimiento que
presta veracidad al contenido del Cuarto Evangelio que lo
insinúa dos veces. Para excusar la tardanza de la Parousía —eliminada en el sistema clementino— dice que
no ha de ignorarse que, aunque parezca que nada ha cam-
biado "desde el principio de la Creación" (III, 4), "un
día delante del ser es como mil años y mil años como
un día" (III, 8). Se diría, pues que, a su juicio, el Advenimiento ocurrirá al cumplirse los seis mil años correspondientes a los del hexamerón que determinan la creencia en el Milenio. Cielo y tierra serán abrasados, como lo
fueron Sodoma y Gomorra, ciudades en las que se da a
entender que los justos están viviendo (II, 6-8), para que
vengan "cielos nuevos y tierra nueva" (III, 13). Por consiguiente, Pedro hace suyas las claves escriturarias en que
se apoya el sistema milenarista de los escritos joaninos,
así como otros muchos conceptos típicos del Apocalipsis
y en pugna con la posición de Clemente.

Algo parecido podría también decirse de la epístola de
Judas.

la natural de la historia. No sólo haría Pedro-Roma causa común con los carniceros del mundo, sino que hasta llegaría a alardear de su matonismo religioso. Oh, Prisciliano y sus seis cofrades, los primeros, degollados a instigación de una cuadrilla de obispos en connivencia con un César espurio. Oh, Hypatia, despedazada por la chusma que acaudilló el lector *Pedro* en la iglesia llamada *Cesarea*. Oh, Girolamo Savonarola, nefandamente injusticiado por la Santidad de Alejandro VI. Oh, innumerables más. Y oh, contemporáneamente, el seudo cristianismo que *invirtiendo los términos* del ideario bíblico ha llegado a convertir los arados en armas ofensivas. «¿Cómo no germinaría en católico la semilla arrojada a través de los campos de España, en el surco que han abierto los católicos con la punta de la Espada?», preguntaba descubriendo sus vergüenzas espirituales y las de cuantos le aplaudían el primado de la iglesia española, con beneplácito de la del mundo, Cardenal Isidro Gomá. Pedro-Iglesia de Roma tenía que negar y traicionar el Espíritu de Jesús —«tú que lo sabes todo, sabes que te beso»— antes que el gallo matinal cantara. En vez de seguir al Señor, estaba predestinado a oír que se le decía: llenas están de sangre tus manos homicidas; sígueme [18].

18. Si por los frutos se conoce el árbol, no es ningún problema discernir el hibridismo de "Pedro" y de "Juan" —del Leviatán y de la Paloma— en el desarrollo de la Iglesia. En contraste con la espiritualidad heroica de los Franciscos de Asís, de las Catalinas, de los Juan de la Cruz y de las Teresas, y de tan infinitos más, el Papado y las jerarquías presbiterales que heredaron, según Clemente, el derecho divino de los Apóstoles, se las han ido

## *Mas sobre la condena de Pedro*

Por apetecible que se antoje saber qué partes del Cuarto Evangelio proceden de los sinópticos y a la inversa, la realidad es que aquí no
importa gran cosa. Lo necesario, lo decisivo,
es comprender que la condena final de Pedro-
Iglesia romana no es un concepto, dentro del
Nuevo Testamento, exclusivo de los escritos
joaninos. Recuérdese, en primer lugar, que los
redactores de estos escritos desconocían semejantes posibilidades así como el destino que

---

componiendo en no pocas circunstancias para manifestar
el bestialismo que el sistema heredó en realidad del imperio de los Césares, en acuerdo con las denuncias del
Apocalipsis. Reléanse, no más, estas cuantas frases de
una monografía moderna: "La historia de los papas, del
siglo IX al XIII, da vértigo. Reaparecieron las locuras
de Calígula, la ferocidad de Nerón, la lujuria de Helio-
gábalo. En el siglo décimo los condes de Túsculo entregan la Santa Sede a cortesanas y bandidos. Juan II,
papa a los diecisiete años, instala su harem en Letrán
y consagra a un diácono en una caballeriza. Bonifacio VII,
destituido a los cuarenta y dos días de pontificado, huye
a Constantinopla con el tesoro de la Iglesia. Vuelve a la
muerte de Otón II, mata de hambre a su sucesor Juan XIV
en las mazmorras de Sant Angelo, arranca los ojos a sus
cardenales. Benito IX, papa a los doce años, lleva una
vida tan horrenda que los capitanes de Roma intentan
estrangularlo en el altar. Escapa, vende la tiara, pretende
a una mujerzuela, vuelve a Roma ocupada por dos anti-
papas, es arrojado nuevamente, hace envenenar al papa
alemán Clemente II, sube por tercera vez a la cátedra
de San Pedro, luego desaparece para siempre y se em-
bosca como una fiera en las montañas de Túsculo".
Etc., etc. (Emile Gebhart, *L'Italie mystique*, Hachette, 1899,
pp. 11-12). Y nada se diga de la época "refinada" de los
Borgia, cuando la púrpura cardenalicia concuerda con la
señal de Rahab.

iban a correr sus escrituras y cuantas pudiera haber. Pero adviértase, sobre todo, que esa condena de Pedro Roma es cosa escatológicamente substancial dentro de dicho Testamento que la sugiere por doquier en formas más o menos recatadas o explícitas, demostrando que, como querían los Padres de Trento y del Vaticano, es obra de un solo Espíritu. Si ha de beneficiarse la trascendencia efectiva de tales escrituras, hay que tener presente que los Doce discípulos correspondientes a las Doce tribus de Israel en que la tierra estaba dividida, se destacan tres por haber sido los únicos distinguidos por un apodo o *sobrenombre* por Jesús: «Piedra», el primero, «Hijos del trueno» los otros dos. Sólo los tres se hallan presentes en las ocasiones más simbólicamente significativas de los sinópticos: la resurrección de la hija del príncipe de la Sinagoga [1], la transfiguración, donde son inumbrados o envueltos por la nube [2] y el Monte de los Olivos [3]. Más adelante se verá cómo los tres son también los únicos que han tenido —por «azar»— representación histórica trascendental, tan inesperada uno de ellos como la de Jacob Zebedeo en torno a quien se plasma el gran mito de Occidente. A lo cual corresponde su segundo nombre, de la misma manera y por los mismos motivos que los de Abraham y de Israel. Desde que a Simón se le llama Piedra se convierte en personificación tácita de la Iglesia romana con cuyo destino, como piedra de escándalo y de sepulcro, se con-

---

1. Marc. V, 37. Luc. VIII, 51.
2. Marc. IX, 2-13. Luc. IX, 28-36. Mat. XVII, 1-13.
3. Mat. XVIII, 1. Marc. IX, 2. Luc. IX, 28.

funde. Y después de investirlo con esta prefigura, el Nuevo Testamento se encarga de acusar en él los rasgos que justifican lo limitado de su cometido histórico mediante su condena a muerte. Así como Judas es el villano en el plano inmediato y directo, Pedro lo es en el mediato, al grado de poder sostenerse que el Nuevo Testamento es, en uno de sus aspectos, la expresión de un prejuicio confabulado contra dicho apóstol.

Primero, Aquel cuyas palabras no pasarán legisla premeditamente la sanción: «Al que me negare delante de los hombres, le negaré yo delante de mi Padre»[4]. Y sobre este fondo agravado por el aviso que excluye toda atenuante, se le hace a Pedro negar a Jesús tres veces, es decir, cometer el pecado contra la Tercera Persona, que no tiene remisión. Se hunde por falta de fe cuando pretende flotar, como el Espíritu —y como la nave de la iglesia—, sobre las aguas. Es llamado Satanás por no comprender las cosas de Dios, complaciéndose en las de los hombres. Es la piedra de escándalo, según se insinúa varias veces, que llega hasta escandalizar a Jesús; por tanto, el que, según otro dicho del mismo Jesús, ha de ser lanzado como una pedra de molino al mar[5]. Pocas dudas caben, gracias a la especificación de los escritos joaninos, que a él se le dirige el apólogo del convidado a quien se arroja a las tinieblas exteriores por encontrarse sin vestido de Bodas cuando el Rey celebra las de su Hijo, semejantes el reino de los cielos[6]. Y también el del

4. Mat. X, 33. Luc. XII, 9. Cf. 2 Timot. II, 12.
5. Mat. XVIII, 6. Marc. IX, 42. Luc. XVII, 1-2.
6. Mat. XXII, 1-14.

Mayordomo, reo de parecida culpa por no dar de comer adecuadamente a la familia de su señor y relajarse y herir a sus consiervos cuando éste retarda su venida. Pedro es asimismo el discípulo que maneja espada para impedir que Jesús beba su vaso y que, por consiguiente, a espada debe perecer[7].

La conclusión que se desprende de esta ojeada fugacísima, es que los escritos joaninos con la influencia que ejercieron en la reelaboración definitiva de los sinópticos, constituyen el desarrollo natural de la primera simiente cristiana. Elementos que eran virtuales al principio se desenvuelven providencialmente al crecer de la vida histórica, dando a luz un estado mental en que lo implícito se explicita y lo inconsciente se transforma en conciencia. Por lo interno y lo externo, por el conocer espiritual y por el hacer instintivo, actúa relativamente a la cristiandad el Espíritu autocreador. Y dicha conciencia es en los profetas de Corinto tan sin acepción de persona, tan ceñida a la mente esencial, que de grado conforman su propia vida al ejemplo del Maestro. Es decir, se niegan, toman su cruz y siguen voluntaria y calladamente al «Rey de los judíos» hasta el último estertor del Gólgotha. Escriben su mensaje de Amor y de repugnancia a cuanto niegue ese Amor o lo amortigüe, y lo confían a la providencia. De otro modo; encomiendan su Espíritu en las manos del Padre. Como Jonás, se remiten al vientre de la ballena, Leviatán, o dragón apocalíptico, que es sepulcro, seguros de que el Espíritu, que es paloma, volverá a

7. Mat. XXIV, 44-51. Luc. XII, 40-46.

surgir a la otra orilla. Esperan el Advenimiento y la resurrección espiritual: en su sentir la fe todo lo puede. Constituyen el discípulo Amado porque son el que le sigue. El que, por responder a ansias superiores, sabe que es mayor, que no pertenece a aquel mundo, y que, por tanto, no puede ser el primero, sino que ha de someterse a los demás. Se «ciñe» para lavar los pies de sus hermanos y enderezar sus caminos. Sirve. Y en efecto, gracias al mensaje amoroso del Cuarto Evangelio integrado al Libro de la Nueva Alianza, los fermentos de Pablo han prosperado dentro de la Iglesia de Pedro y la espiritualidad de la experiencia cristiana ha sido, a pesar de todos los horrores, lo que con miras al porvenir ha sido, y no un naufragio sin fondo. Por eso en la versión joanina del Calvario se le dice a la Madre de la Paciencia: He ahí tu Hijo [8].

¿Providencia? Sin prejuicios, parece monstruoso negarlo. En la conjugación orgánica de todos estos elementos se descubre una Sabiduría esencial entrometida en el desenvolvimiento de la historia y propia de una mente única que abarca consciencia e inconsciencia, luz y sombras, pasado, presente y futuro, y en la que la materialidad y la espiritualidad ocupan su debido puesto. Por providencia los es-

---

8. "La historia de la Iglesia nos muestra en su verdadero inicio que la "Cristiandad primitiva" tenía que desaparecer para que la "Cristiandad" subsistiera; y parejamente en épocas posteriores las metamorfosis se sucedieron una tras otra". Hasta ésta definitiva, se hace preciso añadir a las palabras de Adolph Harnack (*What is Christianity?*, New York, Putnam's Son, 1902, p. 15).

critos joaninos brotaron de la peña a causa de la discordia de Corinto y por providencia ocuparon el sitio que sobrenaturalmente les correspondía en el canon neotestamentario. Por providencia su misticismo informó en buena parte la substancia de nuestra medievalidad, y sus imágenes, en términos muy superiores a cuanto se presume, dieron cariz a la historia de Occidente con proyección al Nuevo Mundo. Por providencial censura psíquica, la verdadera significación de su «evangelio eterno», predestinado a infundir sentido a la cultura universal que se halla en puerta, ha permanecido sepulta los siglos necesarios. Y por soberana providencia, hoy día, consumado el cataclismo de Europa y cuando en el finisterre español se ha perpetrado el crimen cainita por el que ha acabado de condenarse a morir a espada la iglesia de Pedro, su contenido surge por sí solo, incomparablemente. Quizás a este último respecto el lector de habla inglesa que cuenta entre sus clásicos con los conceptos hoy tan injustamente menospreciados de Isaac Newton, no encuentre inoportuno recordar, entre otros pensamientos abominables para el racionalismo sandio, los siguientes propósitos del contemporáneo de aquél, Thomas Burnet:

«La divina Providencia que guía las riendas de todas las edades y los deslices del mundo que resbala, atempera asimismo el conocimiento de las cosas divinas y naturales y conserva lo recatado a fin de que la verdad no brille con esplendor sino en su *tiempo y para que también conste, cuando resplandeciere, que permaneció escondida y velada de varios modos entre los hombres, desde los primeros* siglos del mundo [9]».

En su debido tiempo. Es ésta una noción intuitiva de suma antigüedad, que figura en el Génesis [10], que atraviesa de punta a cabo la era cristiana del Apocalipsis al Renacimiento, que rebota especialmente en Vico y en Newton y se prolonga hasta nuestros días. Su noción pareja de espacio se esfuma en el cristianismo conforme éste se propaga, empezando a desvanecerse a partir de Lactancio, cuando su triunfo oficial. El cristianismo se convirtió en seguida, al quebrarse apostáticamente en la mente de Agustín, en un dogmatismo utópico que perdió el contacto inmediato con el sentido concreto de la Nueva Alanza tal como era aprehendido en la mente joanina. Y ésta es cosa de importancia difícil de sobrestimar porque el concepto cristiano de «Juan» es valor substantivo del Nuevo Testamento. Tanto que si se ha de entender la verdadera enjundia de este Testamento, su entidad en el discurso histórico de la «mente divina», es obligado resumir, según va a intentarse, el contenido de la conciencia de aquél.

En breves frases, para «Juan» el cristianismo se hundía a fines del siglo primero en un ocaso de diuturnidad indefinida y de valor simbólico de media semana, semejante al de la muerte de Jesús. Bajaba al sepulcro, al modo como habían penetrado en el del Señor, Pedro y el dis-

9. Thomas Burnet, *Archaelogiae philosophiae sive doctrina antiqua de rerum originibus*, London, 1733. Vol. I. cap. VIII, p. 129.
10. *Gén.* XVIII, 14.

cípulo Amado. Esa situación correspondía a una época romano europea durante la cual el templo iba a ser entregado a los gentiles y a reinar el estado de sueño, previsto por Isaías, de quienes imaginan que «comen» y «beben», pero en realidad tienen vacía el alma. Transcurrido ese primer período, sobrevendría el Advenimiento o resurrección del Espíritu de Jesús que empezaría por quitar la «Piedra» poniendo fin a la autocracia de Pedro-Iglesia de Roma. En su lugar se instauraría entonces el reino de la vida eterna o banquete de la Sabiduría, simbolizado por el discípulo del Amor. Correspondía este trance a la segunda fase de la resurrección de Pablo, conocida por Juan con el nombre de Milenio e identificada con el reino espiritual y paradisíaco de Israel. En otra cuenta, correspondía al tercer día de la trinidad intrínseca, que es el de «Dios es espíritu» o de la resurrección de Oseas. A la vez que ocurriría el fin de Roma-Europa con todos sus pésimos significados, se inauguraría el dominio celeste de la Nueva Jerusalem, «Ciudad de paz», debido a la vocación de los cristianos espirituales, donde Dios habitaría con los hombres y a la que tendrían acceso todas las naciones del mundo. En lo especial, ese Advenimiento envolvía una dislocación del centro histórico de gravedad, consecutiva a la destrucción de Roma-Europa, que en la consciencia joanina tomó la forma natural de regreso del dominio al Asia. Siendo Roma-Europa el poder occidental o mediterráneo, no sólo «Juan» sino el Nuevo Testamento en su conjunto situó el milagro de los panes y de los peces y el Advenimiento que representa el Codicilo en el «ultramar» o tierra firme que para él era el continente patrio.

Todo ello es inequívocamente trascendental. Mil veces se ha dicho que el cristianismo es una religión escatológica, ordenada a un fin. Se admite por cuantos sienten su profunda esencia de verdad —que es Amor—, no por quienes consideran socialmente higiénico practicar sus añejos usos y costumbres, que es manifestación del Verbo divino. En busca de su supuesta Sabiduría, simbolizada poética y ocasionalmente en la Sofía del Mesías romántico, se han emprendido aquí, partiendo del significado espiritual de la muerte de éste y con proyección al nuevo día, las exploraciones que en pos de la idea-símbolo de Milenio nos han traído al punto en que en este instante nos hallamos.

Y nos hallamos en el Nuevo Mundo, al otro lado del mar. En una tierra nueva, salida de las aguas como en el *tercer día* del Génesis, en cuyo descubrimiento conspiraron ya no literaria sino cósmicamente los caracteres fisiognómicos del Milenio, según se expuso más arriba. Se vio entonces que dichos caracteres coincidían con los substanciales del Crismón en que se cifraba el impulso milenarista identificado con el sentido de la muerte cristiana. Ahora no es dado comprobar que ese Crismón y ese descubrimiento del Nuevo Mundo coinciden pulcramente con la situación descrita en el Codicilo del Cuarto Evangelio. También allí es «ultramar» y punto expreso de Milenio y de muerte y Vida, donde las hidrias de piedra de las bodas se transforman en vino. Tierra milenarista y nupcial de Vinlandia —de la otra

172

Vid— o de ese reino de Dios, donde se bebe el nuevo Espíritu, que no era comparable con el mundo previo.

Espacialmente nos encontramos pues en el lugar descubierto bajo el signo aquilino del Apocalipsis, que según el contenido de las Escrituras, corroborado maravillosamente por la historia, corresponde al de la escena imaginada en el Codicilo del Cuarto Evangelio. Más adelante se verá, con muchos más elementos de juicio y convicción, hasta que extraordinario, hasta qué increíble punto el Verbo histórico-cósmico se ha conformado en su expresión al Verbo judeo-cristiano ínsito en las escrituras joaninas, patentizando que, no obstante su aparente heterogeneidad, ambos son uno y el mismo.

Y nos hallamos en dicha tierra nueva cuando Europa, en cuanto centro y cabeza tiránica del mundo acaba de conocer el desastre. Cuando el pueblo israelita ha sido sometido por el Exterminador a la prueba del horno ardiente y está regresando a su terruño patriarcal de Palestina donde se ha constituido el estado de Israel. Cuando las naciones tratan de construir la universal «Ciudad de la Paz» que por el Amor realice la concordia en el *Stairos* del planeta Tierra y se está operando la transformación social del mundo. Cuando las artes dan testimonio de la mutación visceral que está sufriendo el ente humano y, de un modo particular, la poesía está con sus aniquilaciones verbales manifestando la esperanza que, como novia, tiene puesta nuestra cultura en la aparición de un universal Verbo poético. Cuando científica y sintomáticamente el entendimiento humano ha

173

penetrado en la esencia de la materia. Es decir, cuando se han cumplido las condiciones naturales o psíquicas para que el Espíritu Universal que es conciencia de ser en el Ser, instaure su visibilidad en el orbe.

Y aquí y ahora, en aquella y en esta orilla, es cuando el Verbo de las escrituras cristianas rinde su juicio escatológico a la vez que demuestra ser ida y Espíritu de Sabiduría intrínsecos, universales. Roma, la piedra institucional —Pedro-Clemente-Agustín— que cerraba el sepulcro milenario, es arrancada. Era la piedra del escándalo imprescindible para la ulterior visión lógica y directa de Dios. Resurge a luz en cambio el Espíritu inhumado de la conciencia joanina necesario para la comprobación racional o tangible del conjunto. Como en la Divina Comedia del Dante, al cambiar trascendentalmente de hemisferio, se invierten las posiciones de pronto y de manera que a la conciencia le corresponde el sitio que en el martirio legendario de Pedro ocupaban los pies. «Los mundos que están más allá del Océano infranqueable por los hombres», según la expresión profética de Clemente Romano [11] han sido franqueados no sólo material sino espiritualmente. Ya no es *Roma* la dueña del universo antropológico sino su inversión, el *Amor*, la substancia universal y eternamente vitalicia. Como la ballena de Jonás, imagen del sepulcro, la Iglesia de Pedro ha de entregar los peces de la confraternidad joanina de la paciencia o Rebeca, prefigura del hijo de la diestra o hijo de los dolores, Benjamín, el duodécimo,

11. *Epist. ad Corint.* XX, 8.

174

en cuya suerte espiritual ha de erigirse materialmente la pacífica Nueva y Celeste Jerusalem.

El *duodécimo de los Píos* ocupa precisamente la cátedra de Roma, el cual no ha parado hasta descubrir lo que supone ser el sepulcro vacío de Pedro (¿Azar?). Por llamarse Pacelli, en su escudo campea sobre el arca del diluvio —«será como en los días de Noé»— el signo de Jonás, la paloma con el ramo de olivo que anuncia la luz del día tercero en la Nueva Tierra ungida, más allá de la purificación de las aguas (¿Azar?). Fue este mismo Secretario de Estado que hoy se desgañita como si fuera el Sumo Poder ético del mundo, quien pocos años ha, cuando en el europeo Finisterre se defendían los intereses pacíficos de la democracia española contra la agresión de Hitler, Mussolini y Franco, vino a esta tierra nueva para inclinar con su peso muerto la balanza política a favor de este Barrabás en tres personas (¿Azar?). El águila del Apocalipsis había vuelto a calificar entonces, monitoria, escatológicamente, el escudo de los esgrimidores de la espada con los que había hecho cesárea causa común la iglesia española que en vez de aceptar el martirio testimonial por la Verdad, con falsedad y furia lo infligía (¿Azar?). Fue este mismo Cardenal Pacelli, ascendido al solio pontifical en el momento preciso en que expiraba la democracia española, quien con sus manos trazó la cruz de la apostólica bendición sobre el cainita Franco, a quien obsequió con expresiva pertinencia una espada de brillantes (¿Azar?). «Ramos de olivo florecen ahora a las orillas del Tíber»... —¿Tiberias?— diría con

175

oportunidad en diciembre de 1939 al rey de Italia e infame emperador de Etiopía, para no muy luego extender las manos suplicantes a fin de que no fuera bombardeada la «ciudad omnipotente», la «Ciudad Eterna» [12] (¿Azar?). En todo caso aquí y ahora se nos descubre que la espada de la boca del Verbo de Dios tiene pronunciado desde antaño el veredicto: Es inútil que extiendas las manos manchadas de sangre. Otro más fuerte que tú te ciñe y lleva a donde no quieres. Es la hora del Amor. Sígueme.

Es la hora del Amor y para Roma la del jaque mate. Porque una de dos. O el Espíritu del Nuevo Testamento es uno y divino, como pretenden los Concilios, o no lo es. En caso afirmativo, la espada del Verbo revelado en las Escrituras en que funda su razón de ser el cristianismo romano, determina su muerte. Adiós reino temporal de la Iglesia de Pedro asentada sobre el sepulcro y de la que no ha de quedar piedra sobre piedra. Sólo a ese precio el Espíritu será dado a luz en la mente humana y en las obras que de ella proceden y será construida la Nueva Jerusalem donde no habrá templo. En el segundo caso, el cristianismo es una embaucación en vez de religión verdadera. Su Dios es falso y engañoso, mereciendo una y otro ser arrojados al muladar donde se pudren

12.  Según los despachos de las agencias del 12 de marzo de 1943 y días próximos. Merece recordarse que "Roma eterna" es para San Jerónimo el nombre de blasfemia escrito en la frente de la gran ramera del Apocalipsis (*Epístola* CXXI, *Ad Algasiam*, XI —Lugar citado). Adviértase que de tal modo la iglesia "clementina" se identifica con el Imperio Romano que la fiesta de sus "columnas", Pedro y Pablo, se fijó el 29 de junio, fecha de la fundación de Roma por Rómulo y Remo.

las carroñas animales, según quieren los que aseguran que la religión es el opio del pueblo.

¿No cabe otra alternativa? Sí, que no sea cierto cuanto aquí se ha dicho. Inténtese probarlo. Escudríñense las Escrituras. Abrácese el riesgo de que cuanto más se trate de expeler la espada más penetre hasta el corazón de la conciencia. No es otra la llave transverberadora que por mano de arcángel cierra y abre el Paraíso.*

## *Puntos suspensivos*

Quizás el lector haya caído en cuenta de que el significado del Apocalipsis y demás escritos joaninos ha ido descubriendo sus ramificaciones sublimes como espontáneamente casi a medida que las anteriores páginas se han compuesto. Quien esto afirma no es de seguro el menos admirado al ver cómo sin proponérselo él, ni poder tampoco eludirlo, dicha Revelación ha hecho por decirlo así, honor a su nombre librando a superficie sus taciturnidades sin fondo. Da la impresión de que la mente joanina y con ella parte de la de los profetas judaicos —o aquella a la que todos respondían— tenía dispuesto ser una entidad cuyos mecanismos

* Al final del libro (pág. 433) encontrará quien por ello se interese un *Recordatorio español* que reseña lo sucedido a la República de España y la actividad que el catolicismo romano desplegó en aquel preludio de la Gran Guerra destructora de Europa. (C. S.)

hicieran, llegado el caso, su propia autopsia (por así decirlo).

No es menos notable que las subidísimas, a veces casi extáticas frondas del final no obliguen a retocar nada básico en las afirmaciones iniciales. Al contrario, éstas se han visto robustecidas por las desanudaciones últimas. Podrán perfilarse más nítidamente algunos pormenores, algunos cabos atusarse mejor, corregirse sin duda algunos deslices, eso parece ser todo. Lo cual no quiere decir que los escritos joaninos carezcan de otras enjundias aprovechables. Alguna de particular importancia no se le oculta a quien esto escribe, pero ha de reservarse para cuando pueda ser bien comprendida.

Considerando ahora el fenómeno de Corinto en su integridad, insinúase una conclusión como probable aunque carezca de probanza. Varios indicios parecen indicar que el conflicto entre Clemente y los profetas conoció una primera fase que se ignora, pues que la carta del Romano y los escritos joaninos son sus frutos terminales. Clemente da a entender que la crisis había durado poco. Paralelamente, el Apocalipsis dice de «Jezabel» que le ha dado tiempo para arrepentirse pero que no ha querido. No se antoja imposible que el jefe de «la iglesia de Dios que está en Roma» hubiera tomado con anterioridad cartas confidenciales con el asunto y que sus «consejos» hubieran tropezado con la convicción diamantina de los profetas. Cabe en lo verosímil que se produjeran algunas escaramuzas doctrinales para empezar. Los escritos joaninos son una contraofensiva en respuesta a las mordacidades de Clemente. Pero algunas de las proposiciones de este últi-

178

mo incitan a presumir que conocía bien los principios dogmáticos a que se atenían las enseñanzas y conductas de los fieles a la palabra de la Paciencia, contra las que redomadamente pronunciaba sus propios pragmatismos. Diríase que no se ignoraba el acento que aquéllos ponían en la filiación divina de Jesús con la virtud redentora de su sangre, y que contra esas tesis concibió las tonalidades menos místicas y de tenor más profano de su carta. También es fácil adivinar que se hallaba mortificado a causa de que sus autoritarismos tropezaban con resistencias invencibles. Ello explicaría lo perentorio de su radicalismo, injustificable de otra forma, y la mal disfrazada inquina, no exenta de encono personal, con que trata a ésos uno o dos individuos a que imputa la «rebelión» de Corinto. Si en lo secreto todo está en el ánimo de Clemente tan caldeado, parece deberse a que se han sucedido las fricciones.

Por lo que respecta a los textos evangélicos, desde luego son bastantes los problemas que levanta el nuevo planteamiento histórico providencial. Por fortuna, con los nuevos puntos firmes de referencia, muchos de los orgiasmos en que se complacía la crítica escrituraria dejarán de ser posibles. El campo se concreta y reduce en superficie, para desarrollarse en profundidad. Se ha de volver a desmontar el conjunto a fin de ver cómo logran casar entre sí con sus prelaciones y engranes delicados las diversas piezas del *puzzle*. Sin embargo, si para el dogmatismo de la mente católico-romana, estas novedades asumen caracteres catastróficamente devastadores, nada hay en ellas que tronce o menoscabe los trazos maestros a que había llegado en sus conclusiones la crítica más ponderada y libre. Por ejemplo, nada en principio apetece corregir a Harnack cuando sostiene que la constitución del Nuevo Testamento en cuatro evangelios ocurrió en Asia Menor a comienzos del siglo segundo, en virtud de «un compromiso realizado bajo el evangelio joanino». Volverá sobre ello a insistir:

«El Nuevo Testamento contiene cuatro evangelios y *no uno* solamente, porque al principio del siglo segundo estos cuatro evangelios se reunieron en Asia Menor (probablemente en Efeso), y tras controversias y conflictos se pusieron de acuerdo unos con otros. Del Asia Menor este arreglo pasó a las demás iglesias [1]».

Algunas de las modificaciones que sufrieron estos documentos no han permanecido insospechadas. Así han podido distinguirse y tratar de desentrañarse dos redacciones sucesivas en el texto de Marcos, «hermeneuta de Pedro», del que en buena parte dependen los otros dos sinópticos — ese evangelio de Marcos que la leyenda asoció al nombre de Aristión y que fue el predilecto de los cerintianos [2]. La primera de dichas redacciones se supone algo anterior a la caída de Jerusalem. La segunda corresponde a sazón más tardía. ¿Cuándo se llevaría a efecto? Cuando así lo determinó una razón climática en el proceso constitutivo del sistema. Relativamente a esta razón sazón, el erudito moderno que ha estimado factible desdoblar a Marcos imprime palabras que no pueden dejar indiferente a quien haya caído en cuenta del

1. Adolph Harnack, *The Origin of the New Testament*. Edic. cit., pp. 74, 82.
2. *Irenaeus, ob. cit.*, libr. III, cap. XI, 7. Col. 884.

conflicto teológico acerca de la filiación divina de Jesús. Dice con referencia al segundo Marcos:

«El título que es 'El Evangelio de Jesu-Cristo, el Hijo de Dios' declara el propósito del autor. Encontró un Evangelio de Jesús, el Mesías. Lo transforma en un Evangelio de Jesu-Cristo el Hijo de Dios.»

\* \* \*

Es propósito de Marcos II presentar a sus lectores su propio concepto del Hijo de Dios [3]. Todo invitaría a presumir, si a título de verificación se aceptase esta tesis en sus grandes líneas, que el segundo Marcos no es tan antiguo como conjetura el autor de las frases anteriores, sino posterior al drama de Corinto. Siendo éste el evangelio emanado a lo que se dice, de Pedro, ¿cómo iba a poder el obispo de Roma sin mengua para sí sustentar ante la ecumene una doctrina opuesta a la del titular de su cátedra? ¿No es harto más lógico que después, con pretexto de corregir el desorden de que adolecía en un principio este evangelio de Marcos-Pedro, según Papias, se le retocara en Asia Menor? Con ello encaja perfectamente la citada tesis de Harnack.

De otro lado, no hay forma de comprender el apólogo de las tentaciones de Jesus en el desierto, referido por Mateo y Lucas, sino con posterioridad a la toma de posesión del mundo

3. John M. C. Crum, *St. Mark's Gospel. Two stages of its making*, Cambridge, W. Heffer a Sons, 1936, pp. 65 y 67.

181

por Clemente de Roma. No en balde este apólogo contradice, exactamente como los escritos joaninos, según se vio, y con referencia a la «piedra de escándalo» o engaño, los tres puntos fundamentales de la posición de aquél: el «pan» de que no sólo vive el hombre; la necesidad del templo; y el reinado del mundo.

Lo mismo ha de decirse del *Espíritu* que desciende en forma de *paloma* sobre Jesús en seguida de su bautismo, mientras la voz del cielo lo proclama *Hijo amado*. Si en los textos evangélicos que manejaba Clemente —en el emanado de Pedro en especial (de ser esto cierto)— se hubiera leído tal secuencia, la postura teológica de aquél hubiera por fuerza tenido que ser distinta. Esta escena que precisamente pasó de Marcos a Mateo y Lucas, pero cuyo origen se halla en el Cuarto Evangelio con referencia al Alfa y Omega del Apocalipsis, fue imaginada —¿por «Cerinto»?— en oposición a las doctrinas del Obispo de «la Iglesia de Dios que está en Roma».

Etc., etc.

Porque éste es un tema poco menos que de nunca acabar...

Sin embargo, una pregunta en último término y de la que tampoco el espectro del «Cerinto» de Gayus [4] se halla ausente:

4. Se sabe por ciertos fragmentos de Hipólito descubiertos modernamente, que Gayus rechazaba no sólo el Apocalipsis sino el Cuarto Evangelio que también atribuía a Cerinto. Las noticias que tenemos de este personaje que se llamaba Cerinto, nos han llegado a través de Epifanio. Si se tiene en cuenta además la afirmación de Ireneo que define a Cerinto como vástago de los "nicolaítas", claramente se advierte que las verdades en esta serie de datos, si las hay, deben ser contadas.

El lenguaje del Apocalipsis, ese griego en bruto, imperfectísimo, que desafía las reglas idiomáticas del buen decir y se muestra plagado de reminiscencias hebreas, ¿es seguro que fue así porque su autor no sabía expresarse de mejor modo, ni juzgó oportuno —ni lo juzgaron sus inmediatos adictos— que alguien le ayudara a hacer su tosquedad un poco menos evidente? ¿O será producto de una ficción literaria llevada a fondo —no ha de olvidarse que hemos penetrado en una mente absolutamente genial y poseída por la gracia del Verbo—, de una ficción que remeda con precisos fines —hasta quizá con el de descartar sospechas— la incultura presunta —y sutil— del «otro» Juan, del auténtico zurcidor de redes —para pescar incautos— junto a su padre, allá en el mar de Galilea?

New York, 1953

## César Vallejo, héroe y mártir indo-hispano (1973)

Sobre los reconocimientos anteriores hemos de dedicar por fuerza unos minutos de consideración especial a *España, aparta de mí este Cáliz*.

Comienza, como se sabe, con un *Himno a los Voluntarios de la República* en exaltación de los mismos y de lo que significa la tragedia del pueblo español. Al igual que en *Sabiduría*, el sujeto se nos presenta desdoblado. Fulge al frente, la figura ideal, mayestática, del «Voluntario de España», «miliciano de huesos fidedignos» cuyo corazón marcha a morir, a matar a la muerte con su «agonía mundial». Y en la analogía con ese personaje representativo, muéstrase el sujeto o Yo particular del poeta que se desasosiega inconteniblemente y que, queriendo a su vez «desgraciarse», le pide a su pecho de «cuadrumano» o antropoide que acabe por fin su cometido, mientras se descubre «la frente impersonal hasta tocar// el vaso de la sangre» o corazón, y la alegría se perfila ante la lápida «en blanco» —otra vez sin nombre— de su tumba. He aquí lo importante, la voluntad de morir amorosamente como «voluntario de la vida», identificado con el «obrero salva-

185

dor, redentor nuestro» y sufriendo con el pueblo español «dolor de pueblo con esperanzas de hombres». Reaparece aquí, pues, aunque modulada en un grandioso contexto épico, la esperanza vallejiana de siempre.

Despliégase en consecuencia la utopía simbólica a que conduce el sacrificio conjunto. Se esboza para el futuro una verdadera edad de oro con la abundancia de sus «siete bandejas», y en la que el Amor que para Vallejo, asociado con el Sol, es sinónimo del oro, brillará esplendorosamente. «Todo el mundo será de oro súbito» y «el oro mismo será entonces de oro». De pronto «se amarán todos los hombres» al sobrevenir la edad mesiánica anunciada por Isaías, donde «sólo la muerte morirá». Se establece así la concatenación del proceso revelatorio que, cerrando el círculo, conecta a la mente humana con el «Paraíso» por ambos extremos del esquema temporal, o por el principio y por el fin. A la vez que trabajarán y comprenderán, «engendrarán todos los hombres», al modo como, «sin placer sensual», Vallejo pretendía hacerlo, es decir, todos intervendrán en la procreación de las impersonales perfecciones genéricas.

España se ha convertido en el centro del mundo, en su «orificio» supremo, podríamos decir. Hacia ella convergen de las distintas latitudes a «morir de universo» todos los dispuestos a matar con su corazón a la muerte. Para que ellos vinieran, dice el poeta haber «soñado» desde hace largos años que él «era bueno», sin duda desde su infancia y juventud cuando se arrodillaba como los «camellos» para orar. Pero con seguridad desde que en la época de

186

*Trilce* le pedía al «sueño» con su «diamante implacable» que le concediera acaudillar su extraordinario ejército de «ceros a la izquierda».

Este panorama y exaltada declaración del sentido general y del suyo propio desarrollada en el *Himno* o poema primero, se verá distribuida en los demás cuadros en que a continuación se divide el todo. Tras el segundo poema, *Batallas*, donde se cantan las gestas milicianas empezando por la del «Hombre de Extremadura», aparecerá en el tercero el personaje representativo, «Pedro Rojas», en quien como en cuantos intervienen a continuación seran ostensibles los atributos cristianos. Pedro Rojas es aquel que muere, y muere de «sus dos muertes», la física del asesinado y, como Vallejo mismo, de la espiritual a fin de que «vivan los compañeros». Es el «héroe y el mártir», según allí se especifica. O sea, de un lado el héroe prometeico que pronuncia el «viban con esta b del buitre en las entrañas» (Rojas), y de otro el mártir cristiano con ese mismo lema escrito en el «palo en el que han colgado su madero» (Pedro). Muy importante simbólicamente es que «en su cuerpo sorprendiéronle un gran cuerpo para el alma del mundo», o sea, para el triunfo del Amor, puesto que así lo había especificado Vallejo en 1915, y del amor florentino, paradisíaco. Y en la chaqueta de este hombre que vivía «en representación de todo el mundo», le encontraron «una cuchara muerta», «cuchara muerta viva, ella y sus símbolos». En *La Cena Miserable* de 1917, Vallejo había asociado a la tumba con una cuchara, lo que permite descifrar aquí el enigma simbólico entendiendo que lo que encontraron muerta de hambre en su

187

chaqueta era la muerte. (Por la publicación fac-similar del primer esbozo de este poema hoy se sabe que donde se lee *Pedro* se decía original-mente *Santiago*, nombre este último que quizá no sólo por lo demasiado significativo fue en-cubierto)[1].

Más adelante desfilan otros héroes y már-tires: los mendigos de todas las grandes capi-tales del mundo, en quienes «el poeta saluda al sufrimiento armado»; Ernesto Zúñiga, el vasco «herido mortalmente de vida»; Ramón Collar que visita «a las siete espadas en el fren-te de Madrid», o sea, a la Madre Dolorosa con la que había identificado a la suya en *Encaje de fiebre*, y él mismo «hijo limítrofe del viejo Hijo del Hombre, todos ellos llamados a mo-

1. En "Homenaje Internacional a César Vallejo", en "Visión del Perú", núm. 4. Lima, 1968, p. 181.
El Pedro —"piedra"— del "¡Vivan los compañeros! Pedro Rojas", poema que no por casualidad ostenta el núme-ro III, parece ser la piedra angular o basal de la nueva situación, como lo fue Cristo para Pablo (I Corint. X, 4). "La Rueda del Hambriento", composición donde el poeta implora a la vez una piedra y un pedazo de pan en español para sentarse y descansar antes de partir, iden-tificando pan y piedra, ofrece perspectivas significantes al respecto bajo el signo de que "no sólo de pan vivirá el hombre, sino de toda palabra salida por boca de Dios" (Mat. IV, 4). A su Dios, precisamente, le decía el poeta, "llorando el ser que vivo", en 1918: "Me pesa haber to-mádote tu pan" ("Los Dados Eternos"). Apetecía otro pan "fermentado en su costado" (ibid.) para "hacer pedacitos de pan fresco a todos en el horno de su corazón", "la cristiandad, las obras, el gran tema". Trátase del evan-gelio, buena nueva o "carta moral que acompañara a su corazón", dispuesto, "entre el decirlo y el callarlo", a servir de pan-agua de vida y de piedra basal para la nueva Gran Yema del Nuevo Mundo. ("Su cadáver estaba lleno de mundo").

rir porque «el mundo está español hasta la muerte».

Tras estas y otras secuencias complementarias, se leerá el antes mencionado *Pequeño responso a un héroe de República*. Vimos que en él entra en escena el cadáver de un escritor, trasunto espectral de Vallejo mismo. Sólo destacaremos, al pasar, sobre este poema dos cosas. Una es que la boca del héroe muerto entró en el aliento de los sobrevivientes que hablaban de ese modo por boca del *cadáver*. Y otra es que todos van con «el ombligo a cuestas», imagen cristiana violentamente arbitraria significando que todos van cargados hacia la muerte con la cruz de su egoísmo.

De aquí en adelante, el *cadáver* que ya se había hecho presente con Pedro Rojas, asume condición de protagonista. Nada extraño si se recuerda que en su visión de 1920 Vallejo se había visto como cadáver junto a su madre que desde el aire le sonreía. En la escena llamada *Invierno en la Batalla de Teruel* que sólo se integró al poemario y fue titulada así en su postrer arreglo, el miliciano, en su hora del «aparta de mí este Cáliz», se indigna contra su muerte, ante su cadáver entre cadáveres, para terminar clamando: «¡Abajo mi cadáver!... Y sollozo».

En el poema onceno, el *cadáver* sostenido en balde «el desorden de su alma», cuando le escucharon «casi vivió en secreto», o sea, se encontraba al borde de asomarse a la vida. Pero todavía le faltaban por cumplirse las fechas de su doble muerte.

En este último un texto introductorio al poema XII que lo sigue, uno de los momentos cenitales del libro, titulado *Masa*. Escrito dos meses después del anterior, el 10 de noviembre, *Masa* constituye una especie de apólogo que se complace en su apariencia absurda, y de significación evidentemente simbólica. El número XII con que se lo encabezó cuando a última hora organizóse el libro ¿le correspondería por mera casualidad? Cuesta creerlo. La mente de Vallejo, persecutora de la expresión en todas sus posibilidades y matices, era demasiado alerta e incisivamente sintonizada con la resonancia de estos símbolos numéricos para que así fuese. Ostenta el Doce por ser éste el número de la circunferencia plena, lo mismo en el reloj que en el zodíaco y que en el apostolado cristiano, o sea, el del mundo entero, según Vallejo lo había hecho resaltar más de una vez. (Parece que en su conversación con Georgette decía que en su familia habían sido doce los hermanos en vez de once como lo fueron en realidad. Le agradaba así pues identificarse a sí mismo, arbitrariamente, con el número duodécimo.) [1]

El caso es que aquí, en un escenario donde actúan el *cadáver* y la gente que empieza a rodearlo, se presenta en resumen esquemático el sistema que entraña la mente indo-hispana de Vallejo. Dice así:

## MASA

Al fin de la batalla,
y muerto el combatiente, vino hacia él un hom-
[bre

2. G. de Vallejo, *Ob. cit.*, pp. 61 y 63.

y le dijo: «¡No mueras; te amo tanto!»
Pero el cadáver ¡ay! siguió muriendo.

Se le acercaron dos y repitiéronle:
«¡No nos dejes! ¡Valor! ¡Vuelve a la vida!»
Pero el cadáver ¡ay! siguió muriendo.
Acudieron a él veinte, cien, mil, quinientos mil
clamando: «¡Tanto amor, y no poder nada con-
                                        [tra la muerte!
Pero el cadáver ¡ay! siguió muriendo.

Le rodearon millones de individuos,
con un ruego común: «¡Quédate, hermano!»
Pero el cadáver ¡ay! siguió muriendo.
Entonces todos los hombres de la tierra
le rodearon; les vio el cadáver, triste, emocio-
                                        [nado;
incorporóse lentamente,
abrazó al primer hombre; echóse a andar...

Leído ligeramente, el inicio del poema, «el
fin de la batalla» puede inducir a error. Se diría
que el muerto es uno de los combatientes con
las armas en la mano sobre tierra española. Sin
embargo, aunque centrado el fenómeno en España, se refiere más bien a otro tipo de batalla
o aún mejor, de agonía, en cuyo apólogo, deliberadamente absurdo conforme a la estética vallejiana, se dirime la relación entre el *Uno* y los
muchos o «todos los hombres de la tierra».
Estos acaban por rodear el *Cadáver* empeñado
testarudamente en seguir muriendo, hasta que
el amor de todos, la renuncia de todos ellos al
«Yo» u ombligo en que se concentra el egoísmo,
lo integra al mundo; lo resucita como Humani-

dad nueva. Se incorpora, pues, y abraza al «primer hombre», que los millones de individuos no lo son. Algo hay que demuestra que se trata realmente del *Uno*, del ser de todos que nuestro existencialismo psico-somático actual destruye al fragmentar y esparcir los añicos de su unidad entre los innumerables vivientes. Lo patentiza una estrofa situada en tercer lugar, que el poeta suprimió al dar los últimos toques a su obra. Decía:

Se aproximaron cuatro al uno muerto:
«¡No ser más a tu lado, para que no te vayas!»
Pero el cadáver ¡ay! siguió muriendo.

No es de creer que Vallejo suprimiera esta estrofa por disentir de su contenido, sino más bien en virtud de su confesada técnica de fluctuar «entre el decirlo y el callarlo». Su pensamiento estaba precisado en exceso. Había puesto en evidencia al *Uno* oculto tras la máscara calificativa del *Cadáver*, y había descubierto que el Amor de los que lo encuadraban equivalía a negarse a sí mismos, a «no ser». El Ser universal y el no-ser individual o existir hubiesen quedado, por consiguiente, demasiado al desnudo —razón por la que también en su revisión definitiva del poema, escribió «combatiente» en su segundo verso, donde originalmente había dicho «individuo»—. Sentimiento análogo había expuesto en su oda al «Hombre de Extremadura» que «representando el alma en su retiro», había peleado para que la gama entera de los mortales, designados metafóricamente, desde el «ribazo» hasta el más alto «cielo», se humanizaran. Así dice:

Extremeño, ¡oh no ser aún ese hombre
por el que te mató la vida y te perdió la muerte
y quedarse tan solo a verte así, desde este lobo
cómo sigues arando en nuestros pechos!

Aquí el anhelo esencial se lamenta de *no ser*
aún ese hombre que, como el *Cadáver,* está
muerto por la vida y que ha de ser parido por
la muerte de todos los hombres lobos para los
hombres —tan en el reverso del «amaos los
unos a los otros»—. El último de estos cuatro
versos contenía una imagen de suprema efica-
cia simbólico plástica. Decía: «cómo sigues
orando *con tu cruz* en nuestros pechos». Así a
la Madre España la calificaría al final de «cruz
y madera».
Ya hemos recordado que todos estos conceptos, lejos de ser invenciones de última hora, los
había enunciado Vallejo desde el principio.

¡Oh, unidad excelsa! ¡Oh lo que es uno
por todos!
¡Amor contra el espacio y contra el tiempo!

Y aun, para remachar este concepto unitario, se referiría en *Los Heraldos* a los pocos
versos, en forma fálica y erecta a la vez que
grávida, a «la doncella plenitud del 1». Y lo
mismo haría en *Trilce* cuando el espectro del 1
pretende lanzarse a la conquista de la «línea»
salvadora a la cabeza de sus «ceros a la izquierda» o de individuos que se niegan a sí mismos por Amor. Creo que bastan estas pocas
concatenaciones esbozadas a la ligera para percatarse de la perfecta congruencia procesal de
un fenómeno que racionalmente es del todo im-

previsible, y sumamente más aún en un joven mestizo apenas salido de un pueblecito aislado en las serranías del Perú, para acabar clavando su corazón al cabo de los años, su corazón aspirante a emular al de Jesús, en el corazón de España, «cruz y *madera*» —con referencia a *madre*—, cuando en este país se vivía la catástrofe transformativa del mundo. ¿Y qué decir de la casualidad de que el patrón de su pueblo, Santiago de Chuco, fuera el mismo patrón de España, allá en el Finisterre, y que sus dos abuelos fueran sacerdotes españoles?

Ahora bien, para advertir la adecuación substantiva que existe entre el contenido sintético de *Masa* y la tradición cristiana más pura, pueden recordarse algunos de los conceptos que expuso san Pablo a los Corintios, donde figuran la *masa* y el *amor*, el *uno* y el *todos*, la *vida* y la *muerte* relacionadas con quien clamó en el huerto de los olivos el «aparta de mí este Cáliz». Pero puntualizaremos ante todo que en Vallejo el concepto *masa* no debe proceder, al menos en forma directa, de su formación religiosa sino de la, en él, superestructura sociopolítica, coincidencia que hace al fenómeno más espontánea y hondamente complejo.

¿No sabéis que un poco de levadura leuda
[toda la masa?
Limpiad, pues, la vieja levadura para que
[seáis
una nueva *masa*, como sois sin levadura:
[porque nuestra
pascua fue sacrificada por nosotros,
[Cristo.
(1 Cor. V, 6-7).

194

Porque los *muchos* somos *un* pan, un cuerpo; porque de este *un* pan todos participamos.

(Id. X, 27)

Porque el amor de Cristo nos constriñe, juzgando esto: que si *uno* murió por *todos*, luego todos son *muertos*.
Y por todos murió para que los que viven ya no vivan para sí, mas para aquel que por ellos murió y se levantó.
De modo que si alguno está en Cristo es nueva criatura: las cosas viejas pasaron; he aquí que se hacen nuevas todas las cosas.

(2 Cor. V, 14-17).

De ello se desprende que la esperanza de Vallejo —«dadme un pedazo de pan... dadme en español algo en fin»— proyectó calificativamente sobre la tragedia española, fenómeno colectivo, de pueblo y de idioma, la esencia del cristianismo, asimismo corroborada, aunque no en esta forma de vida y muerte personales, por otros poetas españoles coetáneos. Pero se trata de la esencia, no del accidente circunstancial, es decir, de lo propio, de lo sustantivo de la cultura cristiana del siglo primero. Mas esta no es cosa que podemos detenernos aquí a considerar.

Observaremos más bien lo sumamente notable que se torna el asunto al parecer tan nimio y caprichoso como el plasmado en el poema *Masa*, mirado ahora desde otro ángulo o perspectiva de la cultura; desde el de la ciencia.

En una conferencia reciente, el famoso director del Instituto Max Plank de Munich, premio Nobel y demás, Werner Heisenberg, establece con perfecta claridad que «la búsqueda del 'Uno' de la fuente más profunda de todo entender, ha constituido de igual forma el origen de la religión y de la ciencia». Esta última lo busca con sus métodos y criterios e inclusive con un lenguaje especializado y abstracto de limitada aplicación a la realidad compartida por los hombres todos y que, por tanto, no sirve para dar sentido a las relaciones vivenciales en el seno de una sociedad cuyo equilibrio interno depende hasta cierto punto al menos, según los investigadores de las ciencias sociales, «de la relación común con el Uno». Aduce al respecto que Platón, quien había señalado las simetrías básicas y los límites del lenguaje preciso de los números, se «pasó al lenguaje de los poetas que crea imágenes en el oyente y le comunica una forma completamente distinta de entender». Y a continuación da fin a su conferencia con las siguientes palabras:

«No quiero entrar a discutir aquí lo que de verdad puede significar esta forma de comprender. Probablemente estén estas imágenes vinculadas a formas inconscientes de nuestro pensamiento, que los psicólogos designan como arquetipo, formas de un fuerte carácter afectivo, que, en cierta manera, reflejan las estructuras internas del Universo. Pero, sea cualquiera la explicación de estas otras formas de comprensión, el lenguaje de las imágenes y parábolas es probablemente la única forma de acercarse al «Uno» desde regiones más generales. De descansar la armonía de una sociedad en la interpretación común del «Uno», del principio unitario detrás de las apariencias, bien puede ser en este punto el lenguaje de los poetas más importante que el de la ciencia [3].»

Estaría aquí fuera de oportunidad ocuparnos de este lenguaje poético, básicamente colectivo, que no sólo ha dado origen a las mitologías religiosas de todas las culturas, sino que ha informado el gran caudal de la Biblia con sus derivaciones, donde el *Uno* esplende en formas absolutamente dignas de *El*, o sea, absolutamente únicas. Lo que importa es percatarse de la forma y la intención tan precisas como la experiencia poética de Vallejo, centrada en su poema *Masa*, encajada con perfecta legitimidad y precisión en el esquema de un científico atómico tan refinado como el descubridor del principio de indeterminación. Los principios del *Uno* y de los *muchos* o todos de una sociedad *universal* que propende a encontrar una fórmula de equilibrio, se manifiestan, según lo reconoce previamente el científico, se den en el poeta sobre quien gravitan los grandes arquetipos, proyecciones cualitativas más concretamente elaboradas y precisas respecto a la vida social, que en los conceptos abstractos y cuantitativos de la física matemática. «Las verdades sumas aman salir de la boca de un poeta, antes que de boca de un matraz», había escrito Vallejo por su parte, en 1925 [4].

Lo que aquí interesa principalmente es seña-

3. Werner Heisenberg, "La ley de la naturaleza a la luz de la investigación actual. Física y Filosofía", en "Universitas", Stuttgart, 1969. Vol. VII, núm. 1, pp. 1 a 7.
4. César Vallejo, *Artículos Olvidados*, Lima, Asociación peruana por la libertad de la cultura, 1960, p. 34.

lar la completa legalidad de la «revelación» articulada en su «lenguaje de imágenes y parábolas», por el poeta que, luego de escribir *España, aparta de mí este Cáliz* y su poema *Masa,* murió misteriosa y corroborativamente, sin que pudiera averiguarse de qué —¿reflejando quizá «las estructuras internas del Universo»?— el día en que nuestra Cultura celebra el sacrificio de la Víctima arquetípica, el Viernes Santo de 1938, clamando por España y encomendando a ella su Espíritu. Sin olvidar que, según indicamos, en los versos terminales de su poema final, *Sermón sobre la muerte,* el sujeto se define en la forma trinitaria de las teofanías del Unico. Y él mismo ¿no se había identificado siempre con el 1?

Siendo todo lo considerado abrumadoramente esclarecedor y a la postre constructivo, aún queda por examinar un aspecto importante de este poema *Masa.* Vallejo vivía familiarizado desde hacía unos años con las persuasiones económico-sociales, específicamente marxistas y comunistas, tal como en virtud de la dialéctica histórica, se habían establecido en el bolchevismo de la URSS. ¿Habría abjurado de sus convencimientos al escribir *España, aparta de mí este Cáliz,* donde despliega su creencia en el Amor del *Uno,* ajena por completo al marxismo cuya índole cuantitativa sólo permite admitir la existencia de los *muchos,* o había encontrado en el itinerario de su propia dialéctica un principio de realidad histórica de más acabada adecuación?

Por lo pronto cabe observar que el poema *Masa,* si bien ostenta rasgos muy propios de la guerra española, concuerda en forma llamativa con las certidumbres anteriores de Vallejo. Lo demuestra el siguiente texto suyo escrito al regreso de su último viaje a la Unión Soviética en su libro *Rusia ante su segundo plan quinquenal* (1931):

«La substancia primera de la revolución es el amor universal. Su forma necesaria e ineludible es hoy la lucha. Pero mañana, cuando la lucha pase —puesto que pasará, puesto que esa es la ley de la historia—, la forma del amor será el abrazo definitivo de todos los hombres (p. 99)».

La identidad entre «Al fin de la batalla» de *Masa* y este «cuando la lucha pase» es completa; como lo es la substancia del amor universal que reina sobre todos los hombres de la tierra en ambas ocasiones. El poeta no hizo en 1937 sino formular sus convicciones abstractas de años atrás en el cuadro histórico que había removido sus légamos más profundos. En el primer caso se expresa en los términos sociales que lo acaparaban a la sazón. En el segundo, sus sentimientos adquieren otros vuelos en virtud de la tragedia de la Madre de su verbo español asociada a su madre individual y a su propia muerte. Esa otra cavidad reservada de sí mismo a que se refería en su carta de 29 de enero de 1932, en el momento preciso en que terminaba su *Rusia ante su segundo plan quinquenal*, la almendra encendida de su ser poético puesta al margen durante algunos años, ha intervenido en la ordenación dignificada del asunto. Ya no se trata de la revolución comunista rusa como cabo de Buena Esperanza que abra paso a un océano sin tempestades donde los hombres se abracen utópicamente unos a otros, poseídos por un amor que en vano se buscará en las fuentes heraclitanas del marxismo y su revolucionaria polémica permanente. ¿No había César dicho adiós a los «heráclitos» y a los «tristes obispos bolcheviques»? Trátase ahora de las savias oriundas de las raíces cristianas que se proyectan a una revolución «ontológica» o cualitativa a la vez que sociológica o cuantitativa. Ahora se trata de la trasposición de la conciencia del ser humano a una substancia cristalina donde, por haber «pasado de animal», pierde su razón de ser la muerte del individuo; la muerte, «ese ser sido a la fuerza» que en nuestros mitos poético-trascendentales se había originado en la famosa «culpa», o sea, con la escisión de la conciencia entitativa entre la zona entrañada al ser existencia o corpóreo de los mortales, y la del Ser Espíritu relegada a lo inconsciente. Se trata, pues, del ser más allá de la muerte del Arquetipo fundamental de nuestra cultura cristiana, del Uno. O sea, de la transferencia a ese paradisíaco «lugar que yo me sé» diseñado en su poema *Trilce*. En suma, de la definitiva cualidad.

Algo de interés muy subido se desprende de estas comprobaciones. Hasta el estallido de la guerra española, la conciencia de Vallejo había estado señoreada desde hacía unos siete u ocho años por los problemas escuetos e inmediatos de la revolución social, de cuya inminencia generalizada se hallaba más o menos convencido, y cuyas realizaciones creía encomendadas al influjo de la Unión Soviética. Pero la atrocísima agresión del fascismo peninsular significó para su «inquietud introspectiva y personal» y suya «para adentro» una revolución trascendente. Las convicciones y esperanzas que había colocado hasta entonces en el triunfo del sistema «científico» del marxismo-leninismo que reprimía lo intrínseco de su personalidad, experimentaron un vuelco que proyectó a superficie los sedimentos de su «alma» o semi-atrofiado ser profundo. En un principio parece que hubiera experimentado una doble reacción. De un lado, la angustia exasperadísima de no poder nada contra los acontecimientos exteriores se tradujo en un ansia de escape, de desentenderse de todo, de partir. Y de otro lado parece haber creído que allí se había producido la ruptura del sistema originado, no en el siglo anterior, sino en un nivel de cuya hondura daban fe los abismos de su propia mente. La soviética era una revolución circunscrita a los valores de la organización material. El *Uno* que predicaba se detenía en la personalidad de Lenin o de Stalin con sus escalonadas jerarquías. En cambio, en España no había un *Uno* personal, según lo hace valer en su artículo *Los enunciados populares,* sino la personalidad colectiva del «pueblo», cuya voluntad —*vox Dei*— había sido agredida a muerte por un conglomerado de intereses nacionales e internacionales, civiles y religiosos, que representaban la más negra y abominable de las reacciones. Esto es, la voluntad de esa «masa soberana que se basta a sí misma y a su incontrastable porvenir»… a que se había referido en dicho artículo. De aquí que, como consecuencia, y arrastrado a la vez por sus emociones idiomáticas, su interés se desplazase del oriente soviético y de sus «tristes obispos bolcheviques», para concentrarse en lo substantivo de la catástrofe peninsular.

Una vez más, de la circunferencia de la visión cuantitativa, se había transferido al centro ánomo de la cualidad.

Sumamente ilustrativo es el significado que arroja la diferencia que se observa entre el texto de *Rusia ante el segundo plan quinquenal* y el del poema *Masa*. El primero es un esquema abstracto, una osamenta sin vísceras en el que el amor es un concepto teórico y postergado al futuro, mas bien un lugar común que rendía homenaje a sus impulsos juveniles. En el segundo, el Amor es un sentimiento tan absolutamente actual como la vida y la muerte, de entrega y de autonegación totales, que implicita el no-ser de su muerte propia en el surco abierto por la cruz del Arquetipo arraigado en su alma desde la niñez. Bajo su influjo escribió los poemas XI y XII, *Miré el cadáver y Masa*, que en un principio no formaban parte del conjunto español, aun no constituido. Pero cuando, ya en 1938, emprende la organización definitiva de su libro evangélico, los incorpora al mismo, autoincorporándose, reflejamente, confiando todas sus esperanzas impersonales a la trascendencia de la lucha española. El futuro está ya presente allí. Allí está el germen de la revolución total en cuanto que incluye no sólo los valores materiales, sino los espirituales también. El «padre polvo» que sube de España en el *Redoble fúnebre a los escombros de Durango*, o poema XIII se proyecta más que nada la muerte. Así dirá:

Padre polvo, sudario del pueblo,
Dios te salve del mal para siempre,
padre polvo español, padre nuestro.

Padre polvo que vas al futuro,
Dios te salve, te guíe y te dé alas,
padre polvo que vas al futuro.

De este modo se perfecciona la revelación poético-profética a través no sólo de la persona dramática que desde Santiago de Chuco fue conducida a inmolarse en la crucifixión de la Madre de su lenguaje, sino asimismo por acción de su voluntad propia. En el poeta se ha iluminado a fondo la Conciencia. Quiere morir en holocausto de Amor —«Dios es Amor»—. Quiere completar el significado de la figura arquetípica condicionada por los tremendos destinos que lleva consigo la muerte, en primer lugar, de la República popular española, pero también la del concilio europeo y la de los sistemas mediterráneo y occidental de vida.

Así termina su evangelio con el siguiente mandamiento:

                              si la madre
España, cae —digo, es un decir—
salid, niños del mundo; ¡id a buscarla!

Sostuve en mi primera disertación que Vallejo no era un poeta como la generalidad; que no era un poeta *faber*, hacedor de objetos puramente estéticos o de especie análoga, sino un poeta *sapiens*, trascendido a la vez que impulsado y tramitado por una Sabiduría más que forastera —por decirlo así, ultranatural, metahumana—. Creo que el examen de su experiencia, tan poco excepcional cuando sólo se consideran los vaivenes de su recorrido, no permite impugnar con éxito aquellas anticipacio-

203

nes. Vallejo era una conciencia y una sensibilidad poéticas sumamente especiales y predestinadas, correspondientes a una situación del mundo asimismo especialísima; a una situación cuyo estado de crisis prácticamente total —trasmutativa—, está reclamando la intervención de una potencia creadora más alta y compleja que la de nuestros conceptos bidimensionales o de superficie. Además de héroe enfrentado a las inclemencias de nuestro tiempo metalizado que le incita a oponer «a los siete metales la unidad // sencilla, justa, colectiva, eterna», es decir, el oro de su Amor, Vallejo es testigo exponencial de una dimensión de más alto vuelo —«de tercer ala»— que las convencionales en que se desarrolla el consentimiento de nuestras vidas.

En el panorama de la situación del mundo que esbocé en dicha primera disertación se hizo patente que el estado de crisis general que vive nuestro siglo, presenta ante la razón caracteres inequívocos de caos. La vida humana ha perdido el sentido que le reconocían épocas y culturas anteriores, y el medio que nos circunda es una especie de magma descompuesto sin arriba ni abajo, que, en cuanto seres conscientes, nos condena a un sálvese el que pueda en precipitación hacia la nada, dentro del universo sin compuertas en que nos ha desembocado la actividad científica. No se tiene conocimiento, ni siquiera intuitivo, de hacia dónde se proyecta el fluir de la vida a que nos encadenan los deseos corpóreos de nuestra inmediatez y de que nos desolidarizan los trascendentales. Hoy se grita, se aúlla, con o sin instrumentos músicos, se miente a diques dinamitados, se descargan palos de ciego o ráfagas de ametralladoras, se odia a los cuatro vientos, se malvive haciendo alarde de cinismo en un ámbito sobresaturado de ambiciones de poder en todos los cuadrantes y niveles, que lógicamente conducen a las dictaduras en cualquier desorden de cosas, y a la explotación irresponsable del hermano más débil, a la sombra placentera del Marqués de Sade —nobleza obliga.

Todo ello más la superpoblación que nos masifica y la explosión de la ciencia y de la técnica con sus derivaciones inverosímiles, ha producido como resutlado que cada día venga tomando mayor cuerpo y amplitud la idea de que el espectro cuantitativo de las realidades político-sociales constituye el problema esencial del hombre y que éste, el hombre, es simplemente un ser social situado, bajo la higuera filosófica, ante la certidumbre de su muerte; sin Espíritu. Se vive, en consecuencia, un maremagnum babélico presidido por un congruente y creciente afán de destrucción. Se ha siniestrado la Esperanza. Nadie sabe en realidad como podría ser aquello que justifique, en el futuro, el cataclismo apocalíptico que en la actualidad soporta nuestra especie. Pero el individuo físico sabe desde que empieza a apuntarle el bozo o a turgírsele las mamas, que de lo que se trata no es de contribuir con esfuerzo y sacrificio a transformar, a transfigurar creadoramente la realidad inmediata y sus conceptos, sino de destruir; de destruir vengativamente por haber sido traído a un mundo sin sentido. ¿Quién se detiene a imaginar que en las manifestaciones de la vida pasada pudiera haber dejado su impronta significativa, a través de nuestra inconsciencia, lo único que puede salvar al ser humano, la palabra del Espíritu creador —auto-creador— del Universo?

Y esta situación delicuescente y desorientada, es decir, sin más orientación que la del deseo de apoderarse del mayor número posible, no ha respetado a la Institución en que se viene fundando desde hace muy largos siglos la cultura mediterránea que, tras el descubrimiento de la redondez de la Tierra, dio razón de existencia a estos países trasatlánticos. No a todos se les oculta hoy día que la Iglesia Romana padece una crisis progresiva que ella presume ser de superficie, pero que es de absoluta profundidad. El Estado de nuestra Cultura cuenta con un sacerdocio administrativo y ceremonial equiparable a las magistraturas romanas de hace siglos; un sacerdocio dedicado a predicar una ética que no se practica, el cual tiende a volcarse desde hace unos años al campo de la sociología, como si hasta el presente nunca se hubieran padecido —con su anuencia y colaboración— injusticias sociales. Existen clérigos que, diciéndose cristianos, no se avergüenzan de hermanarse públicamente, por razones de inmediata conveniencia socio-políticas, con quienes se entregan de lleno al culto de los pecados capitales sin excluir el asesinato —nobleza obliga—. Reina el desconcierto, la malversación de los valores. Jesu-Cristo ha dejado de ser Dios para convertirse en un hombre como ellos.

Pero éstas no son sino grietas de superficie que podrían subsanarse sin poner en peligro el edificio milenario. Lo grave es el mal de fondo que aflige a la Institución. Que cuando se evidencie, como ya ha empezado a evidenciarse, que la literalidad de los dogmas en que se sostienen, por derecho pretendidamente divino, sus sueños de existencia perenne, son eso, sueños mitológicos en los que precisamente se decreta su caducidad, su construcción está predestinada a correr la suerte de las instituciones temporales. La Iglesia Romana, fundada sobre la omnipotencia de un Juez despótico, ha sido el núcleo trascendente de una situación histórica de cultura que tendía a la universalidad, pero que no era ni podía llegar a ser universal. Ese su Dios despótico es el que está muerto. Como tampoco es universal el pluralismo de la Iglesia Reformada, aunque ésta, como sistema de transición, haya permitido establecer un puente entre las jurisdicciones del espíritu y de la materia, o de lo teológico y lo antropológico, que dio impulso a las novedades del Renacimiento.

De aquí que uno de los conceptos en verdad fundamentales de la Revelación neotestamentaria, insistentemente repetido en sus escrituras y con el que termina el Canon, sea el de la esperanza en el Advenimiento de una situación ulterior y superior que actúa de causa final, justificativa de ese «valle de lágrimas» contra el que se insurgía el valle de Vallejo: la realidad del *Uno* que ha de aparecer como Verbo de Dios, a establecer en la Conciencia planetaria lo suyo, la *Unidad* del *Universo*.

La desintegración de la Iglesia de Roma y con ella la de las demás iglesias fundadas en la piedra de Pedro y no en la de Cristo encarecida por Pablo, difícilmente podría escandalizar a quienes les tocó padecer la monstruosidad de la guerra española. Allí la jerarquía eclesiástica de este país, asistida por la de Roma y todas sus naciones, transgredió ante la faz del Orbe, y de la manera más mortal y aborrecible, los principios espirituales del Evangelio cristiano. En nombre del Manso y Humilde de corazón hizo causa común con la traición perjura, con la mentira descarada, con la guerra de agresión, con el crimen exterminante, oponiéndose enérgicamente a cualquier intento de arreglo pacífico. Declaró la gran Cruzada y la guerra santa mahomética, a base de fabricaciones calumniosas y propagandas malignas contra el pueblo que debía defender y apacentar. En términos religiosos, su actitud está definida desde antiguo. La Iglesia, la española, la romana, con su exaltación de la espada y otras fierezas semejantes, con su subordinación a los dictados temporales del César, se ha definido como la manifestación apocalíptica del Anticristo. Si ha podido trasgredir públicamente el Espíritu de Jesús, es sobre el postulado implícito de que el Espíritu verdadero es el de ella, su espíritu de cuerpo. Ha perdido su alma, el *anima Christi*. Así al negar al Salvador, ella misma se ha condenado a perderse.

Como antaño en el Gólgotha, el pueblo español fue sacrificado algo más que metafóricamente, por el furor de las legiones romanas y los príncipes de los sacerdotes. En el orden poético-trascendental, su posición correspondía, pues, en imagen simbólica, a la del cuerpo del Crucificado.

Aquí, frente a esta hecatombe apocalíptica, a esta orgía catastrófica originada en el Finisterre ibérico [5], que de inmediato produjo la destrucción de Europa en cuanto cabeza del mundo, con todos sus horrores, es donde se desprende el sentido de la experiencia del héroe y mártir indo-hispano César Vallejo. Entrañado a la tragedia del pueblo español por el que en la soledad de su Getsemaní ofrendó voluntariamente su propia vida, sustenta su figura, en conformidad con las circunstancias de nuestro siglo, los significados reales del testigo victimado por el monstruo surgido del abismo europeo con la colaboración de la Iglesia de Roma, por corresponder al Nuevo Mundo de su más allá. Como trasunto del «discípulo que seguía», en él se concentran los valores divinales que pueden dar sentido de universalidad a la «revolución» que se siente necesaria en nuestro ámbito. Así se reúnen en él lo mismo los valores sociales relativos al obrero, «redentor, salvador nuestro —*homo faber*—, que el triunfo del amor al hermano en una tónica sublime afín a la del Evangelio y las epístolas del discípulo amado «que seguía», o de Juan —*homo sapiens.*

Hay quien dice —lo asegura la viuda de Vallejo— que César juzgaba inconcebible una verdadera revolución sin sangre; que una revolución incruenta no es una revolución. Es éste un convencimiento que Vallejo pudo expresar allá por los años 1930 al 33 o 34 de su adoración por Lenin, y que hoy sin discernimiento repite como dogma vallejiano la sed de sangre americana. Pero esa sed abismal no para mientes en que la sangre se derramó torrencialmente en

5. Cf. Jeremías, XXV, 32.

1936, «sangre redentora», profetizada por Unamuno, la «sangre de Hispania fecunda» cantada por Darío. Y que esa inundación sangrienta, de lagar, creció hasta el vientre de los caballos, es decir, hasta aquel «pie bañado en púrpura» presentido por Vallejo en su poema *Líneas*, como correspondiente a la nueva línea donde el caballero Ser sujeto, por tratarse de una entidad espiritual, aparécese irrepresentable.

Se ha de advertir que, cuando surgió el cristianismo, la revolución se hizo con sangre a partir del siglo primero. Pero no fueron los predicadores del Amor quienes derramaron la de sus hermanos, sino quienes a ellos los perseguían y arrojaban a las fieras. La Revolución con mayúscula, la Revolución trascendente de nuestros días, está *ya* cimentada en la sangre. Más ésta, a diferencia de la francesa, no es la sangre que los revolucionarios en la línea estrictamente social han hecho correr, como en la Unión Soviétiva y otros países congéneres, sino la de la *masa* del pueblo español que, negándose a sí mismo, opuso la resistencia de su cuerpo en defensa de los valores de la Vida. El rito sacramental de la sangre, del ofertorio de la existencia corpóreo en merecimiento de algo de naturaleza superior, está *ya* cumplido. Así el 18 de marzo de 1938, hundido ya Vallejo en su lecho de muerte, clamaba ante el Infinito la enajenada Voz del Poeta (León Felipe):

Toda la sangre de España
por una gota de luz.
Toda la sangre de España... por el destino del
[hombre.
Y se ha de tener bien presente que Vallejo

no se identificó con los matarifes, con los descendientes de Caín, sino con los suyos, con la víctima; que del plano estrictamente social, había regresado integrativamente al trascendental.

Gracias a ello la Conciencia genérica puede hoy percibir el despliegue orgánico de los valores mentales que se ciernen sobre el rasero del orden llamado natural o de muerte. Se ha hecho perceptible la presencia dinámica de otra dimensión de vida o, si se prefiere, de una nueva dispensación, esta de índole colectiva, correspondiente al Nuevo Mundo. Sobre la *masa* en cuanto concepto sociológico, hemos visto manifestarse al Ser de la universal Ontología que, transubstanciándola puede transformar esa *masa* en un superorganismo.

Y se nos ha dejado adivinar al *Uno* —«¡oh Unidad excelsa! ¡Oh lo que es uno // por todos // ¡Amor contra el espacio y contra el tiempo»— en el momento en que se acercaba a su punto de cristalización la Universalidad planetaria. Un *Uno* que se ha traducido en la muerte de alguien como *Uno*, pueblo e individuo, en el día de la Víctima. Es decir, en la oportunidad histórica correspondiente al fraguado del destino universal de la América Indo-Hispana. Y este último es uno de los aspectos más sorprendentes de esta dispensación precursora que arranca, con atributo de encarnación, desde las raíces indígenas para redimir, como Vallejo ansiaba hacerlo en 1917-1920, a las abandonadas y oprimidas poblaciones autóctonas; para constituir una Unidad en la tercera Yema que abrace los peldaños todos: el de lo primitivo o indígena, el de lo español u occidental, y el de más allá de ambos, en el punto donde se unifican Naturaleza y Espíritu.

Este último se relaciona evidentemente con un lugar-estado de perfección, paradisíaco, presentido a su modo por los primeros pobladores europeos de América, tanto como por los del Sur por los del Norte, sólo determinable mediante símbolos y perspectivas parciales desde varios ángulos. Es sin duda el mismo lugar sin lugar, por hallarse mentalmente más allá de tiempo y de espacio, a que se proyectaba la esperanza del libro *Trilce* de Vallejo y que formuló después en las utopías simbólicas del *Himno a los Voluntarios*. Y el mismo, claro está, señalado por ese poema singular y entrañablemente aparecido aquí y ahora, llamado también *Trilce*, coincidente en su esquema con el de la *Divina Comedia;* por ese poema publicado hace casi medio siglo en una revista puente entre el Finisterre español y esta ribera neomúndica, nacida aquí en el Uruguay.

\* \* \*

Para concluir trataré de condensar en pocas frases los conceptos que, a mi entender, se deducen del panorama entrevisto.

Frente a la falta de sentido que, con sus graves derivaciones, perturba y atormenta nuestro tiempo, por boca de la Poesía se han emitido palabras que arrojan luz de Realidad sobre el horizonte. Nos hemos visto envueltos en las circunvoluciones de la gran tragedia trasmutadora de nuestro siglo, la cual ha presentado en nuestra escena hispano parlante caracteres decisivamente reveladores conforme a fórmulas

212

estéticas que no son las elaboradas por los artistas, sino las correspondientes a la actividad creadora del Universo. En el teatro de nuestro mundo hemos asistido a la promulgación de un «mito» espontáneo y trascendente, amoldado a los requerimientos de dicha estética creadora; un mito de transferencia, si no de transfiguración, no inventado por la fantasía de ningún mortal, sino emergente desde el fondo de la naturaleza cósmica de la Humanidad en el desenvolvimiento de la trilogía que nuestra experiencia cultural judeo-cristiana ha venido viviendo con proyección planetaria al Ser Universal.

En el laberinto de ese drama mitopoético, Vallejo se ha comportado como un extraordinario personaje o animada figura de dicción. Ha sido el sujeto representativo de la gente americana, que se expresaba líricamente por entre las tortuosas angosturas de la tragedia, aquel sobre quien gravitaba la acción del Verbo en cuya razón estética se formalizaba el significado de la gesta creadora que ha venido procesando la experiencia del ser humano y en especial la de nuestra Cultura proyectada desde su origen a la Universalidad. Vallejo no es el Verbo, ni que decir tiene. No es el «dramaturgo» en cuyas cerebraciones se ha imaginado ni el sentido, ni la trama compleja, ni la disposición cronológica de los acontecimientos pasados, presentes y futuros. Mas así es un individuo hombre suya sensibilidad interna estaba consubstanciada con aquel, según lo manifiestan las emociones e intuiciones ultrapersonales emitidas por su voz de personaje «poseído» por el Ser, cuyo existir fue distribuido, jugado

213

como el de un naipe trascendente, en el curso angustioso de una intriga contemporánea de sucesos, pueblos y destinos multitudinarios, en términos que, a la vez revelan la función de dimensiones de vida mucho más complejas —e ignoradas—, trasparentan el sentido de nuestro porvenir.

Vivimos los umbrales del advenimiento. Nos movemos en los inicios de una nueva Cultura allende la europea; de una Cultura Universal correspondiente a la realización de lo que, mediante un símbolo mitológico, llamábamos «paraíso» —o jardín de cultura— donde, en virtud del Verbo, se cure, como en la figura ántropoteológica de Jesu-Cristo, la esquizofrenia ancestral que escinde substancialmente a la mente humana de la divina, para constituir la unidad del Ser en la conciencia cultural de la especie. O hacia lo que, en razón de otro símbolo mitológico, llamábase «Nueva Jerusalem» o celeste «ciudad de la Paz» donde se realice la convivencia dinámica de los hombres en estado de «ciudad», de sociedad política, dentro de cuyo perímetro de «mandala» universal es inmanente al Ser divino y donde, por lo tanto, no «habrá templo». Ni habrá «noche» porque «la claridad de Dios la iluminó, siendo el Cordero su lumbrera y la ciudad «de oro puro, como el vidrio puro». En otras palabras, es el lugar donde se instaure el estado universal del Amor —que, otra vez, «Dios es Amor».

En el marco del auto sacramental de nuestro mundo, Vallejo ha sido la clave poética adecuada para traducir a la realidad la Presencia palpitante de aquel Principio y Medio y Fin que da sentido humano a la Vida del Universo, y el germen denotante de la cultura indo-hispana que, para universalizarse, reclama la colaboración de los «niños del mundo» que salgan en su búsqueda.

Así por lo menos han pretendido sugerirlo más que patentizarlo mis exposiciones. Ojalá que siquiera unos pocos de quienes hayan tenido la paciencia de prestarme su atención, estimen que en alguna medida ellas y yo hemos logrado nuestro propósito.

# Hechura de *Un coup de dés (1963)*

Al familiarizarlo, hasta cierto punto, con la obra entera de Mallarmé, no tan difícil, *après tout,* como lo induciría a suponer su contorsionada oscuridad artificiosa, le es posible descubrir dentro y fuera de ella misma relaciones y empalmes que parecen poner de manifiesto el camino mental que condujo a la composición de *Un coup de dés.*

El aspecto formal de este poema, aunque aparezca cargado de magnitudes y confusiones cósmicas, lo asimila en cierto modo al *Maelstrom* de Poe, la página literaria donde una escena de naufragio rompe los diques de las medidas naturales, y que Mallarmé conocía muy bien.

Sin embargo, éste es sólo un aspecto descriptivo que, por quedarse en lo externo del fenómeno, no significa gran cosa. Pero existen otras maneras de establecer vinculaciones más profundas.

Si se tiene en cuenta que en su *Prefacio* a la *Jugada,* Mallarmé se refiere insistentemente a la música, diciendo que su poema rescata para las letras algunos recursos que les había aquella sustraído, se le ofrece a la especulación cierta vía sin duda más enjundiosa para ir atando cabos.

217

A reiterada solicitud, Mallarmé elaboró en julio de 1885 un texto breve mas de bastante compromiso sobre Wagner, en gran boga a la sazón: *Richard Wagner. La Rêverie d'un poète français* («Oeuvres», pp. 541-546). En él se le llama *Genio* y *Maestro*, con mayúsculas, al músico alemán. Mallarmé lo sitúa así en el sumo nivel de las evaloraciones declaradas en sus versos, emparentándolo en calidad jerárquica con Gautier (1873), con Poe (1876) y con el posterior y enigmático *Maître* de la *Jugada*, a la vez que adopta una intencionada actitud de humildad reverente ante «el abismo de ejecución musical más tumultuoso que haya hombre alguno contenido con su límpido querer». Mediante esta juiciosa reticencia establece una distinción no por enredada en frases de través menos inteligible. El poeta francés discrepa del músico alemán en lo que el último tiene de instrumento al servicio del transfondo legendario y mitológico que en él tan poderosamente se sinfoniza. Un poeta galo, medido y remedido, no puede complacerse en tan ampuloso género de mitologías, ni comulgar con la mitología misma como fuente de inspiración valedera. Francia no conserva de sus días pretéritos «ninguna anécdota enorme y tosca». «El espíritu francés, estrictamente imaginativo y abstracto, así pues, poético», es para Mallarmé cartesiano por naturaleza. El mismo se define al poco como «l'humble qu'une logique éternelle asservit». El francés siente repugnancia por las grandiosidades que electrizan al germano y, «en acuerdo con el arte en su integridad, que es inventor», por la Leyenda. Si dicho espíritu francés «hubiera de lanzar algún día un destello fulgurante (éclat), no será de este modo». De aquí que «un acontecimiento espiritual, al expandirse floreciente de los símbolos», requiera en su opinión un escenario muy diferente al teatral de «la visión asaeteada por las miradas de la muchedumbre». Su sentimiento conceptual del arte es el reservado a la élite. Con visible referencia al santo Graal wagneriano y a la comedida sensatez de la personalidad francesa, expone así Mallarmé sus ideales acerca de la suprema realización artística:

> *Saint des Saints, mais mental... alors y aboutissent, dans quelque éclair suprême, d'où s'éveille la Figure que Nul n'est, chaque attitude mimique prise par elle à un rythme inclus dans la symphonie, et le délivrant!*

Son estos unos propósitos que parecen no sólo convenirle admirablemente, sino hasta describir el desarrollo del *Coup de dés*, confesada «sinfonía», con su figura del Maestro abstracto y la «Idea» que se descompone y dispersa a través del prisma cerebral en múltiples fragmentos rítmicos.

A continuación y para concluir, luego de proclamar su admiración sin límites por el genio artístico del compositor, el poeta se excusa por no seguir hasta la cumbre en compañía de los que buscan su salud en la exaltación wagneriana. Se detiene a medio camino en la pendiente ascensional de la montaña sacra donde el espíritu pueda disfrutar, tanto del aislamiento de la incoherencia imperante que lo ahuyenta, como de un abrigo —dice, dirigiéndose a Wagner en segunda persona— contra la obsesiva asiduidad,

> demasiado lúcida de esta amenazadora cima de absoluto, adivinada en el reiterarse de las nubes, allí arriba, fulgurante, desnuda, sola: más allá y que nadie deber alcanzar parece. ¡Nadie! Esta palabra acosa con su remordimiento al caminante en vías de beber en tu fuente convivial.

Con apóstrofe tan denso de significado termina el texto de Mallarmé sobre Wagner. Si se lo deletrea bien, se ve uno inducido a imaginar que, con sus diez años más tardío *Coup de dés*, Mallarmé intentó traducir a un poema en lengua francesa, mediante los recursos poéticos «estrictamente imaginativos y abstractos», los efectos polifónicos que Wagner había logrado en sus composiciones merced al respaldo de la mitología germana. Presenta al *Maître* o Genio poético en su «abismo» como afirma que el el autor de *Sigfredo* lo era músico y dirigía su «abismo» de ejecución tumultuosa. Intenta alcanzar así esa absoluta cima que, por no ser de «¡nadie!», constituye para su afán de ser un remordimiento. Al parecer, procura de este modo imaginativo, liberarse de un oscuro complejo de culpabilidad —culpable de no ser el Ser absoluto—. Se refiere en su *Prefacio* a la música cuyos portentos sinfónicos se propone emular con «las subdivisiones prismáticas de la Idea», mediante la utilización dramática de los «blancos» o «silencios alrededor», y el recurso visual de una tipografía que convierte a la doble página en un escenario de tan alta especie que ha podido compararse, si bien un tanto exhorbitantemente, con el cielo estrellado (Valéry). Parece indudable que Mallarmé tomó de Wagner la prodigiosa vastedad de sus caudales melodramáticos que pretendió encauzar, avalorando su propia humildad con la representación caótica del cosmos, hacia el pequeño molino que administra la modulación harto menos estruendosa de su «música de cámara». Así califica su poema de «partitura» e indica cómo debe ser leído en alta voz.

No habría inconveniente en aceptar esta hipótesis como en gran medida cierta. Quedaría empero flotando en lo indeterminado de no ser por las sugerencias complementarias que suministra otro texto, esta vez, como Wagner, alemán: aquel en que, precisamente a Wagner, dedicó Nietzsche sus iniciales entusiasmos bajo el título *El Origen de la tragedia*. Que en la argolla de una de sus páginas parece poder amarrarse el cabo que tiende el *Coup de dés* al consignar:

*Fiançailles*
*dont le voile d'illusion rejailli...*

Con el «velo de ilusión» el poeta se refiere a ese concepto que, según dejamos dicho, el panegirista más de Mallarmé que de Vallejo, no supo asociar al «velo de Maya» para urdir un embrollo de los que difícilmente se olvidan.

Pues bien, con referencia a Wagner transcribe Nietzsche en las primeras páginas de su ensayo una cita de Schopenhauer que al espí-

221

ritu de investigación le ofrece aquí el más brillante asidero. Está exponiendo Nietzsche la dualidad constitutiva del arte, escindido desde los días de Grecia en dos tendencias dispares aunque complementarias que denomina «apolínea» y «dionisíaca» con referencia a estas dos deidades que presiden a las formas, Apolo de la escultura y Dionisos de la música. Y escribe al propósito las siguientes frases que, a falta de una edición francesa, traducimos de la inglesa:

En cierto sentido podemos aplicarle a Apolo las palabras de Schopenhauer cuando habla del hombre envuelto en el velo de Maya: *El Mundo como voluntad y representación*, I: «Así como en un mar tempestuoso, de todo punto desencadenado, irguiéndose y derrumbándose en rugientes olas monstruosas, un marino se mantiene en su lancha, confiado en la fragilidad de su embarcación; así en medio de un mundo de dolores el individuo descansa confiadamente sustentado por su *principium individuationis,* cuyos ademanes y expresión nos dicen todo el gozo y la sabiduría de «la apariencia» al par que su belleza.

He aquí a un marino solo en su barca en medio de una desencadenada tempestad simbólica y envuelto en el velo de Maya. La semejanza con la escenografía simbólica del *Coup de dés* es demasiado estrecha para atribuirse al *azar,* por más que las diferencias en otros conceptos salten a la vista. Mas antes de seguir

222

adelante, la similitud empieza por atajarnos con una duda. De existir, ¿a quién habría que reconocer el préstamo, a Schopenhauer o Nietzsche? puesto que Mallarmé pudo inspirarse directamente en el texto del primero.

Cierto es. Pero a favor de Nietzsche depone decisivamente la presencia de Wagner que se conecta con el texto mallarmeano sobre el mismo. Y en dicho texto salen a relucir, además de las nociones antes expuestas, otras que tienden a emparentarse con los pensamientos nietzschanos. Con respecto a Wagner refiérese Mallarmé al «déchirement de la pensée inspiratrice», concepto que corresponde, sin duda lícita, al sector dionisíaco. Dice también que el héroe será así «retrotraído a los comienzos» y «rodeado, a la Griega, por el estupor mezclado de intimidad que experimenta un auditorio ante los mitos»..., expresiones donde la «tragedia» y hasta quizá su «origen» parecen hallarse gravitando y que en nada se relacionan con Shopenhauer más sí con Nietzsche. Por si existiesen aun incertidumbres sobre tales extremos, pide atención otro párrafo todavía más explícito del mismo texto de Mallarmé, algunas de cuyas palabras subrayamos:

> *Avec une piété antérieure, un public pour la seconde fois depuis le temps,* hellenique d'abord, maintenant germain, *considère le secret,* représenté, d'origines. *Quelque singulier bonheur, neuf et barbare, l'asseoit: devant* le voile *mouvant la subtilité de l'orchestration, à une magnificence qui décore sa* genèse.

La presencia de la Tragedia se encuentra aquí localizada, y si no se pronuncia su nombre, por razones comprensibles, no es menos cierto que se substituye por el de «Drama» algo más arriba. Más aún, sostiene Nietzsche, y en su apoyo transcribe ilustrativamente unos versos de *Los Maestros Cantores*, que Apolo es el dios de los *sueños*, mientras que Dionisio lo es de la *embriaguez*. Es esta una tesis que desarrolla con alguna extensión y a la que pertenecen las frases mencionadas. Pues bien, Mallarmé subtituló su trabajo sobre Richard Wagner, *Rêverie d'un poète français...* A lo que, de no haber optado por dejarlo implícito para quien logre comprenderlo, pudiera haber añadido: *devant l'ivresse d'un musicien allemand*.

Todos ellos son elementos que se pronuncian irremisiblemente en favor de la lectura y aprovechamiento del Nietzsche wagneriano por Mallarmé, y delatan la voluntad de este último de rescatar la razón apolínea —cartesiana— del Arte, frente a la tromba dionisíaca del titán germano. Sobre todo que con referencia a la música del autor de los *Nibelungos*, articula Mallarmé una frase probablemente reveladora:

¡Singular desafío que a los poetas, cuyo deber usurpa con la más candorosa y espléndida osadía, inflige Ricardo Wagner!

Diríase que el maestro simbolista recogió discretamente, años después, el guante de semejante desafío. Como «príncipe de los poetas franceses» (enero 1896) era, ya lo insinúa, deber suyo. La obra de Nietzsche es de 1872. El estudio de Mallarmé sobre Wagner, de 1885.

*Un coup de dés* vio la luz en mayo de 1897, aunque debió rumiarse si no gestarse pausadamente. En «La Musique et les Lettres», de 1894, expresa Mallarmé algunas ideas un tanto afines. Como consecuencia, es de creer que el poeta se propusiese, desarrollando las inclinaciones e ideologías que en su espíritu cartesiano habían promovido los conceptos estéticos de Poe, llegar a la cima de su propio Santo de los Santos o Verbo absoluto por sus caminos particulares, emitiendo un *éclat* o «relámpago en el que se despierta *la Figure que Nul n'est*», es decir, un poema en el que el Genio francés rivalizara a su modo, «yendo a la fuente», con el «arroyo primitivo» del germanismo —sin sospechar, por supuesto, que en el campo de la poesía estaba abriendo las esclusas conducentes a la más absoluta desmembración dionisíaca.

En suma, parece prácticamente seguro que Mallarmé había leído y reflexionado, al menos sobre los párrafos iniciales del *Origen de la tragedia*, antes de componer su texto sobre Wagner en 1885. Luego se fueron articulando en su mente, en torno a su tendencia al absoluto por vía verbal, varios elementos, como son: el *Maelstrom* de Poe; la atmósfera tempestuosamente misteriosa y abstracta evocada en ciertos pasajes de *El Cuervo* del mismo poeta norteamericano, según se apuntó en el texto; y el juego de los dados que, aunque presente en Mallarmé desde el principio como intuición congénita (*Igitur*), pudo también reavivarse y reforzarse, por más que no lo creyera así Albert Thibaudet, con los dados de *Zaratustra*. Pero esto último es mucho menos demostrable.

Lo positivo de todos modos es que el conjunto de elementos que envuelve el complejo, permite presumir que el Maître de la *Jugada* se vincula estrechamente con el *principium individuationis* del Ser humano, o sea, con la persona del sujeto del Verbo poético, considerado éste, al descartarse la idea de Dios y esplender el *individualismo*, como el Ser absoluto. He aquí *la Figure que Nul n'est*, el Hombre abstracto, creador, equivalente a «la flor ausente de todos los ramos» (*Crise de vers*). Es la misma figura arquetípica cuya proyección o hipóstasis más allegada había sido para el autor del *Coup de dés* la personalidad poética de Poe, razón por la cual entre la figura del *Maître* y la estimación mallarmeana —y tendenciosa— del poeta norteamericano se advierten tantos rasgos comunes. De más está decir que de ese principio abstracto, según Nietzsche representado por los griegos en Apolo, cuyos dominios ontológicos bordeaban sus poemas, Mallarmé, maestro del individualismo, se juzgaba a su vez emanación. También puede deducirse que el Pensamiento incapaz de abolir a fin de cuentas el azar que en la obra de arte sólo puede, en opinión del príncipe de los poetas cartesianos, ser fingido, no parece otro en el caso presente que el famosísimo *cogito, ergo* SUM. Con sus inexorables restricciones. Que semejante Ser=Pensar descarta de raíz toda participación del trasconsciente personal, colectivo y universal, relegando al poeta al plano absoluto del artista *psicológico* —Vallejo hubiera dicho «de bufete»— frente al artista *visionario* del esquema de Jung, que es trascendido, en substancial medida, por las razones del corazón. No es por ello extraño que el sentido del *Coup de dés* sea fundamentalmente pesimista. Lo máximo a que puede aspirar el Pensamiento poético, propio del no-ser, es a dejar una constelación «fría de olvido y de desuso» en una «superficie vacante y superior», o sea en la jurisdicción abstractísima de «¡Nadie!»: de la *«Figure que Nul n'est».*

(Revista «Aula Vallejo», núms. 5-6-7.)

# El surrealismo entre viejo y nuevo mundo (1944)

> El mundo superior está más cerca de lo que pensamos...
>
> NOVALIS

En el último de sus artículos, *Situation du surréalisme entre les deux guerres* [1], formula André Breton para uso de la juventud norteamericana una especie de resumen y *mise au point* de las actividades del grupo de que es, sin disputa, definidor máximo. Toda persona llevada hacia la cosa artística por incentivos más valederos que los intrascendentes del llamado «estilo», ha tenido que leerlo con el interés que despierta cuanto se refiere al último, más avanzado y ambicioso vástago del arte occidental. Porque el surrealismo nunca ha pretendido ser, ni en lo fundamental ha sido, una moda literaria destinada a adornar el ocio complacido del lector, sino la expresión del designio pronunciado en Occidente de «practicar la poesía» integrando la persona dentro del fenómeno poético; de adentrarse por los vericuetos del ser en busca de un nivel de conciencia que conjugue sueño y realidad; de revolucionar psicológica y socialmente, colectando las aguas subterráneas de la tradición y prolongando las experiencias

1. VVV, núms. 2-3 ("Almanac for 1943"), New York, marzo 1943.

individuales más atrevidas, el mundo de que es producto subversivo. A fin de cuentas, al frente de esta y de otras literaturas que aspiran a ser algo más que literatura en el menguado sentido de la palabra, pudiera estamparse una frase decisiva de aquel Gérard de Nerval que, después de «bajar a los infiernos» y no satisfecho con «extender el campo de la poesía a expensas de la vía pública», merodeó aciagamente por los suburbios de la locura en busca de un paraje situado en el envés del sueño. La frase en cuestión, tal vez la primera donde se habla del arte como de una experiencia vital en la que va envuelta la personalidad y el destino del artista, dice: «Si no pensara que la misión del escritor es analizar lo que experimenta en las graves circunstancias de la vida... me detendría aquí» [2]. Los surrealistas —y algunas otras gentes— piensan que la humanidad zozobra hoy en la más grave circunstancia con que le ha sido dado al hombre medirse y que fuera frívola indeterminación detenerse ahí, al borde del crisol contemporáneo en vez de lanzarse a él de cabeza para dar razón vivida de su identidad y virtud trasmutadora.

Al texto original de André Breton habrán de remitirse quienes se interesen por su contenido. Mas, por otra parte, la ocasión parece excepcionalmente propicia para seguir su ejemplo e intentar un juicio acerca de los propósitos y realizaciones de este movimiento, de su situación y significado, teniendo en cuenta sobre todo que el juicio sobre el surrealismo implica el de ciertos problemas esenciales que en estos

2.  Gérard de Nerval, *Le rêve et la vie. Aurélia.*

momentos de ingente confusión exigen más que nunca ser esclarecidos. El juicio que aquí se emita tratará de oponer a la visión de André Breton, subjetiva por fuerza, un punto de mira y examen lo más distanciado y objetivo posible, como oriundo de persona ajena a los intereses particulares del grupo. Hacer hoy y aquí este balance parece oportuno, *primero*: porque puede sostenerse, como lo hace Breton y como con mayor detalle se justificará después, que las actividades surrealistas corresponden típicamente al lapso de tiempo que media entre las dos guerras, 1918-1939, y *segundo*: porque, por muy extraño que a primera vista parezca, no puede comprenderse en su plenitud objetiva el surrealismo si no se lo compulsa con ciertas circunstancias y fuerzas imantatorias específicamente americanas.

1

> Llegará día en que el hombre no
> cesará de estar despierto y dormido
> a la vez.
>
> NOVALIS

No ha sido pronunciado a tontas y a locas el nombre de Nerval. De él arranca en Francia el impulso que casi un siglo después dará forma al surrealismo. Hasta podría decirse grosso modo que el surrealismo consiste en la trasposición de la experiencia individualizada de

Nerval a una estructura colectiva[3]. El tiempo no ha efectuado sus sumas y restas en balde, de modo que a la espontaneidad intuitiva de Nerval corresponde en el surrealismo, como fenómeno más tardío, una vocación consciente. En nuestra actualidad se dispone por añadidura de métodos de exploración psicológica no vislumbrados hace un siglo, especialmente el psicoanálisis que tan importante papel desempeña en el desarrollo de las doctrinas y de los gustos surrealistas. Y el «sol negro» heredado del autor de *Aurélia*, se ha bañado, al pasar, en las mucilaginosas tinieblas de Lautréamont.

Con este punto de referencia de Nerval que tan derechamente conduce al romanticismo germánico, resulta holgado establecer la filiación del movimiento surealista: el Romanticismo[4]. De él provienen las tensiones que prestan a esta escuela esa vibración de cuerdas profundas que distingue su voz de la de las demás contemporáneas dotándola como de un registro grave que parece verticalizar la dimensión del hombre hacia su hondura. Más también proceden de allí algunas como propensiones anacrónicas, ciertos no reabsorbidos resabios barrocos que

3. "Il semble en effet, que Nerval posséda à merveille l'esprit dont nous nous reclamons", André Breton, *Manifeste du surréalisme*, 1924.

4. Para comprobar hasta qué punto la personalidad de Nerval —visitador de Alemania, notable traductor del *Fausto* e imitador de Juan-Pablo, como paladín del sueño, en su conocido poema *Le Christ aux Oliviers*— se entronca con el romanticismo alemán, consúltese: Albert Béguin, *L'âme romantique et le rève. Essai sur le romantisme allemand et la poèsie française*, París, José Corti, 1937. "La Vieille Allemagne, notre mère à tous"..., escribió en alguna parte Nerval.

se delatan en la complacencia por determinadas actitudes teatralmente excesivas y menos compatibles con la economía de gestos exigida por la conciencia contemporánea.

Su nombre mismo, *Superrealismo,* sirve para establecer en otro plano la exactitud de su nivel. Corresponde a ese momento en que la conciencia humana percibe la posibilidad de alzarse hacia una plataforma *superior* identificándose con la dimensión allí reinante. Tal percepción se traduce automáticamente en un apetito de crecimiento y poderío. Al «ensueño *supernaturalista*» enunciado por Nerval —forma ya laica aunque todavía tímida del afán cristiano de elevarse a una vida *sobrenatural* propio del período anterior— responde como un eco la concepción nietzscheana del *super-hombre.* («Debemos ser más que hombres.» Novalis.) En las postrimerías del siglo Apollinaire se servirá por vez primera de la palabra *superrealismo.* Aunque no haya empleado un término equivalente, es notorio que la pretensión de Rimbaud de alcanzar la *videncia,* concepto que tan en línea recta lo entronca con Novalis, es consecuencia del mismo erguirse necesario de lo humano[5]. En cuanto a Novalis, orificio por

5. El "hay que ser vidente, hacerse vidente" de Rimbaud en su famosa carta, coincide por completo con el aforismo de Novalis que dice: "el hombre enteramente consciente se llama el Vidente". Es éste un tema característico del romanticismo alemán: "Todo artista, todo poeta auténtico es vidente o visionario" (Baader); "El poeta es esencialmente vidente, la poesía es profecía" (Passavant, ambos según Béguin).

No se comprende bien el caso Rimbaud sino en función de la experiencia iniciada por Gérard de Nerval. Resulta significativo que *Les Illuminés* de este último encuentren

donde manan, en última instancia, todos esos caudales poéticos, preciso es reconocer que su *yo trascendental* se halla en relación estrecha con el *super-yo* de Freud, otro caso típico aunque más racionalizado —y, por tanto, disfrazado— de tendencia hacia un nivel superno. Sobre todo, considerando que Freud tomó del inventor del *super-hombre* la denominación del elemento que con el *super-yo* y el *yo* forman la entidad psíquica: el *ello*. Todos estos fenómenos tramados entre sí son planetas que giran entorno a un mismo sol, levaduras objetivas o subjetivas, propias de un solo nivel, y demuestran, de una parte, que poesía y psiquismo se hallan, como suponen los surrealistas, estrechamente ligados, y, de otra, que todos esos tallos que se erigen, cada cual a su manera, en busca de la flor de la superación, son hijos de la época a que corresponde el surrealismo como producto más avanzado. Ciertamente, la época es la que hincha sus mareas temporales aquí hasta llenar las esclusas que darán acceso al más alto y suspirado horizonte. Los poetas —Freud entre ellos— son sus diversos índices. Hasta el mismo Rubén Darío coincidirá espontáneamente con el doble concepto de *videncia* y de *superación* que mueve a sus predecesores para hablar, refiriéndose a la poesía, de una «*supervisión* que va más allá de lo que está

---

un eco en las *Illuminations* de Rimbaud, así como que la *descente aux enfers* a que se refiere repetidamente el primero, se reproduzca a la letra en el conocido libro *Une saison en enfer* del poeta dolescente. "El plagio es necesario", sostendrá más tarde Lautréamont.

sujeto a las leyes del general conocimiento» [6].

En el surrealismo parece concentrarse, pues, el espíritu de la época que se extiende desde la Revolución francesa hasta nuestros días. Vésele surgir con admirable puntualidad, a su hora exacta: luego que el cubismo, pretendiendo romper la imagen de la realidad, ha destrozado el espejo. Por entre sus añicos, como una sangre fantasmal azogada y fría, se desliza esa sustancia de ultramundo que estimula el apetito en el cerebro de Occidente. Asociado con ese más allá del espejo brota el movimiento surrealista. Y brota cuando el infantilismo terrible de *Dada*, cuando sus risotadas de inmensas lunas rotas hacen inevitable una reacción. La risa se prolonga, pasando por el sarcasmo, hasta dar en el gesto melodramático de desesperación a ultranza que adopta al entrar en escena el surrealista, apenas enmascarado —realzado más bien— por un rictus residual que conocerá con el nombre de «humor negro».

Surge, así pues, el surrealismo de los rescoldos de la guerra europea. Hasta podría pensarse que debe su carácter colectivo a la promiscuidad de las trincheras que estandarizaron el destino de la juventud de entonces, si no existiera el postulado de Lautréamont de que «la poesía debe ser hecha por todos, no por uno», y también de que otro movimiento anterior a la guerra del 14, que llegó a gozar de cierta notoriedad, el *unanimismo* de Jules Romains, no hubiera introducido en el cercado de la poesía, bajo el prestigio tutelar de Walt Whitman, la noción del grupo y el propósito de

6. *El canto errante*, Prefacio, Madrid, 1907.

crear una conciencia de parecido orden colectivo aunque de signo y de dintel muy diferentes. Tanto la guerra y las escuelas artísticas como las masas y sus movimientos producidas por el desarrollo de la industria, resultan ser al fin fenómenos concomitantes e interdependientes propios del cuerpo vivo de la Historia.

Como en la experiencia de Nerval —como en el Romanticismo—, el centro de la actividad surrealista gravita sobre el sueño. Su mayor propósito es encontrar ese vértice encumbrado donde se acoplan a dos vertientes sueño y realidad. Esta fue la mira dominante de Nerval, cuya obra suprema por la calidad de su angustia y por su condición humanamente revolucionaria se tituló *El sueño y la vida* y sólo subsidiariamente *Aurélia*. En ella consignó usando de temeridad: «Resolví fijar el sueño y conocer su secreto. ¿Por qué no, me dije, forzar por fin esas puertas místicas, armado con toda mi voluntad, para dominar mis sensaciones en vez de soportarlas?... Quién sabe si no existe un lazo entre estas dos existencias y si no le es posible al alma anudarlas desde ahora.» Insistiendo sobre el tema, se expresará parecidamente en una carta: «No pido a Dios que modifique los acontecimientos sino que me cambie en relación con las cosas; que me deje el poder de crear en torno mío un universo que me pertenezca, de disponer mi sueño en vez de soportarlo.»

Como un eco lejano se oye proclamar a Breton en el primer *Manifiesto del surrealismo* (1924): «Creo en la solución futura de estos dos estados, tan contradictorios en apariencia, que son el sueño y la realidad, en una especie de realidad absoluta, de *superrealidad*, si es factible denominarla así. A su conquista me encamino *seguro de no llegar*, pero demasiado despreocupado por mi muerte para no calcular un poco el júbilo de semejante posesión.» En acuerdo con tales premisas, el surrealismo se interesa profundamente desde sus orígenes por cuanto se relaciona con el sueño. Freud, denodado explorador onírico, se convierte en uno de sus magnos puntales. Para colonizar el más allá se apela al hipnotismo, a la mediumnidad, a la escritura automática, haciendo acto explícito de renuncia en esos momentos a la conciencia vigilante. Los pintores trasladan sus sueños al lienzo o se sirven de él para echarse a «soñar». Es decir, se hace todo lo posible para que el subconsciente, como si fuera una entidad diferenciada, acuda al engaño ofreciendo su cerviz a la domesticación. El antiguo drama metafísico que en el teatro español plantea *La vida es sueño* formúlase así en nuestra escena contemporánea convertida en laboratorio. Despertar: *that is the question*. Abrir a toda costa los ojos, frotárselos con energía hasta que prenda en ellos la luz. Años después volverá Breton a insistir sobre el particular, aunque ampliando los conceptos, en el *Segundo manifiesto del Surrealismo* (1930): «Todo induce a creer —afirma— que existe cierto punto en el espíritu desde donde la vida y la muerte, lo real y lo imaginario, el pasado y el futuro, lo trasmisible y lo intrasmisible, lo alto y lo bajo, dejan de percibirse contradictoriamente. En vano se buscaría a la actividad surrealista otro móvil que la esperanza de determinar ese punto.» Y tan en vigencia continúa dicha actitud que este párrafo se transcribe en el antes citado último artículo de Breton [7].

Esto en cuanto a la teoría. Porque en la práctica el surrealismo, como hijo de un mundo de transición donde pululan las contradicciones, lejos de resolver las viejas antinomias diríase que se propone enriquecer su catálogo con nuevos ejemplos concebidos en su propio seno. Y lo que es peor, olvida con demasiada frecuencia sus principios para entregarse a actividades menos arriesgadas y comprometedoras. No parece oportuno detenerse a señalar tales contradicciones, muchas de las cuales están a la vista de todos. Mas sí hacer notar, por referirse directamente al tema central del sueño, que en vez de sumirse en los antros infernales tratando de establecer el nexo a que alude Nerval cuando declara que va «a encontrar la juntura del cielo y del infierno», los surrealistas, como toda buena iglesia que, por serlo, ha de empe-

7. Con verdadera obsesión vuelve a escribir Breton en *Les vases communicants* (1932): "Deseo que el surrealismo no pase por haber intentado nada mejor que tender un hilo conductor entre los mundos excesivamente disociados de la vigilia y del sueño, de la realidad exterior y de la interior, de la razón y de la locura, del sosiego del conocimiento y del amor, de la vida por la vida y de la revolución, etc.".

A mayor abundamiento léese en el primer manifiesto inglés del surrealismo: "La ambición fundamental del surrealismo es abolir toda distinción formal entre el sueño y la realidad, entre la subjetividad y la objetividad, a fin de que, de la distinción (?) de estas viejas 'antinomias', surja a plena luz el futuro estado de cosas por el que luchan todos los revolucionarios". (*Premier manifeste anglais du Surréalisme*, mayo de 1935, "Cahiers d'Art", París, 1935. Núms. 5-6).

238

zar vulnerando el espíritu que la anima, explotan sobre todo ante el lector la referida actitud de buceo en el subconsciente. Con frecuencia la voluntad está en ellos más preocupada por el cultivo del parecer que del ser, extravertiéndose al modo de los actores que representan a lo vivo un drama para el público. No deja de ser gravemente sintomático el hecho de que constituyendo en teoría una brigada de desesperados que ha recogido sobre sí la herencia de los artistas malditos, no haya enviado sus huestes al hospital, al manicomio, o al cementerio... Por el contrario, sus numerosos disidentes han desertado de las filas surrealistas para ocupar puestos y situaciones apetecibles cuando no burguesas. Aragon, Tzara, Desnos, Soupault, Dalí... han renunciado a la primogenitura de que ellos mismos se habían investido en la extrema vanguardia artística, por el plato de lentejas. De haber sido el espíritu de la agrupación auténticamente heroico, de haber transitado por lugares de verdadero peligro, de haber tocado los cables de alta tensión humana como lo hizo Nerval, como lo pretendió hacer durante algún tiempo Rimbaud que atemorizado abandonó la partida, como lo aparentó hacer —y quizá lo hizo— Lautréamont, los surrealistas hubieran sido más «amados de los dioses». Hubieran también dispuesto de menos tiempo y ocasiones para dar señales escandalosas de vida y una de dos: o hubieran sido electrocutados mentalmente alimentando las casas de salud y los cementerios o hubieran realizado hallazgos de capital importancia. Porque en vez de llamar la atención sobre todo de los snobs de este mundo, hubieran sido los «pararrayos de Dios, poetas», de Darío. Hubieran atraído sobre sí el fuego del cielo, que al trasmutarlos hubiera en ellos creado ese estado cristalino de síntesis donde convergen sueño y realidad, elevándolos a una nueva potencia. Sin que sea desestimar los logros teóricos que en cierto nivel se les deben, sobre todo a través de la persona de Breton, no puede menos de reconocerse que ninguna de ambas ha ocurrido. El heroísmo de que se precian los surrealistas no deja de ser, ¡ay!, comparable al de los pescadores de caña confortablemente instalados a la orilla de las oscuras corrientes internas en que fluctúa lo subconsciente. De cuando en cuando sacan a superficie algún objeto, generalmente pequeño y no siempre interesante, eso es todo. Ahí está para atestiguarlo el caso doloroso de *Nadja*, que en vez de despertar en André Breton el deseo de sumirse, para explotarlos a su propia costa, en los abismos de la locura aprovechando la ocasión única que la vida le deparaba, le indujo a desentenderse en cuanto pudo de tan comprometida situación. Y cuando Nadja fue a parar el manicomio, se contentó él con escribir un libro sobre el lance. Esto es, dejó la vida, lo personal y nervaliano por la literatura, reduciendo el campo de la poesía «a expensas de la vía pública» como los loqueros de Nerval. No se le puede, sin embargo, guardar excesivo rigor una vez que él mismo había advertido de antemano, según se ha visto, que en el camino de integración de la realidad y del sueño, estaba «*seguro de no llegar*».

Por esta preponderancia de la literatura sobre el problema palpitante y sustancial, ocurre que uno de los más positivos logros prác-

240

ticos del surrealismo —sin duda aquel que más ha llegado al conocimiento del público— es el estilo. Existe un estilo surrealista como existe un estilo rococó, y que tal vez sea al romanticismo lo que el rococó es al renacimiento. En poesía diríase que se caracteriza por los huecos retorcimientos que, como los de los caracoles marinos, dejan suspendidas ciertas misteriosas resonancias intersticiales y sobrecogedoras. En prosa por el uso y abuso de los tonos sombríos y de las actitudes sañudas cargadas de un no disimulado sadismo fustigador, que despiertan de calofrío delicioso en los vástagos degenerados de la gran burguesía. Y también por el empleo de ese fermento sensual pútrido, mal llamado freudismo, que apunta a ultrajar la moral burguesa, tomada de las evacuaciones oníricas. Y si Nerval bajó a los infiernos, y si Rimbaud hizo como que bajaba para volver grupas a medio camino, los surrealistas se contentan demasiado a menudo con encender un infiernillo artificial a cuya lívida luz, medio embozados melodramáticamente en la penumbra, ahuecan la voz y hacen resonar la caja convencional de los misterios. Pobre impostura. Incapaces de despertar, acuden al fraude y a la simulación. En vez de buscar cueste lo que cueste cada uno por sí y todos en conjunto la apertura de ojos en el ápice en que sueño y realidad confluyen, se limitan a imprimir al sueño tono y trémolo de pesadilla. La consecuencia es que, por la vía de sus actividades conscientes, constituyen en cierto modo un agente avanzado del mecanismo protector del sueño. Se escribe o se pinta para el público sin desenmascarar a ese personaje social que pretende vengarse agresivamente de los fracasos de la infancia. La conciencia se halla adherida aún al polo negativo en el seno de la nocturnidad. He aquí el porqué del carácter luciferino que distingue a su movimiento. El amor —lo universal— está ausente. Más aún, no es raro que se complazcan en degradarlo en sus imágenes directas, en arrebatarle toda significación haciendo escarnio de él y objeto de sus desesperaciones. Existe, pues, una inversión de términos colocando en la sombra lo que debiera encontrarse a la luz y viceversa. Ninguno de los surrealistas ha dado indicios de proponerse vencer dentro de sí, en virtud de la conciencia, esa vengativa situación inicial que deben a las decepciones de su infancia, o sea, aprovechar su impulso reactivo para cambiar de dimensión pasando de lo horizontal a lo vertical. Ninguno ha pretendido escribir o pintar para sí después de renunciar a cuanto halagaría a sus estratos ínfimos y de identificar su yo con los intereses soberanos de la especie. Es decir, embarcarse en la sublime aventura donde hay que dejar de ser para que el Ser humano sea. Como consecuencia, sus obras abundan más en hojarasca literaria o pictórica que en frutos revolucionarios. Entre las ramas y sobre las irisasiones de las aguas podridas vense abrir tentadoras unas cuantas «flores del mal», orquídeas ponzoñosas —productos de un bello y sensual acorde— como las amadas por Lautréamont. Pero la superación pretendida, de la que toman razón de ser y jactancia, permanece aún fuera de su órbita.

No se piense que estas críticas al surrealismo obedecen al intento de cargarle de culpabilidad para pronunciar luego su condena. Mas es necesario penetrar su estructura y el valor relativo de sus ingredientes, separar lo muerto de lo vivo, la yema de la cáscara, para comprender la realidad y salvar lo que en él existe de fecundo. Es hijo automático de la época, de sus contingencias y proyecciones. A ella responden sus defectos visibles, cumpliendo así, desde otro punto de vista, uno de los cometidos del arte: ser espejo fiel del medio de que procede: estar hecho a su imagen y semejanza: dar testimonio de nuestra crisis a la manera como lo da el cubismo que refleja la ruptura del concepto aparencial de realidad padecida por la conciencia de nuestros días. Es el nuestro, esencialmente, un tiempo de fin de ciclo, de antítesis por tanto, término que es imprescindible trasponer si ha de alcanzarse la síntesis a que aspira el impulso teórico de las actividades surrealistas. Procede distinguir claramente entre estos dos factores: el enunciado teórico del surrealismo correspondiente al afán humano más legítimo y más puro, al grado que, si bien se mira, sus raíces hacen presa en la enjundia sustancial de la especie, y el cuerpo histórico que sirve de soporte a esa tensión, su facies circunstancial, aquello a que vulgarmente se llama surrealismo y se distingue por su estilo tanto en el campo del arte como en el de la vida. Cierto es que alguno de los que fueron miembros eminentes del grupo, Salvador Dalí sobre todo, ha hecho profesión de desvergüenza en la pendiente de la degradación, supeditando los altos principios a la ganancia de celebridad y de caudales bancarios. Para él, el estilo surrealista es, como para los nos enterados, perfidia sistemática, contradicción permanente, cuanto más inmorales y depravadas mejor. Y sobre todo, cuánto más escandalosas, pues que el escándalo se cotiza. Haciendo gala de abyección, no tuvo reparo en transigir con el fascismo de Mussolini para, una vez fracasado su intento de figurar frente a Picasso en el pabellón de la República Española en la Exposición Internacional de París de 1937, acabar cantando las excelencias de Franco... cuando éste tuvo felona causa ganada. Impostor hasta el fin, hoy se titula demócrata a lo que parece. Ninguno de estos yerros es imputable al surrealismo, claro está, que con sobrada razón tiene a Dalí por desertor infame. Aunque sí puede achacársele por no haber tenido en cuenta que el camino del muladar sólo por reacción y probada alteza de miras puede conducir a las entusiastas moradas. En realidad, las degeneraciones de Dalí son ampliación afrentosa y capital de otras complacencias de que no está exento el resto del grupo y que, en vez de irritar la conciencia burguesa, repugnan simplemente a cualquier consciencia no estragada.

En estricto acuerdo con esa su expresada situación de antítesis, el contenido espiritual del surrealismo se caracteriza típicamente por su sentido anticristiano. De toda la experiencia del alma occidental, de esa inmensa nebulosa que gira en torno de la Biblia con sus dos grandes lumbreras judaica y cristiana y ésta con sus ramificaciones católica y protestante, nada para el surrealismo es digno de atención. Manifiesta así su espíritu absolutista de término negador —antitético— de dualidad, desde cuyo punto de mira es imposible divisar el trabajo significativo y progrediente de la Historia. En vez de someter a juicio para comprender y superar, de acuerdo con su deseo de alzarse a la superrealidad, el extraordinario fenómeno subjetivo judeo-cristiano, se contenta con negarlo. Vuelve, en cambio, su interés hacia las sociedades primitivas para elevar cuando así le cuadra, el brujo a la categoría de poeta. En situación de absoluto, niega absolutamente. Tenebroso error. Su refugio en el alma primitiva con sus tabús y hechicerías cavernosas, con sus operaciones mágicas, participa de aquella misma ingenuidad de Rousseau con su regreso a la inocencia del buen salvaje. De este modo el surrealismo no se reduce a conectarnos con el Romanticismo, sino que nos remonta a la época prerromántica. Adolece de la misma ingenuidad del mestizo americano que imagina resolver todos sus problemas creadores negando el elemento occidental para volverse exclusivamente hacia la civilización aborigen de sus mayores. En vez de tomar el camino de la superación, el movimiento diferenciador emprende el del retorno. Instante de divorcio en que se rompen pasionalmente los vínculos, pero que no corresponde a aquella situación positiva y justa capaz de integrar la síntesis. Comete así el surrealismo la infantilidad de oponer a las experiencias religiosas de Occidente y de Oriente, ciertos pequeños juegos sin trascendencia ni significación, que en nada constituyen superación alguna, y que sólo encuentran cabida donde existen grandes secciones de ignorancia. Es notable, por ejemplo, la idea —sin duda pequeño-burguesa— de que, acerca del potencial maravilloso, se ufana Benjamin Péret en su trabajo más reciente [8], dando estado a una débil intuición, en verdad ínfima y no distinta a la que puede en cualquier momento emocional tener un individuo cualquiera, ni poeta ni surrealista, junto a las grandes, junto a las extraordinarias experiencias que pulsando las fibras más hondas y dolorosas de la especie han dado realidad a la Teología mística.

Es obvio que por tales parajes no se encuentra la salida del Laberinto. Dédalo, la conciencia constructora, sabe que sólo es posible evadirse de él por superación, batiendo alas. Que sólo cuando llega a comprenderse transmisiblemente, para sí y para los demás, cómo los dogmas cristianos son, así como los grandes mitos, verdades metafóricas, relativas, vestidas a la moda de cierto tiempo y de cierto espacio, cómo el hombre ha estado y está viviendo una metáfora transferidora, y sólo entonces, puede, de acuerdo con los métodos psicoanalíticos, librarse de las garras de la vieja neurosis colectiva para despojar a la Realidad de sus velos ocasionales y llegar hasta su carne desnuda. He aquí por qué este movimiento, con precisión singular, no se titula Realismo con mayúscula, sino superrealismo, dando testimonio fehaciente del nivel subterráneo a que materialmente pertenece y desde el que se expresa.

Las analogías históricas suministran elementos afines susceptibles de esclarecer y reforzar la comprensión. Porque el nivel del anticristiano *surrealismo* resulta ser el mismo en que fue concebido el *superhombre* de Nietzsche, quien

8. Benjamin Péret, *La parole est à Péret*, New York, Editions Surréalistes, 1943.

se definió a sí mismo como Anticristo. Impulsado Nietzsche por el ansia de supermasculinidad y de dominio sobre otras gentes, no persigue un verdadero Humanismo con el esplendor colectivo y universal del Ser humano, sino que traduce el hibridismo de su situación antitética, de fuerza, aspirando al superhombre, especie de cornúpeto dominador, comparable al Minotauro que sembraba la muerte en el Laberinto y cuya perfecta expresión histórica ha sido la Alemania de Hitler. Es decir, *mutatis mutandis* se observa entre estas dos actitudes una paridad estructural sorprendente. Porque así como el movimiento surrealista es la trasposición del espíritu individualizado en Nerval al plano colectivo del grupo, la Alemania actual, a pesar de no pocas discrepancias conceptuales, puede definirse como la proyección al plano colectivo del espíritu de potencia y de dominación de Nietzsche. Ambos fenómenos nacen de las trincheras de la guerra europea y llegan hasta la guerra mundial presente. Ambos son, pues, fenómenos de estricta contemporaneidad, de entreguerras. Al minotaurismo bestial de la figura de Hitler, dueño del laberinto intestino de las naciones occidentales, corresponde la atracción que ejerce el símbolo sobre el inconsciente surrealista que publicará su revista *Minotaure*. Así manifiesta sus anhelos desesperados de destrucción, su golpearse contra las paredes, más que de efectiva salida del laberinto. Nos hallamos realmente en las postrimerías de un mundo.

Desde el punto de vista psicológico ésta es la genuina limitación del surrealismo. Se plantea en la voluntad de dominio, propia del nivel a que pertenece, al igual que se plantearon los procesos personales de Rimbaud y Lautréamont. Echa por eso mano de cuantos elementos mágicos, de magia negra, se encuentran a su alcance, ganoso de apoderarse del mundo y de sus destinos. Sigue siendo antítesis bajo el signo voluntarioso de Lucifer. Que sepamos, ninguno de los adeptos surrealistas ha profundizado lo bastante en el fuero interno para deshacer la dualidad fundamental que obstruye la vía de la síntesis, desenmascarando la duplicidad y carácter aparencial del yo. Ninguno de ellos concibe la transformación de la persona y de su mundo, sino la imposición de ésta, tal como es, al mundo. Como Lucifer se encuentra entre las mallas del complejo de Edipo, dispuesto a sacrificar a su padre para ocupar su puesto en el tálamo de la naturaleza. De aquí que la síntesis mutativa, desde el momento en que se frustra uno de los componentes, el subjetivo, sea imposible, y sí sólo el hibridismo de las generaciones de Júpiter. Imposible también dar enunciación y entrada en su conciencia y actividades a lo que pudiera llamarse *automatismo generalizado*, el cual exige la previa disociación del yo. Para justipreciar la trascendencia de este postrer aspecto no está de más recordar que dicho automatismo es la manifestación directa de la Realidad poética y, por tanto, Poesía que se ignora es poesía a medias, de un nivel rebajado, subreal. El automatismo puesto en acción por el movimiento surrealista no pasa de ser un método literario o pictórico que, pretendiendo favorecer la germinación del «azar objetivo», refleja la constitución de la Realidad universal en una pantalla metafórica.

Como consecuencia de lo anterior, los esfuerzos del surrealismo por encontrar un lenguaje diferenciado del lenguaje de siempre, se contraen a forjar un antilenguaje que, si niega el mundo en que se desenvuelve la poesía tradicional, no alcanza siquiera, en términos generales, a balbucear un lenguaje nuevo. El carácter colectivo del movimiento surrealista se halla así contradicho, puesto que lenguaje es comunicación, sustancia colectiva irradiante en todas direcciones. El mundo colectivo se sustituye por el reducido grupo de iniciados sometidos al juego de un elemento convencional. Basta leer *Fata Morgana*, el último poema de André Breton para convencerse de que por grandes que sean sus virtudes internas, su lenguaje no pasa de ser, colectivamente —auténticamente— un lenguaje fallido [9]. El punto síntesis a que tiende, donde se deshace la antinomia entre lo trasmisible y lo intransmisible, se encuentra tan invicto como el primer día.

Esa misma situación típica de antítesis induce al surrealismo a adoptar una de las varias posturas internacionales características de nuestra época, intermedias entre la tesis nacionalista y la posición universal o de síntesis. En sus pretensiones conscientes es europeo, internacional por tanto. Políticamente, como defensor de los principios marxistas, estuvo afiliado a la III Internacional con sede en Moscú. Mas defensor también de la libertad a toda costa,

9. André Breton, *Fata Morgana*, Buenos Aires, Editions des Lettres Françaises, 1942.

cambió de rumbo cuando sobrevino la escisión en el seno del directorio que eliminó de la URSS los puntos de vista y la persona de Trotsky, para adherirse a la llamada IV Internacional. Ocioso fuera insistir sobre el hecho de que en este punto la actitud progresiva del surrealismo es de signo opuesto a la represiva del nacionalismo internacionalista germánico.

El luciferismo prometeico peculiar del ansia de deificación del Romanticismo, deflagra sus oscuras pólvoras aquí. Es el luciferismo de Nerval, «el tenebroso, el viudo, el inconsolado» bajo el «sol negro», el Príncipe de las tinieblas que «por dos veces cruzó el Aqueronte» cuando bajó a los infiernos en busca de la claridad complementaria y precisa para ver cómo «todo se corresponde», mucho antes de que Baudelaire, otro de los tenebrosos príncipes, fundara su célebre y prolífico soneto de «las correspondencias» «en una tenebrosa y profunda unidad». A título ilustrativo no está de más advertir que en el fuero de las correspondencias metafóricas de que se reclaman poéticamente estos poetas malditos —«maldito por haber querido penetrar el temible misterio» [10]—, resulta hondamente significativo que el mundo antiguo diera el nombre de «Mar Tenebroso» a aquel que baña las costas del Finisterre occidental, ese mismo mar sin duda a que dedicó uno de sus cantos el tenebroso Maldoror que vino al mundo en la otra orilla, océano que es preciso trasponer para arribar a las playas universales del Nuevo Mundo. Al grado de poder decirse que el luciferismo extremado de esta

10. Gérard de Nerval, *Le rêve et la vie. Aurélia.*

serie de fenómenos traduce la voluntad que prende en el presunto «fin de la tierra» de dejar de verlo para que lo humano, trasponiendo el amasijo de tinieblas, alcance por fin su presentido más allá. Lucifer el que lleva la luz, Prometeo el que la rapta, personificaciones metafóricas de conceptos que caracterizan milenariamente la situación de una humanidad que aspira a la conquista de una conciencia cósmica donde la luz y su contrario término, el «sol negro», lo inmediato y lo mediato, lo consciente y lo inconsciente, la realidad y el sueño, integren su síntesis gloriosa. De un modo agudo, hecha úlcera y angustia densísima, entre ambas personificaciones se sitúa el alma que la revolución francesa insufló al siglo XIX, alma que en las gargantas de Nerval, Baudelaire, Rimbaud, Lautréamont... anudó el cordón de sus ganglios armónicos, ruiseñores ciegos por los cristales finísimos de la noche. El surrealismo recoge sus trémulos *De profundis* en un solo coral, siendo como la de aquéllos su misión luciferina, portadora de luz, aunque en sus pupilas aniden las tinieblas. Todos definen y auguran de un modo cada vez más preciso e inminente la apertura de los ojos humanos a la Realidad que es Poesía en su plenitud orgánica y vivificadora.

De toda evidencia, la voluntad que determina en conjunto estos varios fenómenos es semejante a la subversiva que iría abriéndose paso en los centros motores del polluelo a punto de salir del cascarón para incorporarse a la vida que le espera. Es, patentemente, voluntad de fin de situación o mundo, de ruptura y catástrofe, esa misma catástrofe que en lo que va de siglo ha removido ya por dos veces el solar europeo quebrantando sus estructuras básicas. El surrealismo, aborigen de un mundo individualista y enfocado a un mundo de conciencia colectiva, como la ambigüedad de su propia constitución lo testimonia, corresponde así, de modo exacto, al período que se extiende entre las dos guerras que dislocan mortalmente las claves occidentales. Breton lo reconoce con las siguientes palabras: «...el surrealismo no puede históricamente comprenderse sino en función de la guerra, quiero decir —de 1919 a 1939 en función a la par de aquella de que arranca y de aquella en que desemboca»...[11] Por consiguiente: entre la pasada guerra europea que abriendo brecha en el mundo individualista dio ocasión al colectivismo soviético, y el presente conflicto universal que, como su designación lo indica, dará origen a un ideal más evolucionado. Para mayor certidumbre resulta que las potencias oraculares que operan desde el subconsciente habían refrendado por anticipado esta afirmación de André Breton, puesto que él mismo en su *Lettre aux Voyantes* había en 1925 escrito esta frase que debe subrayarse por lo sorprendente: «*pretenden algunos que la guerra les ha enseñado algo; están, sin embargo, menos adelantados que yo que sé lo que me reserva el año 1939.*»

La forma como se ha expresado esta notable profecía reclama un comentario. Dice Benjamin Péret refiriéndose a ella: «No se podría asegurar valederamente que al escribir el poema a que pertenece la frase en cuestión, André

11.  *Situation du surréalisme entre les deux guerres.*

Breton se propusiera augurar el porvenir. Conscientemente no sabía nada, a buen seguro» [12]. Henos así ante un oráculo expresado a través de un poeta que, inconsciente como los adivinos de Delfos, ignora el sentido del mensaje que transmite. No puede ser él, pues, el que habla. Ese yo no es el suyo individual, sino un yo imaginario. Tanto más cuanto que el año 1939 no reservaba a André Breton ni siquiera a Francia, aunque en él se declarase la guerra, ningún cataclismo espantoso. Fue el año 40 el fatal. ¿Quién es entonces el que se expresa en primera persona, aquel para quien el año 1939 reservaba acontecimientos irreparables? Tal vez, en primer lugar, el propio surrealismo puesto que es fenómeno de entre-guerras. Puede pensarse que era la personalidad del grupo la que por boca de Breton hablaba así. Mas siendo el surrealismo la extrema antena del alma de Occidente, cabe presumir sin arbitrariedad que quien se expresaba por boca demoníacamente posesa era el mundo occidental que anunciaba su fin próximo, el fin del reino de la antítesis. Aún parece esto más plausible cuando se recuerda que el libro capital publicado en 1938 por otro gran teórico afiliado al surrealismo, Pierre Mabille [13], ostentaba en su faja con grandes caracteres estas solas palabras: *Muerte del Occidente*. Todo él la auguraba del modo más pesimista. Es factible, por tanto, sostener, y por mi parte no tengo empacho en hacerlo, que el surrealismo, fenómeno asociado

12. *La parole est à Péret*.
13. Pierre Mabille, *Egregores ou la vie des civilisations*, París, Jean Flory, 1938.

radicalmente a ese mundo occidental cuya desaparición implica su propia desaparición, anuncia por medio de la referida frase el fin de ese mundo y su propio fin. Así parece vislumbrarlo André Breton, quien ya en América admite la posibilidad de que al surrealismo no le quede gran cosa que hacer cuando tituló su nueva entrada en escena: *Prolegómenos a un tercer manifiesto del surrealismo o no* [14]. En virtud de la coletilla «o no», admite la posible no existencia de un tercer manifiesto. Quizá oscuramente, André Breton percibe que, siquiera en símbolo, ha traspuesto el Mar Tenebroso que bañaba el *fin de la tierra* de donde procede y ha puesto pie en el auténtico mundo de la *Realidad*, allí donde el *surrealismo* ha de ceder el paso a un nuevo y más positivo movimiento. Cumplidos sus días, él mismo ha de ser víctima, disparatadamente, de su extraordinario y mucho muy mortífero «revolver à cheveux blancs» [15].

14.  VVV, núm. 1, New York, Junio, 1942.
15.  En el reino de la armonía resulta digno de notarse que el alarde de la última exposición surrealista celebrada en París en 1938 consistió en un gran número de sacos de carbón cubriendo el techo de la sala. No pasaría tal cosa de ser una manifestación típica del "humor negro" a que rinde tributo deliberado el grupo surrealista, si no diera la "casualidad" de que el tema del carbón parece haberse entrañado alguna vez a cierto aspecto psicológico supranormal del pontífice del grupo. El mismo André Breton refiere incidentalmente en *Nadja*: "Las palabras MADERA-CARBONES que figuran en la última página de *Champs magnétiques* (*Campos Magnéticos*, Tusquets Editores, núm. 47 de "Marginales", Barcelona, 1976), me valieron, un domingo entero paseándome con Soupault, poder ejercer un extraño talento de prospección respecto a todas las tiendas que esas palabras sirven para designar. Me parece que podía decir, en cualquier calle que

entrara, a qué altura a la derecha, a la izquierda, aparecerían esas tiendas. Y esto se verificaba siempre".

El agente de fijación que ha facilitado cuerpo a tan extraña modalidad de la vida intuitiva, ¿no habrá que buscarlo, por temerario que parezca, en el hecho de que dos de los más famosos negociantes parisienses de carbón, si no los dos más populares, se llamen Breton y Bernot (anagrama del primero), cuyos anuncios vense así como sus carros en todas las calles de París, habiendo podido percutir determinadamente en la imaginación del futuro autor de *Nadja*? Esto por lo que respecta al polo material, inmediato. La explicación complementaria y última, aquella que da razón de ser al pararrayos, habrá de buscarse, tratándose de un mundo de poesía que pretende integrar sueño y realidad, en un orden de cosas más trascendente. Por mi parte no veo obstáculo para cargar este curioso complejo "carbonífero", de "sol negro", en el haber metafórico del *fin-del-mundo* a que parece estar subordinado el movimiento surrealista. Tanto más cuanto que por su apellido se halla Breton asociado al Finisterre francés, de donde creo que procede. Los sacos de combustible colgados del techo constituyen un fácil símbolo: el fuego del cielo, la noche en llamas que ha de poner fin, según las seculares profecías, a este mundo sub-realista, infernal, de que el surrealismo forma parte. Dicho símbolo se traduce históricamente en los bombardeos atroces que están acabando con las ciudades de Europa. El cielo, el mundo espiritual, se ha de desplomar en llamas sobre el mundo material, ha de morir... A este propósito el pesimismo de Pierre Mabille es de tal magnitud que llega a estampar en su citado libro frases como la siguiente: "Antes de que transcurra un siglo los principales centros europeos serán destruidos y en vano se intentará reedificar sus ruinas" (pág. 61).

255

# Singularidad del judeo-cristianismo (1955)

Consecuencia bastante despejada del anterior trenzado de perspectivas y razonamientos es que la revelación entitativa, «ultra-natural», que pudiera estar a punto de sobrecogernos, debería hallarse entrañada, en cuanto razón que es de vida, a la experiencia temporal y cultural del *homo sapiens*. En este orden de valores, nada de específico puede esperarse del área cuantitativa que cubren las ciencias de la naturaleza correspondientes a los «seis días» genesíacos. Se depende del Espíritu que a sí mismo se conoce, cuya Imaginación ha hecho posible en el hombre ese milagro verdaderamente transustancial y generalizado del habla, por cuya mediación se puebla de contenido y desarrolla sus aptitudes la conciencia del individuo constituido y en grupo [1]. Así, pues, por su misma índole verbal, el *Logos* esperable en esta encrucijada de la protouniversalidad en que

1. La mente de la humanidad y el lenguaje de la humanidad se han creado mutuamente. (...) Las almas de los hombres son el don del lenguaje a la humanidad. La relación del sexto día pudiera escribirse: "El les dio el habla y se convirtieron en almas" (A. N. Whitehead: *Modes of Thought*, ed. cit., p. 57).

nos encontramos —como las iglesias adventistas aguardan el retorno de Cristo— debiera hallarse entrelazado de algún modo al proceso significante de la Cultura. Se advierte que en un supuesto implícito de este orden se basan cuantos sistemas filosóficos se han ocupado de inquirir el sentido teleológico de la historicidad desde Joaquín de Fiore hasa Berdyaev pasando por la interpretación clásica del Apocalipsis, por Vico y por los grandes pensadores románticos.

El pensamiento útil, respecto al cauce probable de la palabra reveladora, queda así restringido a esa serie de culturas, según unos, o de civilizaciones, según otros, que en la línea de Spengler y con la ambición de descubrir las leyes de su existencia y de su morfología ha escudriñado y catalogado con exhaustivo esmero de entomólogo Arnold J. Toynbee. Esta veintena de culturas o civilizaciones, en su mayoría desaparecidas ya, son las entidades interesadas especialmente en la solución del problema de la universalidad puesto que, de acuerdo con las presunciones de Teilhard de Chardin, ocupan en el desarrollo del proceso las situaciones intermedias. Encarnan, por decirlo así, los esfuerzos de organización específica logrados en diferentes latitudes del planeta como consecuencia, por un lado, de la llamada «naturaleza social» o «verbal» del hombre, y por otro, de la atracción conformativa ejercida sobre sus progenies por el destino planetario —siempre que se le reconozca a este destino, siquiera hipotéticamente, una unidad en potencia efectiva, tanto física como psíquica, como espiritual.

Pero lo primero que se destaca al contemplar el panorama general que ofrece la congregación de las culturas superiores, es lo incorrecto que, desde el ángulo del Espíritu, sería entenderlas a todas por prurito de igualdad, en un nivel parejo. Si unas y otras presentan equivalencias tangibles y desarrollos equiparables en los órdenes de la física y de la psíquica social —incluyendo en este último capítulo los conceptos religiosos de carácter politeísta— se distinguen entre ellas diferencias específicas en el sentido que más íntimamente nos importa. Quiere ello decir que existen rasgos generales de índole más o menos cuantitativa presentes en todas esas individualidades orgánicas, pero también que se registran distinciones de cualidad que la Sabiduría biológica se ha cuidado de hacer ostensibles. Porque así como entre el hombre y el antropoide se observa un haz complejo de diferencias centrado en la función específica del lenguaje, así en el cuerpo de la humanidad hoy constituido se disciernen, frente al enigma del Espíritu cuyo Advenimiento puede parecernos inminente, distinciones susceptibles de ser claramente razonadas. Y entre ellas sobresale en el ámbito de lo esencial el factor equivalente al lenguaje: el Verbo intrínseco.

He aquí un carácter que sitúa al complejo judeo-cristiano en un polo positivo relativamente a la idea de una revelación histórico-verbal atribuible al Espíritu, mientras que los demás grupos culturales hoy en vida se agrupan en la orilla opuesta. Se encarece advertir que el carácter es decisivo. Porque si de lo que se trata es del Ser intrínseco, parece incontestable que, por su condición misma y en cuanto «causa final», haya tenido éste que hallarse positivamente activo durante el desarrollo del proceso en que se efectúa su manifestación, filtrándose su presencia de algún modo en la manera como la mente de esta cultura entiende el sentido de la vida [2]. El hecho de que el judeo-cristianismo se distinga por su conciencia teleológica o de vida modalizada por el futuro universal, y que su teleología se proyecte al advenimiento de esa entelequia que se define enigmáticamente como el *Verbo de Dios* —así lo expresa con todas sus letras el Apocalipsis y con todo su Espíritu el Cuarto Evangelio— es algo que viene a confirmar de un modo radical y también positivo la diferencia de valor que existe entre el judeo-cristianismo y el de las otras formas de cultura. En efecto, por obrar en la conciencia del ente judeo-cristiano o, si se prefiere, en su pre-conciencia, ese sentido creador hacia el porvenir —y creador mediante la palabra— el judeo-cristianismo constituye el único ámbito en cuyo seno han podido brotar de un modo espontáneo, como por inducción natural, los sistemas especulatios que se ocupan directa o indirectamente del futuro universal de la especie a través del «progreso», realidad en la que las otras sociedades hoy vivas han demostrado no tener ni interés ni voz ni voto. He aquí algo que caracteriza específicamente la

2. A título de ilustración, este postulado de Whitehead: "Cómo una cosa real adviene a ser *(becomes)*, constituye *lo que* esta entidad real *es*. Este principio establece que el 'ser' de una *res vera* está constituido por su 'advenimiento' *(becoming)*". *Process and Reality*, Nueva York, Macmillan, 1929, p. 252.

diferencia constitutiva de esos super-organismos o entidades civilizadas. Porque si, según hemos sostenido, el Espíritu se halla realmente entrañado a la conciencia del proceso histórico creador, la disparidad entre el judeo-cristianismo y las culturas hoy existentes estriba en que el primero manifiesta hallarse «impregnado» de Espíritu absoluto, mientras que las otras no. Aquél es espiritual en su tendencia —cualitativo— y las demás psico-somáticas en mayor o menor escala —cuantitativas—, conforme a la distinción que estableció Pablo entre los hombres. Entre una y otras se interpola la creencia en el misterio de la Infinita Sabiduría de Dios «en misterio oculta».

Procede encarecer con energía la anterior noción ante los ojos del pensamiento científico y filosófico en general y del anglosajón en particular, tan exclusivamente pagados por lo común de su linaje antropohelénico. La cultura griega, como la hindú o la china, son estáticas, sin dinamismo trascendental, sin Espíritu creador. Obsérvase, por ejemlo, que cuando en su academia geométrica Platón llega estéticamente a la convicción de que el planeta Tierra es redondo por ser la esfera, a su juicio, la figura más hermosa, si ignora que en realidad lo es por ser la más rotundamente dinámica se debe a que el dinamismo esencial, creador, ni tiene en él cabida —aunque lo defienda en otros terrenos— ni consuena con sus abstracciones ideólogos-espaciales. La mente de dichas culturas no ha logrado acceso a ese recinto de la conciencia intrínseca de la realidad donde se conoce o presume en su alcance universal lo que el Ser está determinando. No se ha sospechado en el seno de ellas que el crecimiento de la vida planetaria se proyecta a una situación entitativamente nueva, universal, de «ciudad» y de «cielo» y «tierra» tan radicalmente distintos que implica el «fin del mundo» o desaparición de los estados preliminares, al grado que la conciencia tiene que imaginarse llamada a Ser en una situación *post-mortem*. Ninguna de dichas entidades puede ufanarse de estar hiperespecificada como el judeo-cristianismo, en cuya imaginación esas palabras «ciudad», «cielo» y «tierra» se comprenden como símbolos del *Verbo* o idioma en que se expresa el Espíritu ab-soluto, esencialmente activo, libre, escoltado en su marcha por las espirales del espacio-tiempo. Ninguna de ellas ha sido, lógicamente, sino el judeo-cristianismo, quien ha procurado los requisitos materiales necesarios para el establecimiento de la universalidad efectiva.

Este de las culturas es un campo en cuyas indistinciones prospera la confusión y se claudica o por encogimiento o por insuficiencia. Y lo mismo que de las culturas ha de decirse de las religiones que les son connaturales. Si no se presta un oído suficientemente afinado a las armonías lógicas a que estos fenómenos se conforman en la expresión de su contenido, no es posible comprender las palabras que se envuelven en su música. Este es el punto débil que, a nuestro juicio, mengua las posibilidades que procura una erudición tan dilatada y pulcra, por ejemplo, como la de Toynbee. Para hablar, como él lo hace en sus previsiones acerca de la unificación del mundo, de las cuatro grandes religiones vigentes hoy día en un pie de igualdad, es necesario rebajar el judeo-cristianismo a la simple condición de cristianismo occidental y desconocer la razón del Espíritu absoluto que constituye la cualidad de su diferencia última. Más cerca de lo justo se encuentra en este sentido Hegel por el solo hecho de advertir que «la religión judía es la primera en que el Espíritu es concebido de un modo universal»[3], aunque para justificar las ambiciones de su personalidad germánica cayera en la arbitrariedad de desgajar al cristianismo del judaísmo y luego de reducir sectariamente aquél a un germano-cristianismo simple.

La deformación que acusa, a nuestro juicio, la perspectiva de Toynbee es de otra índole; corresponde al «ángulo terrestre» intrínsecamente medieval de Inglaterra. Ante la formidable catarata de la universalidad que ha roto todos los diques y que consiente rendirse a la necesidad de una síntesis mutacional nueva, el hombre anglicano, acomodado a sus penumbras, trata de salvar, frente a la magnificación del género, la clase específica de su espíritu relativo. Congruye oírle sostener a Toynbee, con el cristianismo medieval, la imposibilidad de que la naturaleza humana experimente cambio alguno, mientras dure la vida terrestre, haciendo caso omiso del «cuando apareciese seremos semejante a él porque le veremos tal cual es», que constituye una de las grandes claves sino la clave Espiritual del judeo-cristia-

---

3. *Filosofía de la Historia Universal*, ed. cit., p. 40. Hegel dice "la primera" para distinguirla del cristianismo y poder estructurar así el sistema cristiano-germánico que desemboca en su filosofía.

nismo [4]. Panorámicamente pudiera sustentarse que este modo de pensar ignora la posibilidad de la «encarnación» del Espíritu en la humanidad como un todo, de la que tal vez fueran pasos iniciales judaísmo y cristianismo. Así Toynbee desconoce gravemente el valor de lo social —de la «ciudad», del Verbo—, en beneficio de la relatividad de un espíritu más morigerado.

Mucho más cerca de lo exacto parece hallarse en este aspecto Teilhard de Chardin cuando se alza contra la idea de la invariabilidad del hombre a que se aferra el individualismo a la Toynbee, hoy tan extendido, para sostener que el proceso humano ha venido realizándose desde hace unos treinta mil años a través de las entidades culturales —o verbales— que se proyectan al nuevo estado de planetización en que el reino comunal del Amor, tan análogo al reino de Dios, se adueñe de la esfera terrestre. Teilhard concibe ese estado como una nueva especie superior a la denominada por los biólogos *homo sapiens*. Quizá fuera más justo dejar a un lado en este horizonte el vocablo «especie» para servirse del de «género». No se antoja imposible que ese Ser de cuya aparición hemos venido hablando fuera el correspondiente al género humano como un todo y del que el *homo sapiens* sería sólo una especie precursora como ya hubo otras —por no decir una larva—. El todo constituiría una entificación genérica a la que quizá pudiera convenirle el nombre propio de *Espiritumanidad*.

4. Arnold J. Toynbee: *Civilization on Trial*, Nueva York, Oxford University Press, 1948, p. 248.

Nada de lo dicho repugna, sino, al contrario haciéndole justicia a Toynbee, con su idea de que el futuro de la humanidad en este mundo —si la humanidad ha de tener un futuro en «este» mundo— radica en el círculo de las grandes religiones[5], ya que en ellas es donde se elabora la conciencia metafísica indispensable para el entendimiento del Espíritu. En tal sentido no es dado en el mirador volante, por decirlo así, que aquí se ocupa, disentir de él sustancialmente cuando afirma que el campo de lo religioso es sin duda aquél en que el movimiento centrípeto de la humanidad va a concretarse, porque a la religión le corresponde en la historia la primacía por ser *after all* el negocio más serio de la raza humana[6].

Sin duda el más serio, pese a las diferentes formas de materialismo, indispensables a su vez, por ser aquél del que depende la conciencia genérica de la nueva humanidad, «causa final» del proceso y requisito para su futuro, de suerte que ni aún en las situaciones antropológicas más primitivas ha dejado el espíritu religioso de manifestar en alguna forma su presencia. Así cuando los accidentes no impedían aún discernir la substancia, podía sostenerse por personas conceptuadas que sólo «la sociedad resulta posible por la religión»[7] o que «nunca ha habido sociedad sin religión»[8] —como no

5. *Ibíd.*, p. 159.
6. *Ibíd.*, p. 94.
7. Thomas Carlyle: *Sartor Resartus*. London, Chapman, 1858, p. 132.
8. Henri L. Bergson: *Les deux sources de la morale et de la religion* (Ginebra, Skira, 1945, p. 99). Cf. Emile Dukheim: *Les formes élémentaires de la vie religieuse*

la ha habido sin lenguaje, lo que asimila a uno y a otra de algún modo— [9]. E incluso, para escándalo de los filósofos testarudos, podía escribirse —claro que por un «poeta teólogo»— que «en el orden de la Providencia, según se nos ha revelado por la historia, parece que la causa final de la filosofía ha sido preparar el camino a la religión» [10]. Una vez más el poeta hace suya la razón de la «locura».

Tampoco en este orden de cosas le es dado a quien escribe oponer objeciones sino de grado a las palabras que van a copiarse, agudas quizá hasta el profetismo, del mismo Toynbee. Constituyen algo como la aguja extrema, ofrecida a la descarga celeste, de su construcción histórica. Procede advertir cómo en esa página imaginativa sostiene el historiador inglés la probabilidad de que exista un «plan divino» de la historia ajeno a los procesos psíquicos y mecánicos de griegos y de hindús, el cual «trasciende nuestras facultades humanas de visión y de comprensión»; cómo rinde homenaje articulado y exclusivo a la continuidad de la razón judaica de que proviene la conciencia de nuestra cultura; cómo aunque tímidamente expresa su acatamiento a una realidad superior al destino

---

(París, Alcan, 1912). En *Economía y Sociedad*, Max Weber estudia muy ilustrativamente la interrelación e influencia de la religión sobre la economía (trad. J. Roura Parella, México, Fondo de Cultura Económica, 1944, vol. II). No cabe hacer de ello caso omiso.

9. La religión "me parece a mí que es tan universal como el habla y como el empleo de utensilios materiales". Edward Sapir: *Selected Writtings* (Berkeley, University of California Press, 1949, p. 346).

10. Samuel T. Coleridge: *The philosophical lectures*, Nueva York, Philosophical Library, 1949, p. 247.

de Occidente, y cómo de modo implícito concede la posibilidad de que «algo» haya venido forjándose a través de las civilizaciones sucesivas. Todo ello suena a cosa excelente.

Al paso que las civilizaciones nacen y mueren y al morir dan nacimiento a otras, cabe que algún propósito intencionado, superior a los de ellas, estuviese en todo momento yendo de frente, y, en un plan divino, el conocimiento que proviene del dolor causado por los fracasos de las civilizaciones, podría ser el medio soberano del progreso. Abraham fue un emigrado de una civilización *in extremis*; los Profetas fueron hijos de otra civilización en desintegración; la Cristiandad nació de los sufrimientos de un mundo grecorromano que se descomponía. ¿Podrán encenderse algunas luces espirituales comparables en las «personas desplazadas» que constituyen en nuestro mundo la contrapartida de aquellos judíos desterrados a quienes tanto se les reveló en su exilio doliente junto a las aguas de Babilonia? La contestación a esta pregunta, sea la que fuere, es de importancia mayor que el destino todavía inescrutable de nuestra civilización occidental, abarcadora del mundo.[11]

El lector juzgará. Se han traído esas frases a colación por los horizontes que entreabren

11. A. J. Toynbee: *Civilization on Trial*, ed. cit., p. 15.

267

y en la creencia de que tal vez no disguste a su autor que se las recuerde.

De todos modos, la enseñanza que desprende el pensamiento cernido en la obra frondosa y elaborada de Toynbee es que el futuro de la humanidad radica en el círculo de las grandes religiones, es decir, en el del Espíritu. Si realmente fuese esto así se debería a que la suma síntesis a que aspira nuestro tiempo requiere para fraguarse la determinación previa de la conciencia trascendental, y en tal sentido la importancia de ese órgano, que ha dado movimiento a las religiones y del que depende la razón de la conciencia creadora, superaría en dignidad a la que representa el aporte material de las civilizaciones o culturas. Para hacer compatible la concepción del mundo de Toynbee con los resultados obtenidos en las páginas precedentes, habría que dar por supuesto que la revelación del Espíritu con miras a la realización de la humanidad universal, de que hemos venido hablando, debería provenir más bien por el cauce progresivo de las religiones, que es su fuero especializado, que por el camino material de las culturas, por más que unas y otras se hallen, como suele reconocer la antropología, en interdependencia.

Ahora bien, si la revelación que puede esperarse del pasado procediera del Espíritu absoluto, parece improbable que la presencia de éste se haya manifestado específicamente en ningún sistema expresivo que no empiece y se distinga por dar señales de conciencia trascendida por su realidad. Cabe por tanto pensar que se comete un fraude involuntario al no admitir que es vano esperar la ab-solución espiritual por medio de ninguna de las religiones existentes fuera de la judeo-cristiana. No es improbable que el error de Toynbee, si lo hubiese, se debiera en este caso a la inexactitud básica de considerar al judeo-cristianismo como una religión equiparable a las restantes. Sólo es esto factible, según hemos ya observado, cuando el criterio evaluante despoja al judeo-cristianismo de su calidad suprema para convertirlo en la religión estatificada de una civilización o cultura: la medieval del Occidente que se alza en los siglos iv al vi sobre las ruinas del imperio romano. Se dijera que Toynbee es víctima en este punto del mismo error de perspectiva que Hegel y por razón semejante. Uno y otro imaginan sus sistemas *a medida del hombre* germánico en sus variedades alemana y anglosajona, inventora esta última de ese formidable gigante Albión de Blake que, como suplantador de Yhwh, ayuda a comprender importantes cosas [12]. Mas, como muy bien lo reconoce Hegel, según se ha visto, y lo da a entender el mismo Toynbee cuando se libera de la letra de sus productos históricos para lanzarse a especulaciones como las del texto copiado, el judeo-cristianismo se clasifica en círculo diferente.

El judeo-cristianismo con sus manantiales remotos y los afluentes que lo nutren es la concreción de un estado de Espíritu proyectado a la reunión del hombre, no simplemente en cuan-

12. Por razón en cierto modo parecida, podía H. Taine decir de Stuart Mill: "Il a décrit l'esprit anglais en croyant décrire l'esprit humain. C'est sa gloire, mais c'est aussi sa faiblesse" (*Le positivisme anglais, Stuart Mill.* París, Ballière, 1872, p. 102).

to individuo, sino en cuanto multitud homogénea de individuos, en cuanto cultura, con la divinidad. Su punto real de partida es la conciencia de la inadecuación esencial que existe entre el sentirse ser hombre-pueblo y el universo que a éste lo envuelve. El hebreo echa a andar, pues, en la presencia del Altísimo que *le habla* y le dirige creadoramente desde fuera del espacio-tiempo, estimulado por la promesa que, no obstante ambigua, implica la universalidad desde el principio.

Este sentimiento renovado del devenir progresivo del pueblo en compañía del Espíritu creador, significa que lo trascendental del destino terráqueo ha inoculado ya sus trasluces en la conciencia humana. Como las catedrales siglos después, la razón hebrea recibe la claridad metafísica a través de unas cuantas vidrieras pobladas de figuras, que la consagran a un nomadismo serpentiforme hacia el cumplimiento en que se concreta su causa final. Abraham saldrá de Mesopotamia. El pueblo elegido saldrá primero de Egipto, luego de Jerusalem a Nínive y Babilonia. Más tarde Jerusalem será arrasada y su población se esparcirá por el mundo para sembrar los cimientos de la Jerusalem Nueva. He aquí lo que distingue al israelismo, ávido de contemplar a «Soy el que soy» cara a cara, de las otras religiones y culturas. Y esto es lo mismo si se lo considera enteramente histórico que en buena parte «mítico». Frente al estatismo embalsado y extenso de dichas otras culturas y religiones, el misticismo judaico posee la presciencia de una progresión dinámica a lo largo del tiempo, que le confiere la dimensión espiritual del Dios vivo.

270

El cristianismo, hijo de ese afán de sobre-pujanza, no es en su autenticidad original la religión de un pueblo determinado ni de una civilización. Es un estado de Espíritu nacido en el triángulo en que se coyuntan los tres antiguos continentes, que, al infundirse en el estatismo greco-romano, se constituye en cultura con tendencia a la generación de una humanidad universal, nueva. Muy bien pudiera sostenerse, utilizando los conceptos lógicos de Hegel, que por obrar desde el comienzo en el judeo-cristianismo la razón cualitativa correspondiente a la cantidad de las civilizaciones circundantes, puede en él reconocerse el impulso capaz de efectuar en su día el tránsito general definitivo de la cantidad a la cualidad. O si se prefiere, de hacer reinar en un meta-organismo vivo la homogeneidad continua del Espíritu sobre la heterogeneidad de las «sustancias» individuales. Más, tal vez pudiera uno atreverse a decir de él que constituye en el orden psicoespiritual algo equiparable analógicamente a esa «conscious matter» que un pensador científico de la más alta responsabilidad supone, al tratar de la disputada «indeterminación» física, que existe en el cerebro humano: «materia consciente» que por su indeterminación parcial —por su translucidez, cabría decir— responde al influjo de una voluntad de origen ajeno al de la materia fortuitamente automática, transmitiendo al sistema neuro-muscular la volición que este último convierte en acción «determinada» [13].

13. Arthur Eddington: *The Philosophie of Physical Science*, Nueva York, Macmillan, 1939, pp. 180-181.

La tendencia natural del pensamiento a la uniformidad por razón equitativa o de justicia, podría encontrar las anteriores sugerencias inadmisibles. Pero un organismo, ¿no es básicamente un producto de la diferenciación con miras al cumplimiento de un complejo de funciones de que se benefician todos sus componentes? ¿No tienen las individualidades, lo mismo las corpóreas que las corporadas de los insectos, un sistema consagrado especialmente a la generación? Sobre todo que el *judeo-cristianismo*, no en cuanto cultura —que nunca lo ha sido—, sino en cuanto itinerario metafísico colectivo, ha distado de trabajar en provecho material de sus verdaderos miembros que, cargados con su cruz, tomaron la vía de su propio calvario. Quien pudiera sentirse inclinado de un modo particular a tachar estos conceptos de injusticia, sería el gran pensamiento del Oriente. Pero precisamente la idea práctica de organismo que ha concebido la mente social hindú supone una diferenciación de esta misma naturaleza especializada. Así, por ejemplo, las *Leyes de Manu* describen las cuatro castas principales de la India —Brâhmana, Kshatriya, Vaisya y Sudra— como procedentes de la boca, de los brazos, de las piernas y de los pies del Señor, origen que confiere a cada una de ellas un destino social conforme a su jerarquía [14]. ¿Les sería lícito indignarse, pues? De otro lado no cabe dejar de reconocerle hoy día al Occidente el derecho que le ha otorgado la Sabiduría hacedora de descubrir y propagar la ciencia llamada a unificar materialmente el mun-

14. "Laws of Manu", cap. I, 31, *Sacred Books of the East*, Oxford, Clarendon, 1886, vol. XXV, pp. 13-14.

do, puesto que por fortuna es un hecho ya consumado —mientras que China no logró pasar en este empeño de un nivel primerizo—. Lo cual no es producto de injusticia; es demostración de que el desarrollo de la historia es un fenómeno de organicidad sumamente compleja, con tendencia a una superior organicidad que resulte en un florecimiento generalizado.

Tan conformes a la realidad nos parecen a estos propósitos algunas consideraciones que la naturaleza del judeo-cristianismo ha inspirado al criterio antropológico, que no resistimos a la tentación de servirnos de ellas para concluir este aspecto de nuestro examen.

> Es un mito acerbísimo este mito hebreo de ser pueblo elegido, de la divina promesa enunciada, de la aterradora carga moral impuesta —un preludio al mito más tardío del Reino de Dios, «tierra prometida» aún más espiritual y remota—. Porque en el mito del pueblo escogido, la majestad inefable de Dios y la bajeza del hombre aparecen correlacionadas en un trance dramático que debe desarrollarse en el tiempo y que avanza hacia un futuro donde las distanciadas pero correlativas paralelas de la existencia humana y de la divina han de encontrarse en el infinito.
>
> No los fenómenos cósmicos, sino la historia misma ha quedado aquí preñada de sentido; la historia se ha convertido en una revelación de la voluntad dinámica de Dios.[15]

15. Henri Frakfort: "The emancipation of thought from Myth", en *The intellectual adventure of Ancien Man*, The University of Chicago Press, 1946, p. 370.

# Tres desplazados (1955)

En relación con cuanto ha quedado expuesto
y sugerido, se distingue entre el gran número
de «individuos desplazados» de que habla Toynbee, uno que reclama en este punto consideración especial —Nikolai Berdyaev— por la posición que ocupa y por lo que, tocante a lo que
nos interesa, arrastran y significan su voz y su
persona. He aquí un verdadero paladín del
Espíritu, alguien que es una lucidez sin des-
canso. En virtud de este carácter espiritual y
no por otro motivo, puesto que «consideraba
la revolución inevitable y justa», fue Berdyaev
expulsado de su tierra rusa en 1921 [1]. Desde entonces y hasta su muerte en 1948 sostuvo una
cruzada personal que fue creciendo constantemente en amplitud y volumen, según lo permite apreciar la quincena de libros que escribió
girando siempre en torno de un muy determinado núcleo de ideas. Girando en torno, a lo
energúmeno, para trabajarlas como en yunque
sin cesar, bien caldeadas día a día.

Muchos de sus lectores conceden a Berdyaev
la categoría de filósofo y hasta él se piensa a

1. N. Berdyaev: *Slavery and Freedom*, Londres, Bless,
1940, p. 16.

sí mismo en esta forma. Sin embargo, no parece que los filósofos estilados y estrictos de nuestros días se hallen propensos a conceder esta consideración al pensador ruso. No les falta alguna razón. Berdyaev es algo diferente de un «filósofo» en el sentido en que académicamente se comprende la Sofía. El, como Pablo, corre tras la Sabiduría de Dios que sólo puede comprenderse espiritualmente, y por ello se define al definir al hombre de un modo característico. «El hombre es un ser espiritual», dice. «Espíritu es sujeto, subjetividad. Es libertad y acto creador»[2]. En esto se asemeja profundamente a Hegel, nutrido aún de conceptos trascendentales. Pero Berdyaev es algo distinto y en realidad superior a lo que Hegel pensaba que era un filósofo. Lejos de ocuparse exclusivamente del pasado, como pretendía Hegel al meditar su *Filosofía de la Historia*, Berdyaev piensa en el porvenir y sólo a este título, podría decirse exagerando un poco las cosas, se interesa por el pasado. Berdyaev, por consiguiente, filosofa en profeta. Así sostiene con toda ingenuidad que «la filosofía de la historia sólo puede ser profética, reveladora del misterio por venir»[3]. Su estado de espíritu se impregna con los mismos valores escatológicos que al pensamiento de la mente greco-romana lo distrajeron de la filosofía tradicional para integrarlo al cristianismo. Lo profético, la imaginación propia del Espíritu creador: he ahí el valor dilucidante. Para que su convicción no pase inapercibida, volverá a insistir: «Es evi-

2. Id.: *Spirit and Reality*, Londres, Bless, 1937, p. 6.
3. Id.: *Dialectique existencielle du Divin et de l'Humain*, París, Janin, 1947, p. 13.

dente que la filosofía de la historia no puede ser científica, sólo profética. Supone la visión que emana del futuro. Esta luz es la que da sentido a la historia»[4]. Resulta, pues, manifiesto que de Hegel a Berdyaev la dialéctica histórica ha girado relativamente al ser del «filósofo» de 180 grados[5].

Berdyaev se comporta no sólo como profeta, sino como profeta compendio. En él por lo pronto se concentran y resumen las corrientes espirituales que venía madurando el pensamiento ruso desde el Romanticismo y que al principio del siglo actual conocieron en torno a la figura de Soloviev un renacimiento poderoso. Berdyaev personifica, fuera del territorio ruso, cuanto de universal reprime y pone al margen el ideario materialista bolchevique. El solo es un ejército en el que se despliegan los conceptos prohibidos dentro de su patria. Pero es tan acusada su personalidad, tan inquebrantables sus convicciones y se hallan éstas tan entrañadas al desarrollo histórico del mundo, que sin él —que es un pregón de cualidad— no puede comprenderse en su plenitud lo que significa el fenómeno cuantitativo de Rusia. Berdyaev constituye indicativamente el hemisferio de que carece su patria, clausurada en su subjetividad bolchevique como lo estuvo la Edad Media en la subjetividad agustiniana que no concedía lugar a los antípodas.

4. *Ibíd.*, p. 207.
5. Adviértase cómo un sentimiento afín, aunque de "razón" distinta, es el que anima a Spengler, que inicia su *Decadencia* asentando: "En este libro se acomete por vez primera el intento de predecir la historia". Pero no es el suyo un intento filosófico sino, como él mismo afirma, poético.

Ahora bien, si Berdyaev es profeta y profeta ruso en relación con el porvenir de esa Rusia que está determinando el despertar del Asia, a la vez que es profeta de la humanidad transfigurada por un cristianismo de un matiz distinto al de Europa Occidental, es evidente que su palabra de desterrado «sobre los ríos de Babilonia» presenta un interés de primer orden para quien aspire a comprender el destino que se fragua en el mundo. Por consiguiente, es obligado atender a lo que el escritor ruso profetiza en relación con ese encuentro trascendental que pende sobre la conciencia de la Humanidad, del que venimos ocupándonos. ¿No sirven sus coordenadas para fijar como por triangulación la especie de porvenir a que nos precipita el desarrollo natural-sobrenatural de la Historia?

También en este aspecto es Berdyaev un compendio, profeta de profetas. Hasta podría decirse que su dolor de persona desplazada ha ido manteniendo en él una lucidez suficiente para integrar a dosis paulatinas el conjunto que el espíritu profético de la cristiandad dejó al margen al recluirse en la cápsula esclerosada de su institucionalismo. En cierto modo, así como en la figura de Juan Bautista recapituló el judaísmo todos sus antecedentes de «hombre del desierto» para proyectarlos sobre la persona mesiánica del «hombre del paraíso» o segundo Adam, significado por Jesús, así, en cierto modo también, Berdyaev resume los caracteres del gran período histórico en postrimerías para proyectar su significación hacia un futuro inminente. En suma, puede decirse que en su impulso se recogen todas las tendencias que hacia la realización del Espíritu en la tierra han venido infiltrándose a lo largo del desarrollo del cristianismo.

En el pensamiento de Berdyaev se advierte cómo las muchas ansias de un mañana mejor que han dado lugar en el transcurso de los siglos a los distintos enunciados proféticos, son una y la misma, y cómo son una y la misma las profecías que de cuando en cuando han venido dando aldabonazos en la puerta de la cristiandad. Así en el desterrado ruso que entiende sin dificultad el lenguaje de ciertos símbolos, el milenarismo de los primeros cristianos que codiciaban más que aguardaban el Advenimiento, se identifica con los anhelos que trascienden su propia persona. Cree en la instauración real y social del «tercer reino» o reino del Espíritu, sintiéndose albacea testamentario de la corriente que arranca dentro de la «catolicidad» con Joaquín de Fiore y que ha venido alimentando por lo bajo las esperanzas del progreso hasta nuestros días. Se inviste también de la tendencia que hacia el porvenir promueve el Espíritu de la Reforma, tal como se enuncia en la filosofía «sofiánica» de Boehme, que Berdyaev integra a su propio universo. Por ello tal vez se siente ser una especie de legatario universal de la intensidad hacia el Espíritu que el Romanticismo representa, según se especificó en páginas anteriores. Hegel, Schelling, el polaco Cieszkowski, por el que confiesa una predilección marcada, son sus inspiradores inmediatos en cuanto que predican en sus respectivas maneras lo mismo que él predica: la constitución del reino material-espiritual de la meta-historia. Sin temor a ser corregido puede afirmarse que la posición profética de Berdyaev pregona anunciativamente la síntesis prometida a la tesis romántica del Espíritu absoluto. Enuncia el fin de un proceso dialéctico cuya posición de antítesis corresponde a Marx y abarca en el seno de sus grandes curvas la realidad histórica de la Unión Soviética que realiza históricamente las faenas propias de ese estado antitético de «tercera Roma», necesario para el logro del fin de la Historia universal.

En efecto, para Berdyaev —como para el cristianismo, como para Hegel— la historia, en el sentido que se la comprende, tiene un fin. He aquí el «period» o punto final de la gran circunferencia en que se vertebra la evolución histórica. Porque la historia, el sentimiento histórico, es escatología, proyección a un fin que da sentido a un proceso de otro modo insignificante y magmático. Y dicho fin, que viene realizándose en etapas o fases a través del proceso dialéctico entre lo humano y lo divino, se identifica con el Advenimiento mesiánico indispensable para la realización del Dios-Humanidad de Soloviev en una situación universal nueva, correspondiente a la «persona» del Espíritu. Hacia esa Nueva Jerusalem tiende según el mismo Berdyaev, la ansiedad mesiánica del pueblo ruso. Para su realización «se requiere tener todavía la experiencia de una era del Espíritu Santo en la que haya una nueva revelación acerca de la Sociedad. Para esto, el camino está siendo preparado en Rusia» [6].

6. N. Berdyaev: *The Russian Idea*, Londres, Bless, 1947, página 255. Quizá no desagrade oír a estos propósitos, así como a los de páginas anteriores, la lejana voz de un riguroso Padre de la Iglesia: "No podemos saber los

Puede advertirse que, aunque el razonamiento de Berdyaev no tenga en cuenta los aportes del conocimiento científico, la sustancia que en él precipita la consideración de la historia en función de su finalidad, le induce a mostrar puntos capitales de coincidencia con las ideas del P. Teilhard de Chardin, quien sabe de ciencias y de catolicidad, pero ignora la historia. Resulta sumamente ilustrativo este acuerdo entre los índices actuales de dos corrientes, oriental y occidental, diferenciadas. Ambos coinciden en lo socio universal constituido por la comunidad del Amor, mediante la aparición de ese punto Omega o punto final que convierte a la historia en escatología. («El Amor es el objeto final del Universo, el Amén de la historia Universal», había dicho Novalis.) En ese punto redondo, como en el círculo final del Paraíso dantesco —obra de otro egregio «desterrado»—, se geometriza el rostro del Dios-Humanidad, segunda persona o hipóstasis de la Trinidad divina [7,] cosa que en Teilhard de Chardin se define como la aparición de una «especie» humana nueva. Claro que cada uno de estos pensadores emite al ser bañado por las luces del mismo sol coloraciones distintas, más espi-

---

secretos y universales misterios que se retienen guardados en la Jerusalem celeste, mientras no se desgarre ante nosotros el velo de la historia, de suerte que ingresemos en el atrio de Dios". Hieronymus: *Epístola CXX, Ad Hedibiam, VIII,* 2 Patr. Lat., XXII, col. 992.

7. "El Segundo Rostro de la Divinidad se manifiesta como el rostro humano, y por este mero hecho el hombre se encuentra a sí mismo en el centro del Ser". N. Berdyaev: *Slavery and Freedom,* p. 206. Cf. Dante, *Il Paradiso,* canto XXXIII, in fine.

ritualmente irisadas en el jesuita biólogo, más socialmente concretas y más teológicamente arquitecturadas, aunque parezca mentira, en el pensador ruso. Pero ambos, cada cual a su manera, son tan escatólogos, tan finalistas, tan espirituales en su intención uno como el otro, y tan dependientes de la esperanza de una revelación nueva, identificable quizá con la conciencia permanente del «fin».

No se pretende aquí presentar un cuadro detallado ni completo del sistema de ideas del exilado ruso. Lo que importa es advertir cómo su concepto de más allá, en el que convergen las tendencias proféticas del cristianismo e incluso las complementarias del «progreso», procede de las entrañas mismas del pasado humano en general y de lo judeo-cristiano en particular, y cómo presupone la necesidad de un acontecimiento en el que los términos humanidad y divinidad se conjuguen, merced a la intervención del Espíritu que determine la construcción de una sociedad nueva en una época nueva. No puede pasársenos por alto que el fenómeno representa una proyección a la humanidad como un todo, de aquello que los Evangelios refieren acerca de la «Encarnación», es decir, de ese hacerse carne del Verbo que, como antes se advirtió, fue el alfa o punto de partida de la era por la que la humanidad ha venido, en estas vísperas de universalismo, a regirse.

Pero si dejando a un lado los con frecuencias admirables conceptos teóricos de Berdyaev, siempre cambiantes en su identidad, siempre ricos porque siempre vivos, se quiere recoger en el *aspecto práctico* unas pocas frases de muestra que den testimonio de su posición frente al problema que se viene aquí considerando, puede optarse por la siguiente, del capítulo titulado «Mesianismo e Historia».

El Mesianismo es lo que nos ayuda a comprender no sólo el sentido de la historia, sino también el modo de formación de la categoría de lo «histórico». La historia resulta de la espera de un gran acontecimiento que debe producirse en el porvenir y que será una revelación del Sentido mismo de la vida de los pueblos. La espera de la aparición del Mesías y del advenimiento del reino mesiánico. El movimiento de la historia se efectúa hacia esta aparición mesiánica que pondría fin a la esclavitud y a los padecimientos y será un reino de bienaventuranza para los hombres. La conciencia mesiánica nace en el sufrimiento. Si el sufrimiento no logra aplastar al hombre, se convierte en una fuerza tremenda. El mito mesiánico dinámico se orienta hacia el porvenir; a él se opone el mito mesiánico pagano vuelto por completo hacia el pasado. Los griegos se ocupaban de la contemplación del cosmos y de su movimiento cíclico que supone la eternidad del mundo, un mundo sin principio ni fin. Es decir, un mundo que evoluciona sobre todo en el espacio y no en el tiempo. Ni en Platón ni en Aristóteles se percibe una filosofía de la historia. El viejo Israel fue quien primero concibió una filosofía de la historia, el primero que tuvo la intuición de la revelación de Dios en la historia, revelación que encontró su expresión en los profetas y particularmente en el libro de Daniel. Sólo en el cristianismo resulta definitivamente posible [8].

En suma, la realización de Dios-Humanidad, fin natural de lo que Teilhard llama «planetización», resulta sólo posible para Berdyaev, en un más allá del período hoy en postrimerías y merced a la irrupción de la época del Espíritu.

Ahora bien, acerca del preciso particular Espíritu, no parece que Berdyaev tuviera ideas tan concretas como acerca de otros. Habla del Espíritu, se refiere al Espíritu como a un término entitativo necesario en la secuencia histórica, en cuanto tercera persona de la Trinidad que se revela. Las profecías anteriores le facilitan el esquema perfilado. Puede designarlo teóricamente con seguridad como se designa por medio de un rótulo el contenido de un frasco cerrado con tapón hermético. Pero en cuanto a la naturaleza y propiedades de dicho contenido, fuera del hecho de que durante su desarrollo ha de tener lugar la realización de la humanidad mesiánica, parece encontrarse a oscuras. Sin embargo, en vista de su predilección por las teorías del conde polaco August-Cieszkowski, a quien llama el más notable de cuantos predicaron la inminencia de una situación espiritual nueva, puede decirse que Berdyaev aguarda la «Revelación de la Revelación» puesto que ésta es una cita de aquél que Berdyaev recoge [9]. En realidad, lo que tanto

8. *Dialectique existencielle...*, p. 206.
9. N. Berdyaev: *The Russian Idea,* ed. cit., p. 213.

el polaco como el ruso consiguen es definir la tercera época, más que por sus rasgos positivos, por el simple hecho negativo de que constituye el final de la segunda y debe traer consigo la solución de los problemas que la vida histórica tiene planteados. El Espíritu ha de venir. Oigase al pensador católico polaco que, en cierto punto de bifurcación, representa la derivación dialéctica de Hegel en la línea espiritualista católica, así como Marx representa su derivación en la materialista.

El dogma completo del Espíritu Santo ha sido hasta ahora una profecía mística, una figura simbólica, un secreto prometido, pero todavía no real ni cumplida revelación (...). El día de inauguración de la Tercera Era del mundo ocurrirá cuando todo aquello que la humanidad únicamente ha sentido y percibido hasta ahora se cumpla (...).

Así como la Venida del Mesías prometido finalizó una edad, así el Advenimiento del Consolador pondrá fin a la segunda época: y el culto del Hijo Divino se exaltará al culto del Espíritu Santo.

Ciertamente, el Hijo Divino existía ya en cierto sentido en el Antiguo Testamento o más bien estaba en alguna medida revelado. Pero revelado sólo por promesa y profecía. No había cumplimiento de la promesa; ésta vino más tarde en el Nuevo Testamento donde la primera filiación divina vino a ser.

Lo mismo sucede con el Espíritu Santo, la Tercera Persona que completa la Trinidad divina. En el segundo Testamento estaba figurada no más, pero se dará expresión en el tercero. Y hasta que no se haga manifiesta «por el derrame del Espíritu sobre toda carne», la Santa Trinidad continúa siendo un Misterio oculto para nosotros. La Filiación Divina sólo se manifestó por el Advenimiento del Hijo Divino: la Santa Trinidad sólo puede manifestarse por el Advenimiento del Espíritu Santo.[10]

¿En qué fuentes pudo beber Cieszkowski los principios de su comprensión? Desde luego, no parece que el inspirador fuera Joaquín de Fiore, por completo arrumbado en aquella época. El pensamiento romántico que cundía por entonces, y la dialéctica de Hegel que llegó hasta aplicar al desarrollo histórico de la germanidad el esquema trinitario de Padre, Hijo y Espíritu [11], parecen haber sido los factores que le impulsaron —juntamente con otro que luego se verá— a proponer esta interpretación, no muy ortodoxa por cierto, al artículo del Credo que reza: *Et iterum venturus est cum gloria*, dejando distraídamente a un lado el *judicare vivos et mortuos*. El contenido sustancial de la época, dado por muerto y enterrado con todos los deshonores por el cientificismo y el positivismo, brota por sí solo, a la manera como medio siglo después de la muerte de Novalis

10. August Cieszkowski: *The desire of all nations*, edición inglesa (abreviada) de A. C. "Our Father" ("Oicze Nasz"), editado por William J. Rose, Londres, Student Christian Movement, 1919, pp. 220-224.
11. *Filosofía de la Historia Universal*, parte IV, Sinopsis y cap. III, 1, a.

brotó en la mente de Schelling que divisaba en lontananza la época que designaba con el nombre del evangelista Juan. En todo lo cual se descubre una gran coherencia de fondo, puesto que este Juan, evangelista del Verbo y del Espíritu, es el que dejó sentado el «cuando viniere seremos semejantes a él porque le veremos tal como es».

En realidad, si se mira con cuidado, se advierte cierta presencia muy misteriosa en el modo como esta anunciación de una nueva época del Espíritu ha venido engrosando desde hace siglos en Occidente para adquirir, contra los ventarrones materialistas, mayor impulso y caudal a partir del Romanticismo. Cieszkowski y Berdyaev representan los grandes jalones de esa tendencia en su desplazamiento hacia el Oriente, escoltando la marcha del materialismo dialéctico de Carlos Marx. Pero el asunto resulta mucho más misterioso todavía cuando se considera lo perfectamente bien que casan entre sí y atan sus cabos poéticos estos últimos fenómenos con la experiencia de otra «persona desplazada» y universalizada por el dolor en días asimismo de revolución aguda. Su época fue la del surgimiento romántico; la conmoción revolucionaria aquélla que se inició furiosamente con la toma de la Bastilla; el desterrado, el conde Joseph de Maistre, cuyas ideas no fueron ignoradas por Cieszkowski, conde y católico como él, puesto que él mismo lo declara (p. 133). Puede ello arrojar bastante luz sobre la formación ideológica de este escritor polaco tan admirado por Berdyaev.

Presenta caracteres muy notables la figura de Joseph de Maistre, «noble» desterrado que

287

en su riqueza paradójica puede permitirse el lujo de ser tenido comúnmente por el tipo del reaccionario perfecto a la vez que, en un plano menos vulgar, mereció el elogio sumo nada menos que de Baudelaire, el padre de la poesía moderna— francesa: «De Maistre, le gran génie de notre temps —un voyant!» [12].

«Vidente», el supremo epíteto a que aspira la penetración poética a partir del Romanticismo, según se manifiesta en los pensamientos de Novalis, d'Arnim, Baader, Passavant, etc., para rebotar tres cuartos de siglo después en la llamada «carta del Vidente» de Rimbaud, quien a su vez asigna la jerarquía de Vidente a Baudelaire, su precursor inmediato [13]. (¿No significará esto nada?) De Maistre «aigle et boeuf tout à la fois», insistirá el autor de *Las Flores del Mal* atribuyendo al aristócrata desterrado la virtud de dos de los animales simbólicos del Apocalipsis, llenos de ojos por delante, por detrás y por dentro [14].

12. Charles Baudelaire, "Lettre à Toussenel", 21 Janvier 1856, en *Lettres*, Mercure de France, 1906, p. 84. "De Maistre et Edgard Poe m'ont appris à raisonner", dirá Baudelaire en otro lugar (*Juvenilia. Oeuvres posthumes*, París, Conard, 1952, vol. II, p. 79).

13. "Il faut être voyant, se faire VOYANT. Le poète se fait *voyant* por un long, inmense et raisonné dérèglement de *tous les sens* (...) Les premiers romantiques ont été *voyants* sans trop bien s'en rendre compte. (...) Baudelaire est le premier voyant, roi des poètes, *un vrai Dieu.*"

14. "Qui n'a cherché quelquefois (...) la puissance de commandement et de prophetie dans l'oeil jeté à l'horizon, et la solide figure de Joseph de Maistre, aigle et boeuf tout à la fois?" (Ch. Baudelaire: *Edgar Poe, sa vie et ses oeuvres*, en "Juvenilia", etc., ed. cit., vol. I (1939), p. 268). Cf. *Apoc.*, IV, 6-8. Quien primero reconoció los dones proféticos de De Maistre fue Saint-Beuve, que

¿En qué sentido podría ser De Maistre un «Vidente»? ¿Pretendió ser acaso un poeta vaticinador o un profeta como los antiguos? Algún examen merecen estas cuestiones. Pero antes, si no se ha de perder la coherencia sintáctica que componen Berdyaev y el conde francés, es preferible recordar cómo uno y otro representan algo así como la personificación de la contrapartida espiritual de las dos grandes revoluciones, la francesa y la rusa. Berdyaev se desarrolla y escribe en Francia, por no poder vivir en Rusia; De Maistre vive y madura durante década y media en la corte de los zares, por no poder vivir en Francia. Escribe años después, como consecuencia, sus *Veladas de San Petersburgo* que, al menos por la categoría de lugar, alguna relación parecen guardar con la persona profetizante y escatóloga de Berdyaev. Pero además ocurre que en la oncena y última de dichas *veladas* o diálogos, dejada curiosamente sin terminar por De Maistre —como a veces sucede con ciertas obras de conclusión difícil, la cual parece encomendarse a manos del futuro—, es donde su autor resume las ideas que había rumiado toda su vida en relación con el tema que le absorberá a Berdyaev. Más; para exponer tales ideas recurre al único de los interlocutores de nacionalidad rusa, el *Senador,* cuyo modelo fue en realidad el senador ruso Tamara.

He aquí, por consiguiente, una serie de elementos que se articulan por sí mismos en una

lo llamó "filósofo medio-profeta" y "genio" (*Causeries du Lundi,* vol. IV, París, Garnier, 1851. "Lettres et opuscules inédits de Joseph de Maistre", página 193).

constelación visible, sobre todo cuando se advierte la coincidencia sustancial que muestran los esquemas ideológicos de ambos escritores. Los destinos francés y ruso, materialmente revolucionarios, parecen hallarse como abrazados por un solo corchete o llave que se complace en atribuirles sentido conjunto en otra especie de dimensión, cuyo significado ilumina espiritualmente el porvenir cada vez más antiguo, valorizado por tales fenómenos. Es ésta una constelación de la que dichos escritores son términos extremos, pero quizá no astros únicos. «J'attends les cosaques et le Saint-Esprit», decía, en efecto, no mucho antes de su muerte, ocurrida en el preciso año 1917 de la Revolución rusa, Léon Bloy el energúmeno, conjugando ambos planos. Y es de tener en cuenta que con esta frase terminaba su libro *En el Umbral del Apocalipsis*.

De Maistre no pretendió ser vidente ni profeta, aunque creía firmemente en el espíritu de profecía, según explica con extenso cuidado en esta misma conversación oncena para justificar la profecía de los otros [15]. Pero se hacía eco de un sentimiento generalizado a la sazón en la

15. J. De Maistre: *Les Soirées de Saint-Pétersbourg*, volúmenes IV-V de *Oeuvres Complètes*, París, E. Vitte (ed. ne varietur): "Onzième entretient", vol. V, pp. 232-239. He aquí unas frases: "El espíritu profético es natural al hombre y no cesará de agitarse en el mundo. Cuando el hombre intenta en todas las épocas y lugares penetrar el porvenir, declara que no está hecho para este tiempo, porque el tiempo es algo forzado que está pidiendo terminarse" (p. 235). "Los hombres espirituales experimentan a veces momentos de entusiasmo y de inspiración que los transportan al porvenir y les permiten presentir los acontecimientos que el tiempo madura en lontananza" (p. 239).

mente de la Europa culta. Este es un dato importante para comprender como los distintos índices que exhibe ante nuestros ojos aquel período romántico no son frutos del aislado capricho individual, sino distintas cristalizaciones de un sentimiento ingénitamente diluido en el alma de la época. Los movimientos socialistas en la línea de Saint-Simon —cuyas ramas Fourier, Enfantin, Comte, serán precursores de Marx— manifiestan con claridad la naturaleza religiosa secularizada de sus preocupaciones.

Pero ¿cómo sentían entonces las gentes en verdad religiosas? «No existe quizá un hombre verdaderamente religioso en Europa (hablo de la clase instruida) que no espere en este momento algo extraordinario», dice De Maistre al adentrarse en materia [16] Este «algo extraordinario» es descrito por él mismo como «un acontecimiento inmenso en el orden divino, hacia el que marchamos a velocidad acelerada» y para el que se preciso hallarse dispuestos [17]. Semejante acontecimiento se relaciona, no podía ser menos, con «la revelación de San Juan» y se compara con el acontecimiento del que ha venido la cristiandad creyendo ser profecía la famosa y palingenésica Egloga Cuarta de Virgilio: la encarnación del Verbo que inicia nuestra era. He aquí su argumentación, idéntica en cuanto a su figura a la de Joaquín de Fiore, al parecer desconocida por De Maistre [18], lo que

16. *Ibíd.*, p. 231.
17. *Ibíd.*, p. 255.
18. Por lo menos no se descubren indicios de Fiore en sus obras impresas. Cierto es que en su logia juvenil de Chambéry recibió el nombre de *Joseph a Floribus*. Pero por curioso que esto sea, no constituye prueba de dependencia deliberada del Abad Joaquín.

una vez más induce a pensar que es inherente al sistema y que surge en cuanto una conmoción histórica agrieta la costra superficial y se hace visible la «sustancia»:

Dios habló a los hombres una vez primera en el monte Sinaí y esta revelación se redujo, por razones que ignoramos, a los estrechos límites de un solo pueblo y de un solo país. Quince siglos más tarde una revelación segunda se dirigió sin distinción a los hombres todos, siendo. ésta la que disfrutamos: pero la universalidad de su operación debía ser aún infinitamente restringida por las circunstancias de lugar y de tiempo. Tenían que transcurrir quince siglos más antes que América viese la luz; y sus vastas regiones esconden todavía infinidad de hombres salvajes tan ajenos al gran beneficio que se sentiría uno inclinado a creer que se hallan excluidos de él por naturaleza en virtud de algún anatema primitivo e inexplicable (...).

Contemplad este cuadro lúgubre; añadid a él la espera de los hombres escogidos y veréis si los iluminados pecan de sinrazón al considerar como más o menos cercana una tercera explosión de la bondad todopoderosa en favor del género humano. Otra vez más, no censuréis a quienes de ello se ocupan viendo en la revelación misma razones para prever una revelación de la revelación.[19]

19. *Ibíd.*, pp. 239-241. Este alegato, puesto en boca del senador ruso Tamara, traduce en realidad los sentimien-

Desde el punto de vista de un pensador creyente que a la vez cree en el valor de la historia, el sistema no puede hallarse más sobria y razonablemente articulado. Ni Hegel, que en lo histórico se limitó a aplicar la tríada cristiana al germanismo, ni Schelling, ni ninguno de sus corifeos incluyendo los recientes, han captado con semejante naturalidad «de buey y de águila» el contenido del tiempo judeocristiano. Porque De Maistre aguarda el Advenimiento del Espíritu absoluto que Hegel reducía a la razón pensante. Prevé la ingerencia necesaria de ese *tertium quid* capaz de determinar la formación de la «gran unidad hacia la que nos dirigimos a grandes pasos» [20], la cual abarca, gracias a la agencia de «un lenguaje universal», al planeta entero [21]. La visión del exilado francés que desde San Petersburgo otea la significación de la historia en aquellos días de ruptura, es más universal, más «católica» que la de sus émulos y detractores. Se encuentra como al acecho de una «efusión nueva del Espíritu Santo» [22] «explosión de la bondad om-

---

tos del autor que, curándose en salud ante la ortodoxia, prefirió exponerlas de este modo indirecto. En una nota inédita escrita por De Maistre no pocos años antes en Venecia, el 9 de marzo de 1799, se lee: "Mediante una primera revelación, Dios concentró la verdad en una nación pequeña. Por medio de una segunda, Jerusalem se engrandeció. Sin embargo, permanece siempre *en medio de las naciones* (Ezequiel, V, 5). El complemento de la obra traerá una tercera manifestación" (según Emile Dermenghem: *Josep de Maistre mystique*, París, La Connaissance, 1923, p. 322).

20. *Ibíd.*, p. 242. Cf. "Deuxième Entretien", *Oeuvres*, IV, pág. 127.

21. *Ibíd.*, vol. IV, pp. 125-127;

22. *Ibíd.*, Vol. V, p. 246.

nipotente» que, aunque no lo diga, por fuerza tiene que arruinar la razón de la Iglesia en que milita, del mismo modo que la segunda puso fin a la vitalidad de la Sinagoga. He aquí lo que siente Europa en aquellas circunstancias convulsas, la necesidad del Espíritu que advenga a encajar las cosas en la universalidad y a cada individuo en su puesto.

Cuando se sabe que las palabras usadas con mayor frecuencia en los escritos de Baudelaire fueron *espíritu y espiritual* [23] y que todos sus esfuerzos tendían a desembarazarse del famoso «pecado original» que Rousseau había arrojado al cesto de los papeles, pero que a aquél continuaba cerrándole la entrada al «paraíso» hasta el punto de tener que consolarse «artificialmente» de tan dura desdicha, salen de la oscuridad de la subsconsciencia a media luz no pocas substancias psicológicas. Esa intuición a la que, después de haber recorrido con lupa y escalpelo el panorama sociológico en su integridad, acabará un Sorokin, ruso de nacimiento también, por atribuir validez antes de confiar a su función la integración de un nuevo estado de cultura, parece estar pronunciando la palabra anunciativa. Una nueva efusión del Espíritu es racionalmente necesaria; es inminente. He aquí el axioma que de las logias de su juventud extrajo De Maistre para promulgarlo a la universalidad bajo el signo poético de San Petersburgo o «ciudad de San Pedro».

Quedaría inconcluso el panorama si se dejara de advertir, en relación con el juego de concep-

23. Wallace Fowlie: *Mallarmé*, The University of Chicago Press, 1953 p. 257.

tos que en estas páginas se han estructurado, el hecho tal vez significativo de que De Maistre —lector de Vico— sea quizá el primer tratadista que tuvo acceso real a la entraña sustancial del lenguaje. Era éste su coto más preciado, cuyo mérito sólo por ignorancia algún tratadista se negaría a reconocerle. Lenguaje y pensamiento se identifican a su juicio enteramente [24]. El Verbo es para él algo vivo, es decir, ese mismo principio de energía que años después se aquilatará en los celebrados puntos de vista de Wilhelm von Humboldt. El lenguaje es Espíritu, razón teológica. He aquí como De Maistre articula en profundidad sus ideas hasta hundirlas en la conexión esencial. «Esta palabra concebida en el hombre mismo y mediante la cual el hombre se habla a sí mismo, es el verbo creado a semejanza de su modelo. Porque el pensamiento (o el verbo humano) no es sino la palabra del Espíritu que se habla a sí mismo» [25]. Proposiciones atrevidamente trascendentales. Así ha podido sostenerse que «su concepto del lenguaje no sólo posee un carácter teológico, sino que su modo de entender su función de las lenguas está entretejido con

24. "La cuestión del origen de las ideas es la misma que la del origen de la palabra; porque el pensamiento y la palabra son dos magníficos sinónimos" ("Deuxième Entretien", *Oeuvres*, vol. IV, p. 120).
25. Id., "Cinquième Entretien", vol. IV, pp. 356-357, nota. "Las *lenguas* han comenzado pero la *palabra* nunca, ni siquiera con el hombre. Uno ha precedido necesariamente al otro; porque la *palabra* no es posible sino por el VERBO. (...) [El hombre] ha hablado siempre; con sublime razón los hebreos le llamaron *alma parlante*" ("Deuxième Entretien", vol. IV, p. 99).

sus expectaciones quiliastas» [26]. Difícilmente podía ser de otro modo dentro de un sistema como el suyo donde todo se refiere a la unidad absoluta. En la primera de sus manifestaciones, Dios *habla* en el Sinaí; en la segunda, Dios *habla* cuando su *Verbo* se hace carne y da nacimiento a la era por la que nos regimos; la esperada tercera «efusión del Espíritu» no puede ser sino una nueva y tercera elocución de ese mismo *Verbo* creador, relacionado con la Sagrada Escritura.

He aquí un punto importantísimo que De Maistre dejó sin definir en esa vaguedad fronteriza que separa lo implícito de lo explícito, pero que quizá permite ser dilucidado. Porque al referirse a esta «nueva efusión del Espíritu Santo», el escritor francés hace hincapié en los beneficios que prepara «la Sociedad Bíblica, instrumento ciego de la Providencia», al difundir por el mundo entero las versiones de la Sagrada Escritura de manera que en su día, cuando ocurra el acontecimiento suspirado, puedan los nuevos misioneros explicarlo en todas las regiones del mundo [27]. Despréndese de ello con bastante certidumbre que lo que De Maistre aguarda es algo capaz de determinar la unidad esencial del planeta mediante una revelación del Verbo absoluto confrontado con el Verbo de la Escritura, ya que éste por sí solo no pasa de ser «el retrato del Verbo», según dice. «Si la palabra eternamente viva no vivifica la Escritura, nunca se convertirá ésta en

26. Elio Gianturco: *Joseph de Maistre and Giambattista Vico. Thesis*, Nueva York, Colombia University, 1937, p. 143.
27. *Soirées*, "Onzième Entretien", vol. V, p. 246.

*palabra*, es decir, en vida» [28]. No otro parece, por consiguiente, ser el alcance de su concepto verbal «revelación de la Revelación», que se volverá a oír significativamente en labios de Cieszkowski y, por presentación de éste más tarde, según advertimos, en los de Berdyaev. «Revelación de la Revelación», he aquí algo que es como el hilo en que se engarzan los anhelos de estos tres especuladores: manifestación del Espíritu vivo a que se refiere la letra de la Escritura a fin de operar una transfiguración del mundo y de la conciencia.

En este campo verbal, la videncia de De Maistre nunca duerme. Tiene los ojos del entendimiento puestos en el crisol de donde emerge la palabra deslumbrantemente viva. El universo en todas sus formas y acepciones parece definirse ante él como un panlogismo teológico. Así, por su referencia al lenguaje, hace suya a fin de prolongarla a su sabor aquella comparación ciceroniana adversa al sistema de Epicuro quien, con ciertos científicos actuales, pretendía ver en el universo un conglomerado de átomos caídos al azar en el vacío. «No se me hará creer —decía el gran orador— que unas letras arrojadas al aire podrían componerse al caer de modo que formasen un poema» [29]. Universo, poema de Dios; la imaginación de los poetas entiende esto perfectamente: Por ejemplo, la de Rubén Darío cuando, con motivo del águila apocalíptica que siente cernirse sobre el Nuevo Mundo, exclama:

28. "Essai sur le principe générateur", *Oeuvres*, vol. I, pág. 258.
29. *Ibíd.*, p. 246. Cf. Cicero: *De Natura Deorum*, lib. II, XXXVII.

Es incidencia la historia. Nuestro destino
[supremo
está más allá del rumbo que marcan fugaces
[las épocas.
Y Palenque y la Atlántida no son más que
[momentos soberbios
con que puntúa Dios los versos de su augusto
[Poema [30].

A los referidos propósitos de Cicerón, añade
por su cuenta De Maistre: «Supongamos que
algunos caracteres de imprenta tirados al voleo
desde lo alto de una torre viniesen a formar en
tierra la *Athalie* de Racine. ¿Qué resultaría?
Que una inteligencia ha recogido la caída y la
disposición de los caracteres» [31]. Deliberada o
indeliberadamente, De Maistre está amoldándo-
se, cuando propone este ejemplo que equipara
los átomos con los caracteres de la escritura, al
concepto teológico de la creación mediante la
palabra. Todo habla con sentido porque todo
está creado en función del Verbo. Lo probable
parece ser que De Maistre no se dé cuenta del
alcance de su glosa. Siente la materia así porque en él la conciencia vive conforme a cierta
cavidad trascendental donde se oyen sonar altas
campanas. No sorprende, en consecuencia, que
su penetración providencialista llegue hasta saber que el «hombre es una *herramienta* de Dios,
según la feliz expresión de Plutarco» [32]. Un ins-

30. Rubén Darío: *El Canto Errante*, "Salutación al
Aguila". El concepto: Historia, "poema divino", dista de
ser moderno. Lo escribió hace muchos siglos San Agustín,
y en el Romanticismo, Novalis, Schelling...
31. "Essai sur le principe générateur", *Oeuvres*, vol. V,
pág. 246.
32. *Ibíd.*, p. 244.

trumento que, por tener conciencia de su libertad —así se corrige el flagrante «espinosis-
mo»—, se cree en el orden social autor directo
de cuanto por su mediación se realiza. Lo mismo sucede con las naciones.

Las naciones como los individuos, tienen su carácter y también su *misión;* y
así como en la sociedad de los individuos
cada hombre recibe de la naturaleza los
rasgos de su fisonomía moral y cierta esfera de actividad en la que se mueve para
efectuar un fin secundario cualquiera hacia el que se dirige sin conocerlo, del mismo modo, en la sociedad de las naciones,
cada una de ellas presenta al observador
un carácter inalterable, resultado de todos los caracteres individuales, y avanza
en corporación hacia un fin más general
y no menos desconocido.[33]

Naturalmente, De Maistre piensa en él, piensa en su Francia desgarrada y mártir en aquellos días revolucionarios, a la que su amor atribuye la magistratura de las naciones y a su lengua la supremacía. Pero sabe que no sabe a
dónde él como vidente desterrado y su patria
como foco de la revolución se proyectan. Son

33. "Caractère et influence de la nation Française",
*Oeuvres,* vol. I, p. 187. La afinidad de estas ideas con las
de Vico es flagrante. Para este último la *"Mente infinita
y eterna* que lo penetra y presiente todo (...) desde fuera
y muy a menudo contra el propósito de los hombres y
pueblos particulares, dispone a un *Fin Universal* lo que
aquéllos ordenaron a *sus fines particulares;* y así, usando
ella como *medios* esos mismos *fines particulares,* los conserva. (G. Vico: *Scienzia Nuova,* prima, lib. II, cap. I,
Milán, Classici Italiani, 1836, pp. 44-45.)

instrumentos. Hoy, sin embargo, al cabo de siglo y medio, la conciencia humana puede, merced a los datos que tales experiencias aducen, saber con ciencia menos incierta algo más de lo que en aquella sazón era dado saberse, y asimismo conjeturar con superiores astrolabios lo que promete el inmediato futuro. No se nos oculta que en De Maistre se daba una conciencia excepcionalmente lúcida en lo relativo a varias categorías de fondo. Su concepto tan precoz de la unidad espiritual del planeta, que preveía con motivo de la traducción de las obras de Newton al árabe, de las tesis sostenidas en Asia por los ingleses en árabe, en persa y en bengalí, y otros fenómenos semejantes [34], es decir, en virtud de la universalidad del conocimiento científico, es realidad que salta a los ojos de todo aquel que no los tenga hoy oclusos. Hacia ese fin tendía la revolución de su país por caminos entonces imprevisibles. Además, en el terreno de las presunciones y sumando su testimonio al de la constelación que forma con la figura de Berdyaev y compañeros, podría sostenerse con no pocos visos de verosimilitud que el fin del tramo histórico que comienza con Revolución y Romanticismo y que con la revolución materialista de Rusia se proyecta al continente asiático, se encuentra en vísperas de lograrse. Dichos grandes aconteci-

---

34. *Soirées*, "Deuxième Entretien", *Oeuvres*, vol. IV, págs. 125-127. "Todo anuncia que avanzamos hacia una gran unidad que debemos *saludar de lejos*, para servirme de un giro religioso. Somos dolorosa y muy justamente molidos; pero si sus ojos miserables como los míos son dignos de entrever los divinos secretos, no somos *molidos* sino para ser *mezclados*". (*Ibíd.*, p. 127).

mientos parecen, si se da por buena la videncia de De Maistre, ser los instrumentalmente oportunos para la implantación del reino universal y meta-histórico del Espíritu —o «Reino de los Mil Años», según él mismo decía [35]— hacia cuya novedad se precipita sin saberlo la catarata incontenible de la cultura y de la historia.

Léon Bloy, astro de la misma pléyade, se desgañitó durante un tercio de siglo predicando en todos los tonos, pero siempre a su manera, no de desterrado sino de «enterrado vivo», puede decirse, idéntica esperanza: el Advenimiento del Espíritu. En muchas ocasiones pensó turbiamente —conforme a las premisas psico-somáticas de su catolicismo relleno de imágenes de santos— que ello significaba la aparición de un hombre más o menos «infinitamente desconocido», de un jefe. Supuso que el imperio napoleónico, no obstante sus fallas gravísimas, era prefigura del reino nuevo, etc. Pero la médula de su esperanza se mantuvo incólume hasta el fin. Lo quizá más extraordinario, desde un punto de vista un poco ajeno al adoptado hasta ahora en esta páginas, es lo muy simbólicamente significativo de la fuente inmediata de sus convicciones: la experiencia mística de una mujer caída, que perdió la razón luego de «haberle dejado entrever los misterios del plan divino» [36]. Pobre Anne-Marie Roulé, la Verónica de su famoso libro *El Desesperado*, internada después durante un cuarto de siglo en una casa de salud hasta el mes de mayo de 1907, en que

35. E. Dermenghen: *ob. cit.*, p. 329.
36. Joseph Bollery: *Léon Bloy, essay de biographie*, París, Albin Michel, vol. I, 1947, p. 462.

rindió su existencia [37]. ¿Habrá que reconocer en esa mujer desdichada, de acuerdo con los conceptos simbólicos de Bloy, la imagen de la naturaleza humana caída, Magdalena, la Francia a quien muchas veces acusó Bloy de prostitución? ¿Y sería ilícito descubrir en su demencia una alusión indirecta a la cualidad de ese allende de la razón que a la plebe sensata le parece locura?

Desde luego, el lector atraído por las pulsaciones furibundas que brinda para dirigirse al orto nuevo la estrella de Bloy, ha de decidirse a penetrar a pérdida de vista en terreno, si elocuente hasta la exasperación, a trechos más que pedregoso. Encontrará de súbito en su derredor expresiones inéditas, conmovedores chispazos de pedernal, que en vano buscaría en otro escritor menos «echado a los puercos», lo que compensará el disgusto de dar a veces de boca en el detrito de un clericalismo en agonía. Muchos han sido los esfuerzos de exégesis a que su obra ha dado lugar. No parece, sin embargo, que se haya logrado hasta ahora trillar y aventar sus mieses proféticas al grado de apartar de la paja el núcleo sustancial y panificable de sus expectativas.

En breves palabras, el mensaje de Bloy pare-

37. "Las páginas realmente grandes que —en *El Desesperado*, escribe a Henriette L'Huillier el 6 de febrero de 1887— han impresionado al intuitivo Montchal —capítulos 13, 54, 64, 65 y 68—, estas páginas me fueron dadas, *dictadas*, hace cinco años por una mujer ignorante que, ciertamente, fue cuanto puede imaginarse de más sublime, a quien debo cuanto valgo intelectualmente y a quien prodigiosamente disminuí para hacerla caber en mi libro." Según Stalistas Fumet: *La Mission de Léon Bloy*, París, Desclée de Brouwer, 1935, p. 140.

ce coincidir en lo básico con el de De Maistre, a quien reconocía de manera expresa la calidad de profeta Vidente [38]; con el de Heine, Baudelaire, Rimbaud, Rubén Darío; con el de Cieszkowski, Schelling, Berdyaev, entre otros —como Ibsen y Mereszhkovskii—. Suspira en su jerga católica por la Epifanía del Espíritu-Santo. Su modo de concebirla coincide hasta cierto punto con la de aquel otro auténtico «desterrado» de que antes se hizo mención, el jesuita chileno Manuel Lacunza, muerto en Italia en 1800 y bajo cuyo signo pudiera quizá agruparse toda esta floración novísima. En su tratado *La Venida del Mesías en gloria y majestad*, Lacunza se pronunciaba, luego de examinar a fondo escrituras y patrística, por la necesidad del segundo Advenimiento, lo que le hace ser clasificado y reprobado como neo-milenarista por los definidores eclesiásticos [39]. A sugerencias de Anne-Marie, Bloy esperaba esa misma Venida bajo la advocación de San José, por cuanto este nombre significa «aumento». En este aspecto lo presentía de un modo análogo a De Maistre, de nombre José. Pero esperaba dicho Advenimiento «en persona», según lo con-

38. L. Bloy: *Le Désespéré*, París, Mercure de France, 1930, p. 221.
39. No deja de tener miga el hecho de que durante la última guerra mundial y con motivo de Lacunza, el Santo Oficio de Roma juzgara oportuno promulgar un decreto de condena contra el milenarismo mitigado, pronunciándose implícitamente contra las creencias de la cristiandad preconstantiniana. También es bastante curioso que el papa Pío X, recién canonizado, afirmara solemnemente en la primera de sus Encíclicas (*E Supremi*, 4 de octubre de 1903), que el Anticristo o "el hijo de perdición de que habla el apóstol se encuentra ya en tierra".

fiesa en una de sus extraordinarias cartas de 1800 y luego en ocasiones incontables.

Mi impaciencia se dirige a la persona misma de Nuestro Señor, Dios y hombre, cuya venida espero en ejecución de la promesa que hizo a sus apóstoles antes de padecer, asegurándoles que no los dejaría huérfanos. No me está vedado comunicarle esta parte de mi secreto que dentro de muy poco, espero, no será secreto para nadie. Esta venida gloriosa del Señor, como del patriarca Enoch, según nos lo enseña San Judas, anunciada tan a menudo por San Pablo y predicha menos explícitamente por David y todos los profetas sin excepción, se entiende generalmente como un juicio universal y definitivo que sería la señal de la destrucción del Universo. Esta interpretación que no deja el menor lugar para el reino terrestre de Jesucristo indicado tan claramente en el Apocalipsis y que excluye todo cumplimiento de la renovación del Espíritu Santo buscada por el Rey profeta, me parece en tal modo monstruosa que no veo cómo sería posible atentar más directamente contra la gloria de Dios y tachar más completamente sus *promesas* (...). Yo pienso que nuestra Esperanza está aún crucificada y que su Liberador continúa por venir hasta que el Amor llegue.[40]

10. Carta a Ernest Hello, 18 de agosto de 1880. Joseph Bollery: *ob. cit.*, pp. 435-436.

Este texto, entre otros muchos, no consiente dudas acerca de la posición de Bloy ante la expectativa cristiana que, atiborrada de psicosomatismo helénico, interpreta disparatadamente a la letra y con acepción de persona corpórea, ¡ay!, y no en Espíritu. Pero esta contradicción «objetante» es la que precisamente permite en aquellas circunstancias la objetivación de la esperanza profética. Ahora bien, al tratarse de Bloy, sería insuficiente, además de falto de fidedignidad y de justicia, omitir las intuiciones a tal respecto de la pobre Verónica perturbada que, para sofocar la «animalidad» de su compañero, se hizo en su espiritual abnegación rapar la cabeza y arrancar todos los dientes. En otra de sus cartas, el mismo Bloy levanta por entonces un poco el velo acerca de lo que pensaba Anne-Marie:

> Desde esta peregrinación me ha dicho (Anne Marie) tantas cosas ininteligibles que no sé cómo referírselas. Quiero intentar, sin embargo. Por lo pronto, San José, el *acreciente*. Parece que el porvenir que esperamos está en manos de San José. A tal propósito, esta mujer, que es un prodigio de ignorancia y de simpleza, me ha dado la explicación más extraordinariamente oscura de la parte de la bendición de Jacob tocante a José. Arranca de que los nombres de Abraham, de Isaac y de Jacob corresponden a los tres reinos del Padre, del Hijo, y del Espíritu Santo. Afirma que es imposible comprender ni una palabra de la Escritura si no se substituye de continuo el nombre de Israel por el de

Espíritu Santo. *Filiae discurrerunt super murum.* Estas hijas son las almas llamadas a ver el reino del Espíritu, quienes divisan venir su *pastor* y su *piedra angular* por encima de la muralla de los siglos.[41]

Por absurdos que parezcan, son éstos unos conceptos notabilísimos en boca de una ignara, que su mentor desconocía y que lo dejaron marcado para el resto de su existencia. Su combustión integral la asciende a Anne-Marie gratuitamente a las cumbres simbólico-contemplativas de Joaquín de Fiore, cuya milenaria esperanza resurge en su cabeza femenil punzada ya por la corona preparadisíaca de la locura. La naturaleza del delirio espiritual de la joven visionaria, si se tiene en cuenta esta clave Israel-Espíritu Santo y su costumbre de rezar y conversar ante una imagen de la Santa Faz —de donde su nombre de Verónica parece notoria. Codicia ver a Dios «cara a cara», como Jacob en Peniel, según relato del Génesis[42], es decir, pide la «visión de Dios», «corona» del misticismo judeo-cristiano. De otro modo, aspira a contemplar el segundo rostro de la Divinidad o Dios-Humanidad de Soloviev- Berdyaev en que había acabado la *Divina Comedia.* Recuérdese que no es otra la gran promesa en que asimismo termina la *Ciudad de Dios* de San Agustín, tocante a la cual no se pasó en Anne-Marie de la situación de presagio. No se sabe a punto fijo cómo concebía la realización de esa *pro-*

41. Carta a Ernest Hello, Mercredi Saint, 1880, J. Bollery: *ob. cit.*, p. 425.
42. *Gén.*, XXXII, 28-30.

*mesa* propia al extremo de que su incumplimiento en un plazo dado ocasionó la pérdida de su razón. Ignórase, por consiguiente, cuál era la idea inicial de Bloy a tal respecto, así como las formas exactas que tomó después en su fuero íntimo, fluctuando conforme al desarrollo de las vicisitudes históricas. Afirmaba Bloy, según se ha visto, ser aquel un secreto que le estaba prohibido comunicar a nadie. Mas se sabe, en cambio, que sus esperanzas estaban entretejidas a un modo singular de concebir como fenómenos complementarios la Escritura y la Historia merced a la validez de los símbolos, cosa que constituye la originalidad y tal vez el supremo alcance de sus vislumbres.

La historia contiene, en el sentir de Bloy, que, como Vico, aspira a sentar las bases de una «ciencia nueva», los elementos de «una revelación mediante los símbolos, corroboradora de la otra Revelación». Es decir, se le aparece la historia como un «criptograma» o escrito cifrado, en cuya lectura, careciendo de la oportuna piedra de Roseta, se esfuerza infructuosamente [43]. Todo ello es, en cuanto Historia y en cuanto Verbo, de particular interés en relación con los temas que se han ido concretando aquí. La ambición de Bloy es translúcida. Quizá pudiera sostenerse que en ella se condensa lo sustantivo de su «mensaje».

43. "Soñaba ser el Champollion de los acontecimientos históricos considerados como los jeroglíficos divinos de una revelación mediante los símbolos, corroboradora de la otra Revelación. Sería una ciencia nueva singularmente atrevida y que únicamente el genio podía salvar del ridículo" (L. Bloy: *Lé Désespéré*, ed. cit., p. 156). "Quería que la historia fuese un criptograma" (*Ibíd.*, p. 160).

Si uno fuese capaz de encerrar en una sola mirada, como hacen los ángeles, todos los aspectos de un suceso y las concordancias o coincidencias casi siempre desapercibidas de una multitud de hechos; si se pudiera a fuerza de atención y de amor reunir y tejer aunadamente todas esas hebras sueltas, se acabaría sin duda por vislumbrar el plan de Dios.[44]

El mismo año 1917 de su muerte, en espera de «los cosacos y del Espíritu Santo», puntualizará, como en expresión de su voluntad última, su concepto trinitario de la historia en cuanto operación del Espíritu:

La historia de una muchedumbre de siglos se encuentra ante nosotros como una pordiosera que va a morir sin haber podido hacerse entender. El Simbolismo que era su lengua desde siempre, va a desaparecer con ella, sin que ninguna inteligencia humana haya logrado descifrarla. Lo más que es posible adivinar o creer es que la historia universal —¡tan en vano leída por Bossuet!— es una prefiguración misteriosa y profética del Drama de Dios, análoga ciertamente al conjunto de ideas prefiguradoras que constituyen la Revelación bíblica, impenetrable hasta la gran misa del Calvario; pero *con la diferencia de que la profecía judaica tocaba a la Re-*

44. Este y otros textos análogos pueden leerse reunidos en el capítulo "Le symbolisme de l'Histoire" del libro de Albert Béguin: *Léon Bloy l'Impatient*, Fribourg, Egloff, 1944, pp. 153-216.

*dención y que la profecía universal de la
historia concierne al* CUMPLIMIENTO *de la
Redención por el advenimiento triunfal
del Espíritu Santo.*[45]

En suma, la historia se le aparece a Bloy como
revelación complementaria de la otra Revelación, como Verbo o «poema de Dios», al decir
de Rubén Darío. Un Verbo o lenguaje de naturaleza simbólica que Bloy roza con sus yemas
de *mendiant aveugle* percibiendo su trabazón
material, mas no esa cualidad tan impalpable
como la de los colores que el ciego no puede
aprehender ni comprender, y en cuya sintaxis
«sobrenatural» la revelación se articula. Se
colige muy bien que su modo simbólico de
imaginar tan ambiciosa fenomenología es de
sustancia poético-teológica, en muy íntima conformidad con el Verbo en que el Occidente funda su teología cristiana, cuando se lo confron-
ta, por ejemplo, con las siguientes proposiciones de Tomás de Aquino:

> La ciencia poética pertenece a aquellas
> que, a causa de su falta de verdad, no pue-
> den ser captadas por la razón: de donde
> conviene que la razón sea casi seducida
> por tales semejanzas. Mas la teología es
> de aquellas que están sobre la razón; y así
> el modo simbólico les es común a ambas,
> puesto que ni una ni otra son proporcio-
> nadas a razón.[46]

45. L. Bloy: *Constantinople et Byzance*, Zurich, G. Crès,
1917, prólogo, pp. X y XI.
46. Tomás de Aquino: *Commentum in Liber I Senten-
tiarum*, Prologus, Quaest., I, art. V.

Por no ser proporcionada a razón vulgar, la Verónica Anne-Marie Roulé perdió la suya, fertilizando con su colmo la mente más fornida de Léon Bloy, que consumió el resto de sus años buscando la clave capaz de abrirle el sentido teológico, *Verbal*, de la historia. Puede decirse que desde siempre le tenía a ésta declarada la guerra y que murió como buen soldado, cara al enemigo, proclamando la necesidad y cercanía de su transfigurativo fin.

Historia, Verbo, Espíritu, a punto de cuajar conjuntamente en una situación universal y novísima, ésta es la significación que arroja esa constelación numerosa y acordada de augures sensibles al misterio del dolor, de quienes no hubiera habido que ocuparse aquí si no fuera porque sus previsiones coinciden con las de la cultura como un todo, y en cierto modo las aclaran y especifican. Las perspectivas científico-culturales parecen más razonables y de fiar; las proféticas se distinguen por la precisión de sus escorzos a vuelo de pájaro. Y es que, conforme a una frase gustosa de Taine, si «el filósofo se corta las alas para robustecer las piernas», el visionario sacrifica a veces las piernas en beneficio de las alas. Estas hablan por sí solas. Constituyen el símbolo en que se afirma el gran sueño innato de la humanidad vuelta siempre hacia el cielo con la esperanza de poder, en cuanto conciencia, desprenderse de la «tierra» en que yace. Bajo el signo espiritual de la paloma y del águila, superior al «hombre áptero», se desarrolla el drama apocalíptico de la Revelación, del Verbo. ¿Cómo separar uno del otro? Así tendremos que en la búsqueda del símil adecuado que verifique substancialmente la autenticidad del pensamiento que se anuncia, la imaginación de un De Maistre cuando se ocupa del lenguaje, identifica, por magia de contigüidad, al *ave* y al *Verbo*, imágenes una de otro. Véase con qué justeza:

> La palabra es tan esencial al hombre como el vuelo lo es al ave. Decir que existió un tiempo en que la palabra estuvo en *potencia* en la especie humana, y decir que hubo un tiempo en que el arte de volar estaba en potencia en la especie volátil, es absolutamente lo mismo.[47]

Un fenómeno de parecida índole analógica, pero más complejo, parece sucederle a un Cieszkowski en este campo verbal, cuando para ilustrar elucidativamente su pensamiento acerca de las dos edades que caducan y la tercera del Espíritu que siente muy cercana, compone sus ideas del siguiente modo imaginativo:

> Hasta que no se cumplieron estas dos edades que habían de traer la tercera a luz, los hombres no podían descubrirla. Este descubrimiento no es tanto la obra de un hombre aislado, como la del tiempo mismo. El tiempo mismo nos trae a los límites del nuevo mundo, igual que las corrientes del Océano le llevaron a Colombo al descubrimiento de América. Si todavía no estuviéramos llamados a arribar a la

47. J. de Maistre: "Examen d'un écrit de J. J. Rousseau", *Oeuvres*, vol. VII, p. 555.

tercera edad, no la divisaríamos aún; pero
nuestros ojos están ya encima de ella y
gritamos enajenadamente: —¡La Tierra
Prometida! ¡La Tierra Prometida! [48]

Se advierte en estas frases cómo la idea de la
edad nueva del Espíritu evoca determinativa-
mente en la imaginación del autor el recuerdo
de Cristóforo Colombo en cuanto que el nombre de éste significa «paloma» y fue en su día
descubridor del nuevo continente o mundo más
allá. Propuesto aún a costa de una arbitrariedad flagrante este enunciado, por sí mismo induce a colación a la entidad planetaria de América, ya que toda razón de tiempo solicita la
complementaria de espacio. En esta forma expresiva toma cuerpo para el escritor y se afirma en el espacio tiempo poético de este planeta, y no en las utopías siderales, la personalidad de esa futura situación que se describe
como mundo nuevo del Espíritu. Finalmente,
todos esos datos se articulan sintácticamente
con el impulso ancestral del sistema, la Tierra
Prometida, dando sentido renovado y finalidad
general al conjunto.

Pero obsérvese también cómo todo ello se
encuentra tan coentrañado a una razón *verbal*
de vigencia meta-histórica que, aunque confusa-
mente, no de otro modo simbólico discurría el
propio Cristóbal Colón cuando, contra los rea-
listas de entonces, se empeñaba en reconocer
en la tierra por él descubierta la nueva tierra
y el cielo nuevo «que decía nuestro Señor por
San Juan en el *Apocalipse*», calificándola de

48. A. Cieszkowski: *ob. cit.*, p. 64.

Paraíso y dejando escrito de su puño y letra, aunque en modo indirecto, que dicha tierra concernía al mundo profetizado por el abad calabrés Joaquín de Fiore [49]. Para colmo, si no perturba admirarse demasiado, puede registrarse al pasar que en su *Libro de las Figuras*, dibujado hacia 1200, pero descubierto hace poco, dicho abad Joaquín había representado «el nuevo orden pertinente al estado tercero a semejanza de la Jerusalem de arriba» —es decir, el santuario del Advenimiento del Espíritu, que profetizaba— con todas y cada una de las letras mayúsculas del nombre COLUMBA [50]. A lo que se ha de añadir que, exactamente por las mismas intuiciones, muchos siglos después un Walt Whitman llamaría *Columbia* a su América ideal, designándola además con el nombre extraño e italianizante de *Santa Spirita*, la tierra colombina del Espíritu Santo [51].

Tan invencible manifiesta ser el empuje de la resaca verbal que hasta De Maistre, no obstante su europeísmo, se vio compelido a referirse a América como prenda de la nueva vastedad planetaria correspondiente al mundo ter-

---

49. "El Abad Joachin Calabrés dijo que había de salir de España quien había de reedificar la casa del monte Sión". "Hierusalem y el monte Sión ha de ser redificado por mano de cristianos: quién ha de ser, Dios por boca del Profeta en el decimocuarto salmo lo dice. El Abad Joaquín dijo que éste había de salir de España" (Cristóbal Colón: "Libro de las Profecías" (a. 1500) y "Carta a los Reyes", Jamaica, 7 de julio de 1503 en *Relaciones y Cartas*, Madrid, Hernando, 1927, pp. 334 y 378).

50. Leone Tondelli: *Il libro delle Figure dell' Abate Gioachino da Fiore*, Torino, Società Editrice Internationale, 1940, tabla XII.

51. Walt Whitman: *Leaves of grass*, "Chanting the Square Deific".

cero, en uno de los textos antes copiados. Por su parte, a Bloy no le bastó dedicar uno de sus primeros libros —rico en vislumbres— a Cristóbal Colón, *Le Révélateur du Globe* (1883), sino que se equipara personalmente con el Almirante cuando sueña con descubrir «el simbolismo de la Historia». Así definirá circunloquialmente el carácter espiritual de su empresa: «Estoy de leva, como Colombo, para la exploración del *Mar Tenebroso*, con la certidumbre de que existe un mundo por descubrir» [52]. El mundo del Espíritu, el de Colón o de la «paloma portadora de Cristo» sobre que tanto hincapié hace. De aquí que explícita o implícitamente, unos y otros auguren el fin de la Europa a que pertenecen, pues que suspiran por un estado de cultura universal, más allá. «Murió... pronunciando la oración fúnebre de la Europa civilizada», dirá sobre De Maistre Léon Bloy, que deliraba a su vez por la catástrofe apocalíptica, transfiguradora [53].

Todas estas ilustraciones del modo como trabaja simbólicamente y en función de la historia, cierta intuitiva potencia *verbal*, vienen muy en apoyo de la presunción sentada más arriba, de que las revoluciones, tanto la francesa como la rusa, de las que son índices paradójicos De Maistre y Berdyaev, se proyectan históricamente hacia el reino universal del Espíritu. A mayor abundamiento, esa profusión

52. L. Bloy: *Le Désespéré*, ed. cit., p. 158.
53. *Ibíd.*, p. 221. Decía el mismo De Maistre: "Otras espinas aún se clavan en mi corazón, mi ingenio se resiente de ello; de pequeño se ha hecho nulo, *hic jacet*; pero muero con Europa, estoy en buena compañía", Carta al conde de Marcellus, 9 de agosto de 1819, *Oeuvres*, vol. XIV, p. 183.

diluvial de «palomas» —bíblicas, quiérase o no— de que viene estos últimos años haciendo gala la propaganda del materialismo absoluto y que ha invadido no sólo Europa y la Unión Soviética, sino China y los demás países del globo, ¿qué oficio simbólico puede desempeñar en el campo hipotético del Verbo a cuya consideración todo nos induce? ¿Significará que el triunfo de tales empresas negadoras del Espíritu, que se sirven del antifaz de la «paloma» para procurar sus fines, constituye la realización de cuanto la humanidad ha venido presintiendo durante tantos siglos con ese emblema de esperanza *post mortem*, o significará que dichos estados, «herramienta de Dios» para sus fines creadores, según decía De Maistre, están, sin saberlo, preparando la instauración del llamado «tercer reino» que sus infinitas palomas anuncian? ¿No viviremos en vísperas de esa «efusión del Espíritu» o Advenimiento a conciencia y, por consiguiente, a materialidad terráqueas, de ese otro estado de síntesis universal —negación de la negación— o de Espirtitumanidad del que todos estos vigías nacidos en la época de las grandes revoluciones se han sentido heraldos? ¿No hay más «Espíritu Santo» que el de los «cosacos», o los «cosacos» son un instrumento adecuado a las necesidades creadoras del Espíritu?

Y por cierto, esa «paloma» universalizada así por la propaganda materialista en el orbe entero, ¿no es acaso la paloma picassiana evadida del cuadro famosísimo *Guernica* relativo a esos sucesos en que la República popular española rindió el Espíritu? ¿No está el «destierro» de España, de una España *post mortem* inumbrando al mundo? ¿Conoce el lector *La Espada de la Paloma*?

No cabe despedirse de esta constelación orgánica de «videntes» sin tomar antes en cuenta que todos ellos son índices expresos del fenómeno trascendental judeo-cristiano entrañado al concepto de Verbo, de que se trató con anterioridad. Parecen ser fruto ocasional del Espíritu inherente al judeo-cristianismo, a quien tal vez compete, según advertimos, articular la locución reveladora que transporte a universalidad el impulso de carácter profético que dio origen, hace 1956 años, a la era en que se está unificando el mundo. Todos estos visionarios riñen la batalla del tiempo, esto es, pertenecen al fuero del Espíritu. Todos tienen puesta su esperanza en la «revelación de la Revelación» un poco al modo como preveía Newton con aquella su sagacidad portentosa, al decir de Einstein, para reconocer los adecuados métodos probatorios [54] que el devenir histórico tenía que demostrar en honor de la Providencia di-

54. "Hace doscientos años que Newton cerró sus ojos. Nos sentimos impulsados a recordar con tal motivo a este genio brillante que determinó el curso del pensamiento, de la investigación y de la experimentación occidentales como ningún otro antes ni después. No sólo fue brillante como inventor de ciertos métodos clave; poseía también un dominio único sobre el material en sus días disponibles, y era prodigiosamente inventivo respecto a los métodos matemáticos y físicos de comprobación. Por todas estas razones merece nuestra reverencia más profunda. La figura de Newton tiene, sin embargo, importancia aún mayor que la que su genio abona, porque el destino lo situó en un punto crítico en la historia del intelecto humano" (Albert Einstein: *Ideas and Opinions*, Nueva York, Crown Publish, 1954, pp. 253-254).

vina, la verdad de las profecías de Daniel y del Apocalipsis. Todos ellos anuncian más o menos acusadamente el más allá de la situación occidental a que corresponden; una formación de vida allende el actual estado psico-somático de cultura, en virtud de la aparición en la conciencia, de la realidad correspondiente al tercer término de la tricotomía paulina, que a la mente natural suele parecerle «locura»; un más allá de la muerte del estado de que forman parte. Están apuntando a la integración del Ser que de algún modo es conciencia de vivir fuera del concepto natural de tiempo.

Sus personas y «mensajes» corroboran, pues, en principio los resultados a que conduce el camino de la libre especulación cultural, seguido en estas páginas. Para la integración del mundo en cuyo trance crucial nos agitamos, es decir, para la universalización de la vida y de la conciencia planetarias es indispensable la *presencia* del Ser Espíritu capaz de advenir por sí. Se requiere la operación de aquel Verbo que habla y que posiblemente ha venido hablando con miras a cierto instante preciso, a través del pasado histórico. Porque este del judeo-cristianismo parece ser el campo de la palabra esencial, en torno a cuyo Verbo los demás valores desempeñan oficio de complementos. Cuando el río suena, agua lleva, dice la sabiduría popular. Si de cuando en cuando se han oído, en el transcurso de nuestra cultura, voces de mayor conciencia histórica y escatológica, por alguna razón efectiva tendrá que ser. Por tanto, la esperanza de que aparezca aquel Espíritu Salvador que haga a quienes lo vieren semejantes

317

a El, no puede orientarse en ninguna otra dirección. Donde está el dolor de la Madre, allí ha de ver la luz el Hijo.

# La Religión del lenguaje español (1951)

Sin duda, la figura capital de la mitología cristiano-española es la de su patrón Santiago Apóstol, cuyos restos, según se pretende, descansan en el Finisterre gallego de Compostela, pero cuya figura popular nos fue legada por la Edad Media bajo la advocación de Matamoros, a caballo blanco, atropellando infieles. La divulgación de esta figura mitológica es tan grande en América que son centenares los pueblos que se llaman o han llamado Santiago, héroe epónimo sobre todos, y no existe población donde no haya un templo, ni aldea que no consagre un altar a personalidad tan formidable. A donde llega el español —hombre y lenguaje— Santiago va.

Recientemente uno de los eruditos españoles más destacados se atrevió a investigar la genealogía mítica de este personaje invicto, aceptando como buena la sugerencia de la investigadora norteamericana Georgiana King que atribuye a la figura del Matamoros español la ascendencia inmediata de los Dioscuros [1]. Dando por cosa excelente que un erudito español

1. Américo Castro, *España en su historia*, Buenos Aires, Losada, 1948 cap. IV, sobre todo p. 113 y ss.

de gran talla se haya atrevido a aceptar en público la idea de que nuestro Patrón pueda tener en su advocación popular un origen geneaológico distinto del que le señalan los patrañuelos eclesiásticos y que lo refiere a un tronco crecido en otras tierras, por mi parte tengo que disentir de su tesis, sin base firme a mi juicio, para sostener la que ya he expuesto más de una vez desde 1940 y que por lo visto no llegó a conocer Américo Castro. La figura de Santiago Matamoros, posterior al año mil, no procede de un culto tan enteramente extranjero en la península desde hacía largos siglos, como lo era la mitología clásica a la que en modo alguno la sensibilidad de los reinos cristianos podía reclamar valedor, sino de su culto propio. La figura del Matamoros descendió inequívocamente a Castilla desde ese repertorio judeo-cristiano de imágenes maravillosas que es el libro del Apocalipsis. Quizá este nombre del Apocalipsis haga sonreír hoy con amable e irónica condescendencia a los espíritus pretendidamente fuertes porque juran por los dioses de su panteón cuantitativo, olvidando que con pareja suficiencia se sonreía cuando no —ayer como hoy— se aniquilaba en la Edad Media a quienes pensaban en términos filosóficos griegos. Ni el historiador español ni el hispánico pueden tomar estos signos psicológicos tan a la ligera. Por haberlo hecho así resulta que desconocemos lo más sustancioso de nuestro contenido nacional e internacional y tenemos que hacernos preguntas que nos obligan a pasar por locos ante las demás naciones.

A causa, por lo menos en parte, de la posición geográfica de la península en la extremidad del mediterráneo mundo clásico y medieval, de esa posición de proa del alma de Occidente que subraya, según se ha visto, Ortega y Gasset cuando pregunta a su Dios por la esencia cósmica de España y que hacía de España, de la España ulterior, el fin del mundo conocido, el Apocalipsis que era el libro del fin del mundo de entonces y anuncio del ultramundo y venidero, no podía menos de impresionar vivamente a la imaginación española que intuitivamente encontraba en él descrita en lenguaje trascendental una situación que parecía concernirla de modo muy íntimo, puesto que España semejaba ser su traducción al plano geográfico-histórico. Así ocurrió que mientras en otros lugares de Europa, en Francia sin ir más lejos, la canonicidad del Apocalipsis estuvo en entredicho hasta tiempos posteriores, en España no sólo era admitida sino que la lectura y predicación durante la misa de dicho libro sagrado era obligatoria so pena de excomunión desde Pascua a Pentecostés, según consta en los cánones del Concilio IV de Toledo que presidió San Isidoro. Ya se habían escrito para entonces los Comentarios de Apringio de Beja a esta Revelación y siglo y medio más tarde se escribirían los celebradísimos de Beato de Liébana que constituyen el monumento artístico más considerable de la bibliología española medieval. Ningún libro excitó la imaginación de entonces como este Comentario escatológico profusamente iluminado con miniaturas admirables que pueden ser estudiadas en las decenas de códices que han llegado hasta nosotros. La influencia de estos Comentarios escritos a fines del siglo VIII y reproducidos durante los siguientes fue tal que, según se admite ya, gracias a los recientes descubrimientos de un eminente investigador francés, de ellos procede nada menos que el estilo de la escultura románica[2].

Pues bien, cuando la imaginación española necesitó de un valedor patronal que sostuviera a su pueblo en sus hazañas reconquistadoras, de ese libro salió espontáneamente el talismán sagrado requerido. Oiganse, pensando en Santiago Matamoros, estos versículos del Apocalipsis:

> Y vi el cielo abierto. Y he aquí un caballo blanco y el que estaba sentado sobre él era llamado fiel y verdadero, el cual con justicia juzga y pelea. '''Y su nombre es llamado *Verbo de Dios*. Y los ejércitos que están en el cielo le seguían en sus caballos blancos vestidos de lino finísimo blanco y limpio. '''Y de su boca sale una espada aguda para herir con ella a los gentiles '''y él pisa el lagar de la ira del Dios Topododeroso.[3]

Si se recuerdan las imágenes de Santiago capitaneando las cohortes celestiales y pisando moros como en lagar (en otro pasaje del Apocalipsis se dirá que de ese lagar salió sangre hasta los frenos de los caballos), y se tiene en cuenta la blancura del hábito de la orden de Caballería de Santiago instituida algún tiempo después, y a ello se añade que la Vía Láctea

2. Emile Mâle, *L'art religieux du XII<sup>e</sup> siécle en France*, París, Armand Collin, 1943. Cap. 1.
3. *Apocalipsis*, XIX, 11 a 15.

por donde imaginativamente galopan esos ejércitos siderales recibió el nombre de Camino de Santiago, no parece que quede espacio para duda alguna. A fin de vencer a los agarenos que ante la mente cristiana personificaban al Anticristo, los caballeros de Galicia, Asturias, León y Castilla se atribuyeron la representación de las huestes capitaneadas por el personaje ecuestre del Apocalipsis. Apenas se limitaron a advocarlo con otro nombre y a cambiar la posición del arma que aquel esgrime, definida por el vidente de Patmos como una espada de la boca, pero que en nuestra mitología a ras de tierra se convierte en el montante más eficaz, en cuanto que propio de la letra que mata, empuñado por las huestes reconquistadoras.

La conclusión ciertamente trascendental a que abocan estas premisas se resume así: la figura apostólica de Santiago Matamoros, imaginada en Castilla cuando empezaba a adquirir personalidad el lenguaje castellano que se convertiría en el habla general de la península y del Nuevo Mundo que los españoles conquistarían siglos después, es decir, el *lenguaje* de nuestros místicos hecho para hablar con Dios, llamado a extenderse por el imperio donde el sol no se ponía y que en Unamuno acabaría disparatadamente por ser el Verbo divino, es en realidad la trasposición a las circunstancias de entonces de la figura del *Verbo de Dios* que conduce al triunfo de la Nueva Jerusalem. ¿Se quiere coincidencia más acabada? Así resulta que la figuración intuitiva de la personalidad nacional española, es, disfrazada apenas, la imagen del *Verbo de Dios* que efectivamente se está

323

expresando, según su esencia, en un *lenguaje* sustancial, orgánico, distinto del humano y cuantitativo. Ni cabe en el campo de las cosas trascendentalmente verbales que roturamos extrañarse de dicho disfraz, de esa suplantación de personalidad operada por el pretendido evangelizador de España, Santiago Apóstol, toda vez que es el oficio propio de éste cuyo nombre, Jacobo, significa precisamente «suplantador».

Claro que este proceso presenta numerosos aspectos y pormenores de interés apasionante a los que no cabe ni aludir aquí. Lo más que puedo ahora es apuntar cómo esa imagen ecuestre y santiaguina del *Verbo de Dios* está tan consustanciada con el *lenguaje* antibabilónico español, hecho para hablar con Dios, que por ella y por el fenómeno de que da testimonio se explican la raíz, el tronco y las ramas de nuestra gran literatura. El primer monumento en que se manifiesta el habla castellana, descubierto modernamente por cierto, el *Cantar del Mio Cid*, constituye una trasposición degradada del Verbo de Dios, a través de la imagen de Santiago Matamoros, al plano terrestre. Como el caballero del Apocalipsis, él es el fiel, el verdadero, aquel que con justicia juzga y pelea, apartándose incluso de su rey natural para seguir ensanchando Castilla al paso de su cabalgadura, ganando dominios para el verbo castellano. Cid será llamado por los moros, Señor, recordando en tercer grado al que en el Apocalipsis es Rey de reyes y Señor de señores, como también aquí que, por su cualidad soberana, se sobrepone moralmente al monarca de Castilla. Y lo que su personalidad no había conseguido en el poema del juglar de Medinaceli —puerta del cielo o de Dios— lo alcanzará en el Romancero: ganar en modo figurado la batalla tras la muerte, planteando al sesgo el tema esencial de la literatura en que se expresa este idioma que, como se advierte cada vez mejor, entraña una teología sui generis. Porque lo profundamente español es ganar la batalla ulterior o lucha nocturna de Jacob con el Angel que se inicia tras el Finisterre, la batalla metafísica del cielo o conciencia del Ser universal. O sea, la batalla por esa conciencia que está más allá y más arriba del individuo, al modo como el caballero está por sobre el caballo y, aunque asociado con él, no es, como en el centauro pagano, parte de él, sino distinto de él; que éste y no otro es el valor teológico del símbolo. De ahí la afición desordenada a las caballerías que sorbieron el seso a nuestros antepasados y que de lo humano se trasladaron a lo divino; nuestro autismo paranoico, marginal; nuestro misticismo hecho verbo poético que es como el acompañamiento de órgano sobre el que se desarrolla la línea melódica de nuestra historia de la conquista y población, al influjo inmediato de Amadises y Esplandianes, de las tierras inmensas del Nuevo Mundo descubiertas el mismo año en que Antonio de Nebrija publicó la primera gramática del idioma. También en América al paso del caballero santiaguista español se irá ensanchando el ámbito del verbo para hablar con Dios, el castellano. De ahí ese prurito común de sobrepasar la conciencia diríamos equina, natural («los caballos son carne y no espíritu»), diría Isaías estableciendo uno de los valores del símbolo[4]; de ahí nuestro «vivo sin vivir en mí», nuestro «muero porque no muero», nuestro despertar al reino de «La vida es sueño», nuestro «reinar después de morir», nuestra vocación desaforada de colonizar los reinos ultra mortem, el horizonte que se abre al desaparecer el estado de inconciencia universal a que pertenece la entidad psicológica del medioevo, que aún subsiste, esa fórmula circunstancial en que la conciencia de ser, identificada con la existencialidad corpórea pide la muerte para trasponerse al reino espiritual del Ser verdadero, donde tras la noche mística brille la aurora del imperio sin ocaso. Esto es, la ciudad de la paz, característica del Nuevo Mundo conquistado al amparo del Apóstol hijo del trueno, que aquí en América volverá a «aparecerse» —subjetivamente, claro está— y que dará nombre a esas innúmeras ciudades que al llamarse Santiago delatan ser símbolos, prefiguras, prendas, anticipos onomásticos de la ciudad del Verbo de Dios que tras Santiago se disimula, de la conciencia universal, de la Nueva Jerusalem a que apuntaba el viejo mito babilónico.

Y está el Quijote, cortado por el mismo santo Patrón, nuestra obra literaria cumbre, genial, universal, nuestra fe suprema de vida. El Quijote que, en cuanto imagen irrisoria del caballero derivado de la figura del Verbo de Dios —como irrisorio fue el Ecce Homo, el Verbo hecho carne—, era el precisamente llamado a ocupar, con el derecho de su divina locura de

4. Isaías, XXX, 3: "Los egipcios hombres son, y no Dios; y sus caballos carne, y no espíritu".

remate, el vacío representativo de la divinidad. También él es a su modo el fiel, el verdadero, el que con justicia juzga y pelea, el que blande la espada de la boca del Verbo divino puesto que sus armas materiales son nulas, la espada del castellano que, por lo que estamos viendo, ha de abrir inmensa brecha. Y hasta ocurre que al montar en Clavileño para volar por el cielo y desencantar a Don Clavijo —nombre de la batalla donde dice que se apareció el Apóstol y a la que alude por Antonomasia— está siendo su caricatura y siguiendo mímicamente el camino de Santiago.

Como no es posible hacer aquí exposición ni sucinta del contenido profundo que a mi entender posee la figura esquizofrénica de este caballero ideal que, según las ideas avanzadas ya por Ganivet y Unamuno, personifica al pueblo español, sólo diré que en el plano de las expresiones trascendentales su locura es, a la manera que vimos al examinar el rompimiento del lenguaje en la poesía, el modo dialéctico natural de afirmar en aquellas circunstancias y prematuras desazones, en oposición a su contrario y por genialidad intuitiva, el Universo de la Suprema Razón a que por naturaleza nuestra lengua tiende. Modo entitativo, por personificación poética, que es el que hace referencia a la realidad biológica, encarnada. Modo elemental que al retraerse del mundillo de tejas abajo de bachilleres, curas, barberos, etc., etc., esto es, del mundo superficial de la conciencia cuantitativa, de multiplicidad de lenguajes babélicos tanto de individuos como de naciones, está elevando a su más alta efigie la vocación española de universalidad, es decir, esa tendencia intrínseca, sustantiva hacia la conciencia universal, propia de nuestro lenguaje y que ha de hacerse mundo en la ciudad del Verbo. Del verbo Ser, naturalmente, que es el que Don Quijote se apropia al pronunciar su célebre «Yo sé quién soy», en oposición al existir llegado hoy día a su apogeo crepuscular con el existencialismo. Porque lo peculiar del pensamiento español es esto, la andanza continuada por todas las vías literarias y místicas, y hasta por todas las decadencias, hacia el Ser humano universal, hacia ese Ser de España con que la España de hoy, movida por su ansia impetuosa de ser universal que en el sentimiento trágico de nuestra vida, vida unamunesca, tenía que tomar. otra vez formas delirantes, se propone quijotescamente hispanizar al mundo. Por eso, dentro del orden poético de coherencias, apenas cabe extrañarse que el resurgimiento espiritual iniciado en España el 98 rinda culto sobre todo al héroe quijotesco, augurando su salida definitiva, la del sepulcro; y que esta salida de nuestra Mancha natal corresponda a la que sufre desde 1939, al amor de sus poetas, el pueblo en quien se encarna el lenguaje para hablar con Dios. ¿No es su batalla la que se gana después de muerto, la batalla de la resurrección en el Espíritu?

\* \* \*

Podría pensarse que ya he llegado al final de la materia que he ofrecido tratar ante ustedes; que ya he hecho vislumbrar a grandes trazos cómo el español que hablamos todos es por naturaleza un lenguaje singularísimo, tan saturado de su propia identidad, tan entificado que, como Narciso, es capaz de contemplar en su mitología y literatura su misma imagen, constituyendo, mitología y literatura, un todo trenzado con sus fastos históricos; que su personalidad, entroncada al judeo-cristianismo, se ve medulada por una línea fluyente de destino que la intenciona y proyecta hacia un reino universal, más allá del mundo que hasta el presente hemos vivido, el cual no era, según bien se sabe, el del reino del Verbo. Hecha la traída a conciencia de esta realidad, diríase que no me resta sino recalcar cómo la constitución misma de nuestra lengua significa para cuantas bocas conjugan sus profundas savias, un compromiso natural que nos enarbola, que nos yergue en un corpulento destino común, el cual, al evidenciársenos, nos dota de una religión en algún modo sobrehumana, no indigna por cierto de nuestro pasado más heroico, y que nos capacita para construir la ciudad universal de nuestro lenguaje o Verbo.

Podría pensarse que a lo más e hilando muy delgado, no me quedaría sino llamar la atención de ustedes hacia la prueba poética que el pasado del Perú ofrece favorable a la veracidad de cuanto ha quedado expuesto y hacia lo que ello tiene de anuncio extraordinario de destino con proyección al futuro. Porque, en efecto, todos los grandes rasgos manifestados por el orden verbal que hemos revisado sumariamente, presentan su eco o similar hechura en el Perú. La condición religiosa del lenguaje que tiende a englobar los seres humanos todos de un ámbito material en una sociedad y una conciencia común, tendencia que produjo la unidad de los reinos de España, actuó parecidamente y de modo admirable en esta tierra peruana donde el quechua se sobrepuso a los demás idiomas para constituir el Tahuantinsuyo o imperio de las cuatro partes del mundo de los Incas. Si el español fue el lenguaje que se identificó con el imperio donde el sol no se ponía, el quechua fue el idioma del presunto imperio del sol o de la luz que se refiere, por metáfora implícita, a la conciencia. Al absorber por consiguiente el primero u occidental al segundo, no hizo sino reforzarse de modo muy especial en esta tierra y fijar en ella el foco potencial de su significación. Tanto más cuanto que si el lenguaje de los conquistadores era el espiritual castellano de nuestra mística, a estas grandiosidades andinas donde mora el viento altísimo, se las designó con el nombre de Nueva Castilla o Castilla del Oro por la abundancia de este metal que todas las culturas han asociado siempre a la luz y a la divinidad y que ha servido para designar las áureas edades, pasada y futura. «Compra de mí *oro* afinado en fuego'" y unge con colirio tus *ojos* para que *veas*», recomienda el Apocalipsis [5]. Metal precioso cuyos granos eran considerados por los Incas, al decir de Cristóbal de Molina, como lágrimas derramadas ubicuamente por el sol [6]. Para suprema congruencia, en el Cuzco, según refieren el P. Acosta y Garcilaso de la Vega, *se apareció*

5. *Apocalipsis*, III, 18.
6. Cristóbal de Molina, *Destrucción del Perú*, Lima, 1943, p. 38.

*ecuestramente en 1536 el Apóstol Santiago que personifica* al castellano Verbo de Dios, al mismo tiempo que la Virgen Madre, constituyendo ambos la representación figurada del alma española en su tendencia al paraíso de la universalidad. Y este paraíso no es otro, a fin de cuentas, que el situado imaginariamente por el peruano de vocación, Antonio de León Pinelo, en las selvas que yacen junto a estos Andes ingentísimos, desde donde a su juicio partió, como la expedición de la *Nueva Atlántida,* el arca mística de Noé que bien examinada tan gran significación encierra[7]. De otro lado, si en territorios que fueron dominados en parte por los Incas se estableció el Reino de la Nueva Castilla, en el Alto Perú construyóse sintomáticamente la casi celeste ciudad de la Paz, hoy la más alta capital del mundo. Aunque no pueda detenerme a exponer otros índices no menos si no más trascendentales que se agolpan sobre esta latitud planetaria bañada por el Pacífico y ni siquiera referirme en la forma deseable al supremo poeta del Perú, César Vallejo, muerto como mesiánicamente en un día de Viernes Santo con el amargo cáliz de España en la boca, no parece que, gracias a los síntomas antes enunciados, pueda caber duda acerca del papel que al Perú le corresponde dentro del ámbito espiritual del hispanismo. Aludo a ese movimiento a que se refería César Vallejo en su angustia agónica con los siguientes versos memorables dedicados a la prole hispánica:

7. Antonio de León Pinelo, *El paraíso en el Nuevo Mundo,* Lima, 1943, Lib. II, caps. II a IX.

Si la Madre España cae —digo, es un decir—,
Salid niños del mundo; ¡id a buscarla!...[8]

En resumen, dos fases o etapas se distinguen
en el pasado del Perú; una precolombina y otra
occidental. Ambas son poéticamente complementarias, como las estructuras superpuestas
del Cuzco; ambas a todas luces insuficientes,
pero cada cual a su modo prefigurativas del
reino luminoso de la Conciencia universal, o
sea de la tercera y definitiva situación a que
conducen sus peldaños y en la que ambas se
justifican como en el hijo de los progenitores.
Adviértese que esta tercera y última situación
no es sino la enunciada por el Evangelista, por
el *plus ultra*, por la estrella limeña de los tres
Reyes o Reinos y por la granada, símbolos que
presiden los destinos ideales de esta Universidad. ¿Cabe en conjunto identidad más cerrada
y perfecta?
Después de atar todos estos cabos, podría
pensarse, según venía diciendo, que he llegado
al final de la materia que he ofrecido tratar
ante ustedes. No me quedaría más que felici-
tarme en nombre de todos de que nuestro porvenir se anuncie bajo auspicios tan extremadamente favorables, exhortándoles a tenerlos en
cuenta de manera que la vida futura de cada
uno de nosotros sirviese al logro de su cumplimiento. Sin embargo, no es así, no hemos
llegado al final de la materia. No es así ni podría en el plano de la perfección poético-crea-
dora en que hemos venido discurriendo ser así

8. César Vallejo, *España aparta de mí este cáliz*, México, Séneca, 1940.

por la razón simple de que luego de encandilarnos el fenómeno con las más vivas esperanzas, nos dejaría mancos, sin instrumentos de conciencia para llevar a cabo cometido tan ambicioso, prácticamente en manos de sus adversarios. Porque ¿cómo construir la ciudad de Dios sin serlo, ni la del Verbo sólo mediante un fabulado fantasma onírico? ¿No nos faltaría precisamente lo más imprescindible, la dimensión vital de realidad? Además, nuestro Santiago Matamoros, la figura en que se personifica nuestro lenguaje, no es en puridad la cristalización del Verbo universal de Dios, sino más modestamente su contrahechura, su remedo en signo opuesto, que a él remite, sí, pero invirtiendo sus valores, negándolo. Porque el Verbo de Dios, al que irrisoriamente apunta Don Quijote, sólo agrede con la verdad, con la espada espiritual de la boca, y si en la visión apocalíptica con ella derrama sangre se debe a que, en su lenguaje alegórico, la sangre es símbolo del Espíritu. Por el contrario, Santiago Matamoros o Mataquechuas o Mataaztecas o Mata-republicanos-españoles —que de todas estas maneras se le ha pintado—, traduce una situación de violencia material, exterminadora, mucho más mahometana que cristiana, que sólo puede corresponder a una fase preliminar y blasfematoria del proceso poético de sublimación. Porque la ciudad de Dios y de la Paz ha de construirse, según el sentido común y según el profeta, pacíficamente, salomónicamente, por sabiduría divina: «no con ejército ni con fuerza —dice— sino con mi Espíritu, o sea, no con la letra que mata sino con el Espíritu que vivifica»[9]. Y añade: «así lo dice Jehová de los ejércitos», esto es Jahve, el tetragrámmaton que acaudilla los ejércitos siderales o estrellas, el mismo *Verbo de Dios* que al frente de sus celestes mesnadas campea en el Apocalipsis y a cuyo mimetismo surgió, como una réplica de medioevo, Santiago.

El panorama que va a divisarse aquí puede parecer y hasta debe parecer en cierto modo locura, porque como decía Pablo a los Corintios y para nosotros repetiría Bécquer con palabras análogas, las cosas que son del Espíritu de Dios le parecen locura a la mente del hombre animal o existencial, esa locura que no en balde personifica nuestro señor don Quijote y que para nosotros revivió apuntando al Logos o Razón verbal suprema y en escalón más próximo Unamuno. Pero es el caso que detrás de la figura suplantadora de nuestro Jacobo, no sólo la del Matamoros o campeador celeste, sino la del Apóstol peregrino —lo digo pesando una a una las palabras— se esconde el misterio quizá, más sublime de los acaecidos en la historia de la humanidad, sin duda el más trascendental de nuestros diecinueve siglos últimos, el misterio de la iniquidad que constituye el nudo de la tragedia creadora que viene predisponiendo su desenlace en nuestra conciencia. Misterio el más trascendental y sublime no sólo por lo que es en sí, sino sobre todo por lo que radicalmente implica y significa, por lo que tiene de clave dilucidante y transfiguradora hacia el pasado y hacia el futuro, no relativa al mundo español sino a la conciencia del Logos universal, dando

9. Zacarías, IV, 6.

sentido y valor histórico, traduciendo a realidad material las promesas espirituales del judeo-cristianismo. Afirmo, claro está, que es cuanto me cabe hacer en este instante.

Pero permítanme que para llegar a donde vamos empiece ahora por alistarlos a todos ustedes, por matricularlos en aquella santa cruzada a que proféticamente nos invitó Unamuno en el preámbulo de su *Vida de Don Quijote y Sancho*, a esa cruzada unamunescamente delirante de verdad y de justicia con miras a rescatar el sepulcro de Don Quijote que los «bachilleres, curas, barberos, duques y canónigos» guardan —son sus palabras— «para que no resucite». Y nos importa que resucite aquel espíritu que traía a nuestro Caballero de la Locura enajenado y de que era imagen irrisoria; nos importa que el Verbo de Dios, aquel que en cada uno de nosotros debe saber quién es, renazca. Porque Unamuno decía también: «allí donde está el sepulcro está la cuna, allí está el nido. Y de allí volverá a resurgir la estrella refulgente y sonora, camino del «cielo».

Podríamos llegar rápidamente por nosotros mismos, por nuestra propia imantación, a la cripta misteriosa para levantar la losa del sepulcro, pero es preferible que nos dejemos guiar por la intuición de don Miguel, pues de otro modo pudiéramos no darnos cuenta de que dicho sepulcro es el de nuestro Ser nacional tan buscado, el de Nuestro Señor Don Quijote. Pero ¿hacia dónde se encuentra? ¿Qué especie de sepulcro puede ser?

Cuando en su *Vida de Don Quijote y Sancho* dice Unamuno que de ese sepulcro-cuna «volverá a resurgir la estrella refulgente y sonora,

335

camino del cielo», está quiéralo o no refiriéndose y cosignándonos a Santiago de Galicia, puesto que esa *estrella* es la famosa que se veía sobre el sepulcro del Finisterre o principio del cielo, la presente en el nombre de Compostela interpretado como «campo de la estrella» y que hoy figura sobre el arca santa o sepulcro en el escudo de dicha ciudad, mientras que el *camino del cielo* es evidentemente el *Camino de Santiago*. Siete años después, en una crónica titulada «Santiago de Compostela» escrita en ese lugar, dirá Unamuno que «el sepulcro de Santiago es el de España toda». Por consiguiente el de la resurrección de Don Quijote que personifica a España y el de nuestra resurrección. Y a renglón seguido, haciéndose eco de las hablillas recogidas in situ, estampará don Miguel la tremenda verdad, aunque en su estimación del fenómeno no pudiera pasar del grado ínfimo. El sepulcro atribuido a Santiago, que es el de España toda, situado en el Finisterre, en el fin de la tierra, en el punto de la península que poéticamente comunica con el cielo, y también en ese lugar a que, cosa curiosa, parecía estar aludiendo Ortega y Gasset sin proponérselo al preguntar a Dios por el Ser de España definida por él como «promontorio espiritual de Europa» y «proa del alma occidental», no es en verdad el sepulcro de Santiago Apóstol, el del divino «suplantador», sino el de un personaje debidamente suplantado que ha servido de núcleo para la formación del misterio trascendentalísimo. Es el sepulcro de Prisciliano [10]

10. El artículo "Santiago de Compostela" fue recogido en *Andanzas y visiones españolas*, Madrid, Renacimien-

y compañeros mártires, sacrificados ignominio-
samente a fines del siglo IV cuando estaba a
punto de iniciarse la germanización de Occidente y de inaugurarse el largo período histórico
que ha venido a acabar en nuestros días. Y sacrificados bajo falsas imputaciones por el catolicismo institucional triunfante que, por vez
primera, de ser mártir y víctima, como en los
siglos de las catacumbas, pasó, aliado al cesarismo, a ser verdugo. La tragedia, porque tragedia fue y hondísima, se produjo en virtud de
una confabulación de circunstancias equivalentes en grado inverosímil a las que han pre-
valecido en España desde 1936 a 1939 y hasta
hoy, que han determinado la emigración de esa
masa significativa del pueblo español tendien-
te a la universalidad, calificada por sus intelectuales y artistas y, en especial, por sus poetas.
He aquí la verdad desnuda, la verdad fin-de-
la-tierra, tan guardada como desnaturalizada,
que hoy resucita; la verdad correspondiente a
nuestro Ser verbal por quien los ensayistas in-
terpelaban a Dios y a los astros y que viene a
derramar nuestra sangre auroral con la espada
de su boca. Porque el sepulcro de Compostela
—puedo asegurarlo con la fuerza de mi entera
convicción después de haber estudiado larga y
exhaustivamente el asunto y hasta de haberlo
vivido a fondo— *es*, verdaderamente es el se-

to (Ve. p. 66). La identidad del sepulcro Prisciliano-Santiago fue sugerida antes que por Unamuno, por el eminente
historiador católico francés, Monseñor Louis Duchesne en
su monografía *Saint-Jacques de Galice* ("Annales du Midi",
Tolouse, 1900 pp. 160 y 161) y luego en su *Histoire ancien-
ne de l'Eglise* (p. 545 del vol. II, según la quinta edición,
París, Fontemoing et Cie., 1911).

pulcro de Prisciliano. *Ecco il barone per cui lá giú se visita Galizia*, según decía Dante al identificar a ese barón suplantado con la virtud teologal de la esperanza [11]. Y Prisciliano es el germen de nuestra internacionalidad, la condensación histórica de la España ulterior o universal, en oposición a la España citerior o relativa al ámbito exclusivamente mediterráneo, romano, del Evo filial o Medio. Por ser prenda de universalidad celeste y de Nuevo Mundo está sepultado en el lugar de España que se llama Finisterre, que no es la punta más occidental de la península, pero que sí, en cambio, el lugar del continente europeo más próximo del continente americano o Nuevo Mundo y de cuyo futuro contenido es cifra.

Diré en pocas palabras quién fue Prisciliano limpiando su memoria de las inmundicias con que lo cubrió la mente medieval, que todavía recogió Menéndez Pelayo para su vergüenza en sus Heterodoxos, y que aún quisieran algunas gentes seguir a toda costa sustentando. Prisciliano fue a fines del siglo IV el personaje en cuyo entusiasmo pre-quijotesco encarnaron, al frente de un gran movimiento popular, los afanes más puros del cristianismo que en ese siglo había ganado definitivamente la batalla por el imperio. Fue un exaltado, un místico impetuoso, incapaz de contentarse con la mísera pitanza espiritual de ir viviendo en suspensión dentro de un mundo inerte, embalsado, dentro del mundo de entonces regido por una magistratura eclesiástica heredada con frecuencia del paganismo y reconocidamente depravada en

11. *Divina Commedia*, "Il paradiso", XXV.

multitud de casos, sino que aspiraba a perfeccionar ese mundo, a ponerlo popularmente en marcha para imprimirle caracteres semejantes a los que San Pablo había predicado a las iglesias primitivas. Si Don Quijote —como Teresa de Jesús y de Avila— estaba intoxicado de libros de caballerías, Prisciliano tenía los sesos sorbidos por las sagradas escrituras cuyas sentencias empalmaba unas con otras en interminable retahíla en sus sermones y discursos. Aunque suele decirse que fue gallego no hay razón convincente que lo abone. Se ignora su origen y las probabilidades no parecen favorecer a aquella región más que a otras. Por aclamación popular, al modo de entonces, fue obispo de Avila, diócesis dependiente de Mérida, llegando a constituirse en cabeza visible de una cofradía ascética que estaba extendida por las diversas regiones de la península y tuvo ramificaciones en Aquitania. El nombre con que se conocía esta asociación era probablemente el de *Hombres de Cristo*, no muy disparejo, por cierto, del de la contrarreformista Compañía de Jesús. La posición espiritualista a rajatabla de este pronunciamiento democrático tropezó pronto con los conceptos jerárquicos de una parte importante del clero que vio en él un enemigo y le declaró la guerra. Muchas y muy enconadas fueron las luchas libradas entre estas dos Españas citerior y ulterior, por decirlo así, con alternativas diversas. Prisciliano era un verdadero campeador con la espada de la boca, según refiere Sulpicio Severo y corroboran sus opúsculos. Años hubo en que el triunfo parecía ganado definitivamente por los *Hombres de Cristo*, al grado que el cabecilla de la facción opuesta, el Obispo Itacio de Osonoba, hoy Faro en el Algarbe, tuvo que salir huyendo para buscar escondrijo en Tréveris a donde la autoridad fue en su busca. Pero cierto repentino suceso político cambió de pronto las tornas. Un general español, tal vez gallego, puesto que oriundo de los dominios de Teodosio, se sublevó contra la autoridad constituida al frente de sus legiones, en una isla que no fue de las Canarias, no descubiertas aún, sino de las Británicas. Se proclamó emperador, se bautizó y pasó al continente, donde venció y mató a Graciano el emperador legítimo, piadoso si los hubo. Cito las palabras de un historiador francés de fines del siglo pasado, André Levertujon: «Sacando admirable partido de las cartas que le había puesto en manos una potencia puramente moral recién nacida mas ya preponderante, Magnus Maximus se disponía a aducir el primer modelo de una guerra civil de motivos y consignas religiosas. El mismo se presentaba como el tipo primordial de esos «salvadores» que más tarde se verán asumir la misión de defender los intereses de la fe, puestos por ellos sobre los intereses de la política»[12]. Como se ve, lo único que falta pronunciar es, hipócritamente, la palabra Cruzada. Con este general sublevado hicieron causa común Itacio y un buen número de obispos desmandados que, frente a los *Hombres de Cristo*, afirmaban, como en los días de Pilatos, no querer más reino que el del César. Como consecuencia la calumnia entró en funciones al modo como sabían

12. André Levertujon, *La Chronique de Sulpice Sevère*, París, Hachette et Cie. 1896-99, vol. II, p. XXXVI.

entonces servirse de ella para perpetrar los asesinatos jurídicos y como también hoy sabemos por experiencia cómo se practica. Prisciliano y sus compañeros fueron torturados cruelmente, cargados con los delitos necesarios para justificar la pena capital, siendo degollado en Tréveris con otras seis personas —que es lo que querían los Obispos, a Dios lo que es de Dios—. Otros fueron deportados a las islas atlánticas y todos, pues eran ricos, despojados de sus bienes —que es lo que quería Máximo, al César lo que es del César—. La conmoción en España fue hondísima. Los cuerpos de los infelices fueron llevados a Galicia donde recibieron sepultura y culto de mártires.

Continuando las tareas protectoras de la Iglesia que se había impuesto, Máximo entró en campaña contra Italia. Fue muerto con ignominia por Teodosio. Los obispos sanguinarios fueron degradados y desterrados, las víctimas rehabilitadas y enaltecidas solemnemente en el Senado romano. La Iglesia entera de Galicia honró públicamente en la misa a Prisciliano durante quince años, hasta el 400. En España prosperó el cisma.

Mas tras unos años de vacilación, la fuerza de los intereses circunstanciales se impuso. La Iglesia católica que siempre había mirado con desconfianza el desarrollo del ascetismo popular, no tuvo en la práctica de su psicología más remedio que hacer, calificándose, causa común con los victimadores contra las víctimas, so pena de conceder con el desprestigio consiguiente que los obispos católicos eran capaces de producir mártires cuyo testimonio no podía atribuirse al Dios todopoderoso de la Iglesia de Roma. Para disimular el crimen, fue necesario justificarlo por la perversidad de los ajusticiados, dando por buenas las calumnias arrojadas sobre los testigos del Espíritu de Cristo por su acusador diabólico, esto es, sentando las bases del misterio de la iniquidad. Más aún, conforme pasaba el tiempo, se le fueron achacando a Prisciliano las heterodoxias a veces groseras de cuantos inconformes con la Iglesia triunfante se agruparon, como es natural, en torno a su recuerdo. Poco a poco Prisciliano fue cargado con todas las aberraciones habidas y por haber hasta convertirse en el prototipo del hereje maligno.

Pero... cuatro siglos después, allá en el Finisterre que por Prisciliano fue estimado y llamado así, sus restos, como los de la semilla evangélica que es preciso que muera para que lleven mucho fruto, empezaron a recibir consideración apostólica, al ser en un primer tallo atribuidos a la figura suplantadora de Santiago el Mayor. En un segundo tallo brotó la leyenda de la traslación milagrosa de sus restos desde Jerusalem a Galicia. Tiempo después apareció entre sus ramas el Matamoros apocalíptico, asociado al Verbo de Dios, para convertirse al trote de los siglos en el patrón nacional de España. Un patrón nacional que Prisciliano lo es realmente puesto que se consustanció con nuestro verbo para hablar con Dios y que en sucesivas primaveras cuajó en las figuras del Cid y del Quijote siendo luego el símbolo que, enlazado con el de la Virgen Madre, presidiría al descubrimiento y población del Nuevo Mundo.

Cuando a fines del siglo pasado aparecieron

inopinadamente en una biblioteca alemana unos escritos suyos, pudo verse que las noticias que de Prisciliano teníamos estaban falseadas y que sus sentimientos y doctrinas no tenían punto que ver con los que se le habían achacado. La locura mística que lo poseyó era la locura de Cristo y de su reino que, lo mismo que a su modelo, lo llevó a ser sacrificado inocentemente como cordero providencial de Dios. Tensos estaban en él los resortes que lo proyectaban hacia un más allá en el orden del Espíritu por el que reclamaba la libertad de interpretar las Escrituras. En este sentido fue el primer precursor de la Reforma, según se ha reconocido por los teólogos protestantes, lo que no carece de significado. Como tampoco que fuera a perecer en la Alemania de Lutero y en la ciudad de Tréveris donde al cabo de los siglos nacería materialmente Carlos Marx. Conforme a las enseñanzas paulinas, fue un defensor acérrimo del Espíritu en oposición al sensualismo material representado por sus perseguidores, del caballero en oposición al caballo. De ahí que le cuadre perfectamente la representación del Apocalipsis de que Santiago es contrahechura.

De ahí que... —no puedo evitar decirlo—, de ahí que este Prisciliano, este cordero victimado y providencial de siete ojos que yace en la cripta de nuestra alma occidental y se invistió con la personificación de nuestro lenguaje cuyos orígenes se remontan a los primeros tiempos del germanismo, y a cuya cena, por decirlo con términos apocalípticos, hoy se nos convida, sea manifestación auténtica del Verbo de Dios con cuya figura fue asociado luego. ¿Acaso no se está viendo cómo todo este fenómeno se halla determinado, por una providente sabiduría, orgánica y trascendental, muy superior a la de la conciencia llamada humana, aunque la humanidad deba a su hora comprenderlo, expreso en un sistema de signos muy diferente del que emplea el lenguaje cuantitativo de los hombres aunque pueda resultar para nosotros comprensible? ¿Y no dispone ahora aquel mártir sus disfraces de época viniendo a pelear con verdad y con justicia, con la espada de su boca o del Espíritu contra el mundo babilónico de su calumniador infame, que es el histórico de quien con éste se ayuntó?

La esencia universal —lo digo reflexivamente, mesurando los vocablos— se ha expresado por nuestro mártir, por Prisciliano y compañeros. El fenómeno de su vida, de su muerte, de sus suplantaciones, de los destinos de éstas, y de su resurrección, se halla ligado intrínsecamente al *Verbo de Dios* o de la universalidad específica y planetaria que se ha revelado previamente en los dos Testamentos de la Biblia y que está acabando por hacerse historia. Imagino que lo que estoy diciendo sin poder detenerme a probarlo, pugna con algunas ideas de ustedes y que debe parecerles desorbitado, rayano en desvarío. También hubiera chocado contra las mías de otrora, también a mí personalmente, por tratarse de cosas del espíritu, excluso del mundo en que hemos nacido, me hubieran parecido insensatez. Pero ni nuestra ignorancia en el orden físico, ni nuestra inconsciencia en el psíquico pueden invocarse como criterios de verdad. Y estas realidades que ahora verdaderamente se nos descubren, revelan

344

al par la existencia de un orden nuevo que justifica poéticamente todo el pasado de nuestra cultura judeo-cristiana, todo el sentido de su esperanza físico-psíquica, todo el empuje de Occidente, así como el sentido, la esperanza y el empuje de nuestra personalidad histórica española. En ella radica el por qué de nuestros esfuerzos rigurosos, de nuestras glorias de un siglo, de nuestro quijotismo enajenado, de nuestra introversión mística y de nuestra decadencia mientras se gestaba el futuro en el continente nuevo. Y este fenómeno de ultramundo, esta auténtica agnición vindicativa adviene a conciencia ahora, cuando se desenlaza la tragedia teologal de España que rinde su espíritu al derramarse su emigración poética por el orbe; en este valle babélico de confusión, a las puertas de Dios, cuando se acerca el fraguado de la ciudad de la paz, de la cultura democrática y liberal del Espíritu, la Nueva Jerusalem que el Apocalipsis titula «esposa del cordero» —de nuestro cordero victimado, el antiguo y el reciente—. ¿Acaso los descubrimientos de nuestra época iban a limitarse al campo de las cosas físicas? ¿Por qué razón la mente humana debía restringirse a la comprensión de la esencia de la materia según se está realizando estos últimos años, sin poder penetrar la esencia espiritual que es la que más a las grandes culturas les ha importado siempre, el enigma de nuestro propio Ser? ¿Cómo podría instituirse en estas condiciones y sin entender a fondo la historia que a ella conduce, la siempre apetecida cultura universal?

Comprenderán que no me es posible aludir ni ligeramente a las conexiones admirables y reveladoras que este fenómeno patentiza con la concepción del universo, propia de nuestro sistema tradicional judeo-cristiano, a las que me he referido, y que lo convierten, vista la totalidad de su desarrollo, en lo que tantos judíos como cristianos han sentido siempre que era: un sistema de ningún modo ilusorio, insustancial, según tienen decretado los materialismos cuantitativos, sino al contrario, un lenguaje o Verbo correspondiente a la existencia de un orden psico-histórico, en el que se ha alegorizado poéticamente la sustancia cualitativa de que depende la transfiguración de nuestra conciencia y que es necesaria para el entendimiento y disfrute de la realidad.

Sólo les anunciaré que en gracia a las claridades que esta clave difunde, se logra percibir realmente y por fin el desarrollo del sistema providencial de la historia presupuesto desde siempre y tratado de rastrear en los tiempos modernos a partir de Vico, ese desarrollo del itinerario de la mente divina, por decirlo con frase de san Buenaventura, que alguna relación guarda con los conceptos hegelianos de la historia como revelación del Espíritu, los cuales no son, por lo que desde mi puesto percibo, sino un trasunto débil, descendido a razón suscinta, a ras de tierra, de la realidad en su plenitud. El sistema de comprensión del hombre en su universo, el lenguaje que se nos descubre mediante los aportes del fin del mundo español y occidental, es incomparablemente más profundo y sublimador que los panlogismos filosóficos en que repercute.

# Rendición de espíritu (1943)

## Amor de América

Montaba José Martí su caballo blanco cuando recibió la descarga que le derribó para siempre. La causa de la Libertad americana se ungía con la sangre del héroe destinado al sacrificio. Tocó a Martí, español de América, llevar a término la obra de Bolívar. Si éste era el primero, el padre de la Libertad, Martí era el último. Y así, por la muerte del convocado a testimonio, se consumó la ruptura entre el continente americano y la madre España siguiendo el designio dinámico que obliga al hijo a diferenciarse de su madre.

Mas aquel caballo blanco, sin jinete, ungido con la sangre del poeta José Martí, quedaba convertido por arte de sublimación en el Pegaso alado que andaba queriendo por entonces cabalgar —sic itur ad astra— otro egregio Libertador de América en el orden celeste de la poesía [1]. El mismo Rubén Darío,

1. "¡Si yo pudiera poner en verso las grandezas luminosas de José Martí!", carta de Rubén Darío a Pedro Nolasco Prendez, Valparaíso, 12 nov. 1888, en Alberto Ghiraldo, *El Archivo de Rubén Darío*, Buenos Aires, Losada, 1943, pág. 314.

transfigurado, compostelanamente, confiesa que, «al tiempo de montar ese caballo rudo y tembloroso», «entre sus cejas vivas vio brillar una estrella».

He aquí las tres personalidades supremas que desde los tiempos de su emancipación ha producido el solar de América hispana, la clave triangular de su firmamento: Bolívar, Martí, Darío, el político, el apóstol, el poeta; tres personas distintas y un solo Verbo de Libertad verdadero; jinetes los tres de sus caballos blancos. Admirable unanimidad: ecuanimidad, si vale jugar la palabra. ¿Y qué significa libertar a América sino verificar su natural diferenciación, romper los cordones vitales que la enganchan y subordinan al pasado, los vínculos políticos, los éticos, los imaginativos? ¿Qué sino lograr que el Nuevo Mundo se identifique con su esencia, con su novedad, que efectivamente sea lo que Es?

Bolívar, Martí, Darío, tres continentalistas confesos. Los sueños de la Magna América bolivariana se identifican con el «continente de la esperanza humana» de Martí y ambos con el «foco de una cultura nueva» de Rubén. Dentro de este orden sucesivo es evidente que Bolívar fue el héroe de la Libertad, el Padre; que Martí fue el ente moral en que se encarnó ese mismo aliento de Libertad, el Hijo; y que Darío fue el visionario que la generalizó poéticamente a sus más altas atmósferas, la persona alada, el Espíritu. Si el primero fue político y poeta el último, el mártir Martí, participante de ambos, fue político-poeta. Como Hijo y como ente encarnado, a él, cerrando el círculo, le tocó inmolar su vida. Fue el Cristo español de América, según lo vislumbraron algunos de sus contemporáneos, y su persona define al mundo venidero, pues que esa su condición de político y de poeta prefigura la polis poética, la excelsa y universal ciudad de mañana.

La índole de esta trilogía o trinidad verbal constituye para América, en el más alto nivel de lo significante, su primer sustantivo o palabra capaz de designarla en cuanto Objeto. Por su propia virtud viene a confirmar y contrasellar auténticamente lo que quedó a descubierto por otros caminos en las anteriores páginas de esta capitulación de Espíritu, esto es, que la realidad espiritual del continente americano al superar el nivel religioso consustancial a una etapa de creación histórica, desemboca en la altiplanicie de la Poesía, en la ciudad que traduce la naturaleza del Hombre y hace posibles las relaciones directas entre el ser humano y la Creación.

Sí, a donde no llega por sus propios pasos, la razón llega en alas de la Poesía; a donde no el tacto, alcanzan por su virtud los ojos; a donde no el egoísmo ni la voluntad de dominio, trasciende amorosamente, sí, el personal holocausto. América, Amor.

«¿QUIEN ES ESA QUE SUBE DEL DESIERTO COMO UNA COLUMNA DE HUMO, FORMADA DE PERFUMES DE MIRRA Y DE INCIENSO Y DE TODA ESPECIE DE AROMAS?» (Cantar. III, 6).

Por natural misión en cuanto persona alada, en el último estertor de esta jacobina *Rendición de Espíritu*, acude por consiguiente aquí, en representación de América latina su poeta más alto. Toca a Rubén Darío iluminar espiritualmente los umbrales, pronunciar la palabra de bienvenida. Máxime cuanto que en estrechísimo acuerdo con el sentido general que se desprende de estos capítulos resulta, si bien se considera, que entre todos los teorizantes del Nuevo Mundo, ensayistas, políticos, filósofos, ninguno puede competir en visión general ni en exactitud con aquél que se cierne en la dimensión poética, supuestamente americana. El destino neocontinental ha expresado a lo largo de las exaltaciones de Rubén sus caracteres esenciales desde que en un extenso poema de juventud —*El Porvenir*— se encaró, desplegando toda la prosopopeya de que se sintió capaz, con los oráculos poéticos para llegar a la solemne conclusión de que «*América es el porvenir del mundo*». Aunque a veces se oculte bajo la frondosidad de su elocuencia, será éste el tema central y sustancial de su sinfonía poética, el río que fecunda su obra.

Fue, en efecto, Rubén Darío, al par que heredero del legado de Occidente en algunas de cuyas formas tanto se complació, el poeta del «alba de oro», de la prima luz celeste a que todo en él aspira, de la hora de despertar del sueño milenario, que presiente inmediata. Sus números poéticos se entreveran en una serie de operaciones ecuacionales que acaban por erigir una bóveda a manera de vuelo de águilas donde se identifican la Luz, Dios, el

Amor, por una parte, y América con su unión de países —«países de la aurora»— por otra, dentro de un sentido continentalista que sólo una vez, en un arrebato pasional, *parece* haber desmentido[2]. En otro aspecto, la posición poética de Rubén Darío, contradiciendo las tendencias racionalistas de su época, se caracteriza por su típico y expreso milenarismo con frecuentes alusiones al Apocalipsis de San Juan y al divino caballero montado en su «caballo blanco», al Verbo. En este punto, la coincidencia entre el sentido de su mensaje y el contenido del presente libro sorprende por lo perfecta. Con insistencia anuncia Rubén una inminente catástrofe social:

Siéntense sordos ímpetus en las entrañas del
[mundo,
la inminencia de algo fatal hoy conmueve la
[tierra;
fuertes colosos caen, se desbandan bicéfalas
[águilas,
y algo se inicia como vasto social cataclismo
sobre la faz del orbe.[3]

Algo sobre la faz de ese ORBE que es el término de versión del Ebro, algo que, por otra parte, no deja de tener caracteres de parto y de fin de mundo:

Falta la terrible trompeta.
Mas oye el alma del poeta

2. Más amplios detalles sobre el particular se encuentran en *Vaticinio de Rubén Darío*, "Cuadernos Americanos", Año I, n.º 4, julio-agosto de 1942,
3. *Salutación del Optimista*.

crujir los huesos del planeta.
Al ruido terráqueo, un ruido
se agrega, profundo, inoído...
Viene de lo desconocido.[4]

La propia Poesía se encarga de definir el carácter apocalíptico de final de mundo de esa
sacudida fatal que se avecina. Las alusiones al
libro, a los conceptos y figuras de San Juan, relativamente frecuentes en su obra y del todo
espontáneas puesto que no es tema que haya
despertado el interés ni conseguido entrada en
la de ninguno de sus inmediatos antecesores ni
contemporáneos, se traduce en un clamor profético e implorante que prorrumpe en el mismo
«Ven» con que termina el Apocalipsis. La esperanza, «la divina reina de luz, la celeste esperanza» que sostiene y orienta desde el principio hasta el fin de su obra el aliento poético,
se concreta en el poema que dedicó a esta virtud como núcleo de su libro *Cantos de Vida y
Esperanza*, a anunciar, a reclamar a toda costa
el «retorno de Cristo» bajo la traza del caballero del Apocalipsis que, como se vio, no es
otra que la de Santiago:

¿Ha nacido el apocalíptico Anticristo?
Se han sabido presagios y prodigios se han visto
y parece inminente el retorno de Cristo.

Verdugos de ideales afligieron la tierra.
En un pozo de sombra la humanidad se en-
[cierra
con los rudos molosos del odio y de la guerra.

4.  *Santa Elena de Montenegro.*

¡Oh, Señor Jesucristo! ¿por qué tardas, qué
[esperas
para tender tu mano de luz sobre las fieras
y hacer brillar al sol tus divinas banderas?

Ven, Señor, para hacer la gloria de ti mismo,
ven con temblor de estrellas y horror de cata-
[clismo,
ven a traer amor y paz sobre el abismo.

Y tu caballo blanco que miró el visionario
pase. Y suene el divino clarín extraordinario.
Mi corazón será brasa de tu incensario.[5]

Particularmente notable resulta el sentido
que se desprende de este clamor esperanzado
del poeta continental cuando se le refiere al
modo de sentir propio de Martí que definía a
América como «el continente de la esperanza
humana» y que un poco a la manera de Cristo
murió —había muerto— consumando la libe-
ración del Nuevo Mundo sobre su caballo
blanco.

Por lo que toca a Rubén, el sentimiento que
ha tomado en su obra cuerpo poemático adqui-
rirá más y más, conforme pasan los años, caracteres precisos. En otro de sus poemas claves, en aquel *Pax* donde se contiene su testamento poético, el clamor que en el *Canto de
Esperanza* no pasó de ser aspiración y deseo
profundos, asume figura puntualizada, circunscrita, designando el momento histórico en que
«del apocalíptico enigma surja el caballo blanco con resplandor y estigma». Investido de

5. *Canto de Esperanza.*

aquella misma solemnidad que en la juventud le llevó a sostener que «América es el porvenir del mundo» y en el centro de su vida que «parece inminente el retorno de Cristo», anunciará en su poema postrimero:

Pero el misterio vendrá
vencedor y envuelto en fuego
más formidable que lo que dirá
la épica india y el drama griego.
Y nuestro siglo eléctrico y ensimismado
entre fulgurantes destellos
verá surgir a Aquel que fue anunciado
por Juan el de suaves cabellos.[6]

He aquí, precisa, remachada, la gran profecía poética del Nuevo Mundo. Nuestro siglo, el siglo veinte, verá surgir la personificación del Verbo —la Segunda Venida— con todo su aparato cataclísmico en el plano social y con la presencia específica del Anticristo. Nada más legítimo. La voz del Nuevo Mundo, la voz poética como corresponde a su sustancia misma, anuncia el derrumbamiento del mundo antiguo y, auténticamente, la aparición del Nuevo, señalando incluso el tiempo en que el suceso se dispone a ocurrir, el siglo actual, y el punto de incidencia del más allá, América, «pues que —según el mismo poema— aquí está el foco de una cultura nueva». Y ese fin y principio de mundo se identifica con el alcance de la profecía del Apocalipsis y con la Segunda Venida, cosas desechadas como patrañas supersticiosas. Es decir, constituye el final del gran ciclo co-

6. *Pax.*

rrespondiente a la disociación de tierra y de cielo, de lo que repta y de lo que vuela. Y tal vez no sea ajena a su celeste afán volador la insistencia con que para aludir al Apocalipsis se sirve Rubén de la imagen del caballo blanco que probablemente se identifica en su sentir con el Pegaso de la mitología griega, con la Poesía. Al grado que, con la clave que él mismo nos brinda cuando confiesa:

Un gran Apocalipsis horas futuras llena
¡ya surgirá vuestro Pegaso blanco! [7]

cabe legítimamente pensar que el famoso «caballo blanco» montado por el Verbo en el Apocalipsis es ni más ni menos que la representación del impulso poético en que, para conseguir su plenitud, necesita apoyarse el Lenguaje. La misma idea, pues, que para los griegos traducía Pegaso: la virtualidad metafórica. De este modo el caballo blanco de Santiago que subía y bajaba del cielo y transitaba su propio camino estelar, así como el Clavileño de Don Quijote, constituyen representaciones de la misma poética realidad. Y también el caballo significativo de Martí.

Las conclusiones a que por sus caminos llegó Rubén Darío coinciden según se ve, de modo exacto y circunstanciado con las que por los suyos peculiares propone este libro. Ya no es Roma sino su antítesis natural, el Nuevo Mundo —Amor— el sitio a donde van a dar todos los caminos. La realidad es redonda. Carecíase por completo en los días de Rubén de indicio

7. *Mientras tenéis.*

alguno que permitiera imaginar racionalmente la operación que se avecinaba en España en representación de «la faz del orbe», la proyección poético-política del Nuevo Mundo de América constituida por la República de 1931, su sacrificio a mano de las fuerzas anticristianas que para Rubén se anunciaban bajo la fisonomía conceptual de Nietzsche, profeta de la voluntad de potencia y autor del *Anticristo*. Por muy entrañada que se encontrara su persona poética con el idioma castellano de que se manifestaba sumo representante, ni para él era factible concebir conscientemente por entonces la actuación histórica del pueblo español en cuanto Verbo. La realidad universal es la que por su propia virtud, a través del desconocimiento del poeta por una parte, y de su poderosa intuición por otra, se expresaba conforme a las necesidades de su destino ulterior. Para más admirable confirmación de las afirmaciones poemáticas de Rubén inopinadamente «surge de entre las páginas del libro del Abismo» el águila por éste tan aludida del Apocalipsis para apropiarse el escudo nacional español. La caracterización significativa de la frase poética no puede ser más concluyente. De manera que confrontando con el cuerpo de elementos significantes analizados en esta *Rendición de Espíritu*, el poder llamado intuitivo de Rubén se manifiesta sin parangón con el de ningún otro poeta castellano [8].

8. En España sólo otro poeta fue capaz de intuir el auténtico sentido de los acontecimientos que se avecinaban caracterizándolos por medio de sus símbolos trascendentes. En *La Agonía del Cristianismo* de Unamuno se leen párrafos como éstos:

En su sentir, la llamada «alba de oro» o «alba futura» que sin duda posible se refiere a América, es por otra parte función de latinidad,

"Escribo esta conclusión fuera de mi patria, España, desgarrada por la más vergonzosa y estúpida tiranía, por la tiranía de la imbecilidad militarista; fuera de mi hogar, de mi familia, de mis ocho hijos —no tengo nietos todavía— y sintiendo en mí con la lucha civil la religiosa. La agonía de mi patria, que se muere, ha removido en mi alma la agonía del cristianismo. Siento a la vez la política elevada a religión y la religión elevada a política. Siento la agonía del Cristo español, del Cristo agonizante. Y siento la agonía de Europa, de la civilización que llamamos cristiana, de la civilización grecolatina u occidental. Y las dos agonías son una misma.

.......................

"Hay momentos en que uno se figura que Europa, el mundo civilizado, está pasando por otro milenio; que se acerca su fin, el fin del mundo civilizado, de la civilización, como los primeros cristianos, los verdaderos evangélicos, creían que se aproximaba el fin del mundo. Y hay quien dice, con la trágica expresión portuguesa: "Isto da vontade de morrer". Esto da ganas de morir...

.......................

"Escribo estas líneas, digo, lejos de mi España, mi madre y mi hija —sí, mi hija, porque soy uno de sus padres—, y las escribo mientras mi España agoniza, a la vez que agoniza en ella el cristianismo. Quiso propagar el catolicismo a espada; proclamó la cruzada, y a espada va a morir. Y a espada envenenada. Y la agonía de mi España es la agonía de mi cristianismo. Y la agonía de mi quijotismo es también la agonía de Don Quijote.

"Se ha agarrotado hace pocos días en Vera a unos pobres ilusos, a quienes el consejo de guerra había absuelto. Se los ha agarrotado porque lo exige así el reinado del terror. ¡Y menos mal que no se les ha fusilado! Porque diciéndole yo una vez al actual rey de España —hoy sábado, 13 de diciembre de 1924— que había que acabar con la pena de muerte para acabar con el verdugo, me contestó: 'Pero esa pena existe en casi todas partes, en la República Francesa, y aquí menos mal que es sin efusión de sangre!...' Se refería al garrote comparado con la guillotina. Pero el Cristo agonizó y murió en la cruz con efusión de propia de la estirpe de Roma y de España, es decir, de la línea característica del lenguaje castellano, del Verbo. Recuérdese entre otros

---

sangre, y de sangre redentora, y mi España agoniza y va acaso a morir en la cruz de la espada y con efusión de sangre... ¿Redentora también?"

Muy notable es, por otra parte, el destino mortal de Unamuno quien en el *Romancero del Destierro* se expresa así:

> Adiós, ¡qué triste palabra! Llora
> si ojos te quedan, llora tu mal;
> llegó, mi España, por fin la hora
> del fin de todo, del fin final!
>
> Veo en las manos de tus verdugos,
> mi pobre España, sangre de Abel,
> y mis hermanos bajo los yugos
> oigo me dicen: ¡adiós Miguel!
>
> Adiós, mi España, mi triste cuna;
> adiós, mi España, ¡adiós, adiós!...
> Quebró la rueda de la fortuna...
> llegó el destino para los dos...
> ¡Adiós!

4-X-25

En efecto, identificado con su España, murió con ella *bajo los yugos* del franquismo militarista en el año crucial de 1936. Y murió sintomáticamente en las últimas horas del último día de ese año, esto es, al fin de un ciclo de tiempo. Personificando la dualidad esencial española en su aspecto más irreductible, no le era dado hacer causa común con el pueblo que representaba el futuro y a él conducía, sino con aquello que lo negaba. Y a lo último ni siquiera con aquello... Era típicamente el yo español, fruto de dualidad, la confusión babilónica a que se refiere *La vida es sueño*, llamado a morir a su hora, moralmente cabeza abajo como Pedro, confesando sin embargo, quedando ahí como una manilla del reloj que al marcar la hora del morir se para, como un hito indicador del más allá popular a que su personalidad, individualidad rabiosa, le estaba prohibido.

textos el de la tan explotada y desnaturalizada *Salutación del Optimista* —«estirpe latina verá la gran alba futura»— donde en un alarde de prodigiosa coincidencia sale a relucir la metáfora central de esta *Rendición de Espíritu,* la evocación de *Hércules* y el triunfo de la *lira* en relación con el *Orbe*:

ya veréis al salir del sol en un triunfo de liras,
mientras dos continentes abonados de huesos
                                              [gloriosos,
del Hércules antiguo la gran sombra soberbia
                                              [evocando,
digan al orbe: la alta virtud resucita
que a la hispana progenie hizo dueña de siglos.[9]

Los cabos se van atando con cintas de versos de modo minucioso y estricto. Cierto es que para efectuarlo es menester afianzarse en aquel aspecto de la obra de Rubén Darío menos estimado en estos tiempos de fin de mundo, aunque más de acuerdo con las propias palabras del artista: «He expresado lo expresable de mi alma y he querido penetrar en el alma de los demás y hundirme en la vasta alma universal».

El prólogo de su *Canto Errante* que con propósito testamentario dedicó a «*los nuevos poetas de las Españas*» es taxativo al respecto: los valores poéticos forman una categoría o dimensión suprema. Algunas de las afirmaciones allí consignadas no sólo confirman la proyección profética de su obra sino que justifican la realidad que ha hecho posible el presente

9. *Salutación del Optimista.*

libro. «El don de arte es un don superior que permite entrar en lo desconocido de antes y en lo ignorado de después», o sea, remontarse aquilinamente sobre el tiempo y el espacio. De modo explícito insiste Rubén Darío sobre la trascendencia superior de esa realidad que intenta definir, bajo el nombre de arte, como una categoría distinta, tetradimensional: «La actividad humana no se ejercita por medio de la ciencia y de los conocimientos actuales sino por el vencimiento del tiempo y del espacio. Ya lo he dicho: es el arte el que vence al espacio y al tiempo». Por consiguiente, he aquí afirmada la Realidad en su contorno y semblante Objetivo afín en cierto modo con aquella otra situación sintética perseguida por el surrealismo, que Rubén definió de modo preciso al postular: «El poeta tiene la visión directa e introspectiva de la vida y una *supervisión* que va más allá de lo que está sujeto a las leyes del general conocimiento».

O esto es cierto y consecuentemente la interpretación de su mensaje poético propuesta aquí, es perfectamente auténtica, por ajustarse a su propia teoría, o Rubén no pasa de ser un poeta insignificante, hacedor de musicalidades buenas para acariciar lujosos paladares de crepúsculo, un iluso desvariador de la caterva de los poetas bufones al servicio de un rey burgués o espíritu de clase económica o mental. La duda no es posible. El extraordinario poeta Rubén Darío, exponente máximo del Verbo español, identificado con el alma universal, es el vate libertador del Nuevo Mundo, el celeste y, por tanto, americano cantor del pasado y del porvenir, que, como el querubín del apólogo, hace vibrar su espada verbal a la entrada del Paraíso. La espada de su boca.

En este punto su mensaje es concreto. Su aspiración coincide con la que movía a otro gran poeta visionario, Blake, el «matrimonio del cielo y de la tierra» por medio de la Poesía; en suma, la realización del teorema enunciado por San Juan al referirse a la celeste Jerusalem que, en tanto que expresión del cielo, de él baja como una esposa:

A las nupcias del cielo con mis versos te invito...

Dice así Rubén: «El don de arte es aquel que de modo superior hace que nos reconozcamos íntima y exteriormente ante la vida. El poeta tiene la visión directa e introspectiva de la vida y una supervisión que va más allá de lo que está sujeto a las leyes del general conocimiento. La religión y la filosofía se encuentran con el arte en tales fronteras, pues en ambas hay también una ambiencia artística». Sin embargo, si dejando a un lado estas afirmaciones se observa que ni filósofos ni teólogos han visto ni predicho por lo que se refiere a América ninguna de las cosas que ha imaginado el poeta es fuerza admitir que ello se debe a que la poética es la única posición sustentable en aquel nivel natural donde se realiza la convergencia entre el acaecer histórico y las representaciones subjetivas, allí donde el poeta ejercita su superlucidez aquilina del mismo orden de la que hizo escribir en su día el Apocalipsis a San Juan. Más aún, concluyérase una vez más que tanto el fenómeno religioso como las visiones de Juan el Teólogo son realidades puramente poéticas de manera que el acierto que pueda caberles en la estimación de la realidad histórica depende de lo que Rubén llama su «ambiencia artística». La Poesía, el reino de la Lira a donde sólo puede conducir la intuición integrada dentro del sistema general de conocimiento, constituye la identidad de la Creación, el único punto donde el Ser puede lograr su propia Conciencia. Así quedó dicho anteriormente y así viene a corroborarlo el testimonio de Rubén.

Testimonio poético, sustantivo, por cuanto que en vez de reducirse a una afirmación sentada desde un término opuesto que contradice dualmente lo afirmado, es confirmado presencialmente por la calidad profética misma. En otras palabras, la presencia del nuevo mundo de poesía se manifiesta y da pruebas fehacientes de su veracidad poetizando. Puede así proclamar el poeta como suya «el alba de oro», ese «reino nuevo» a que se refiere en otra ocasión definiéndolo como un «triunfo de liras». Sin embargo, la imagen que con mayor insistencia aparece en su obra, la más certera y característica —apocalíptica también— es el despertar de la luz, equivalente al adjetivo *divino* (Div, luz) de que hace verdadero derroche: «el alba de América futura» donde se sitúan «los países de la aurora», en estas «tierras de sol y de armonía». Bien se ve que se trata del alba del Nuevo Mundo, allí donde termina el sueño milenario y sobreviene el despertar, pues que «América es el porvenir del mundo». Amanecer inminente ya que tras «un vasto social cataclismo sobre la faz del orbe», «nuestro siglo verá surgir a Aquel que fue anunciado por Juan». Este manojo de augurios y profecías imaginadas que constituyen las claves o frutos sustantivos de su obra, a juzgar por la *Salutación del Optimista* y de algunos otros poemas de la misma serie, se halla subordinado a la resurrección de la «alta virtud española», a la actividad heroica de aquella nación «que hacia el lado del alba fija las miradas ansiosas». Hacia América. ¿No se ha efectuado ya así? Para mayor precisión, al final de su vida, en su poema *Pax*, resumirá sus diversos enunciados líricos en un concepto racional terminante: «aquí está el foco de una cultura nueva». Aquí en América, según su Verbo o Espíritu libertador, se encuentra la matriz histórica, el cráter de donde ha de brotar el más allá humano, donde se fraguará «el porvenir del mundo».

A primera vista pudiera parecer que ciertos conceptos aquí barajados incurren en contradicción: por una parte la calidad universal de la cultura presumida y, por otra, la de su localización en América. Lo universal debe, por definición, abarcar los lugares todos del universo terráqueo al modo como la esfericidad se encuentra esencial y virtualmente, aunque no aparencialmente, ni en el mismo grado de inaparencialidad, en todos los puntos de la esfera. En cambio, siendo su foco un territorio aislado, parece asumir cierto carácter particular y privativo. A no ser que este territorio americano constituya la proyección geográfica —histórica por tanto— de aquello que Rubén Darío denominaba «el alma universal» en que había pretendido hundirse, al modo como el cerebro, con sus dos lóbulos distintos, constituye la proyección sustantiva y estructural de la Realidad y sede de la vida consciente.

363

Ateniéndose a las líneas generales que han prestado consistencia a los conceptos en estos capítulos emitidos, la dificultad que ofrece tal conato de contradicción es mínima. Porque si la relatividad histórica juega con elementos orgánicos distribuidos tanto como en el espacio en el tiempo y no con categorías abstractas, subjetivas y simultáneas, toda cosa —hasta la luz— requiere un lugar de origen constituido necesariamente por el órgano adecuado para su generación y en un tiempo en que, mientras los demás órganos cumplen sus particulares funciones, se gesta ya la síntesis que ha de irrumpir en el instante oportuno. Sólo América, la *quarta pars*, ocupa entre todas las tierras una situación geográfica adecuada para realizar la superadora síntesis por lo discontinuo propia de lo universal. Sólo ella ostenta figura específica de universalidad, sólo ella ha sido histórica y es geográficamente clave de universalismo, crisol donde pueden integrarse dosificadamente las diferentes razas y niveles humanos, donde las circunstancias geográficas si en su constitución la modelan según las coordenadas formales que caracterizan metafóricamente el mundo nuevo —verticalidad, dualidad expresa y complementaria, aislamiento unitario, etc.—, por otra parte la confieren aquella posición clave entre las dos grandes moles de Asia y de Europa, de Oriente y de Occidente que es imprescindible cohonestar. Más aún, la muralla o foso oceánico que la coloca en situación privilegiada en estos tiempos de furor bélico favoreciendo de un lado su unidad continental e interponiendo, de otro, una defensa eficaz contra las incursiones codiciosas de los otros mundos, crea el remanso oportuno para el logro del vástago nuevo, débil y amenazado. Si esa misma protección natural opera en el mundo de los insectos, moluscos y hasta mamíferos, dotando a sus especies de los caparazones defensivos o de otros varios medios adecuados al logro de su salvedad, y opera en el orden de la generación somática así como en el del psiquismo estableciendo siempre aquella situación de buen recaudo que posibilita las gestaciones necesarias, con mayor motivo, por tratarse de un fenómeno único, habrá esto de repetirse en el plano de las gestaciones sociales. La libertad, la auténtica democracia propias de la ciudad pacífica que ha de identificarse con el orbe, mucho más débil por más evolucionada y más expuesta a todas las intrusiones ambiciosas, no podrían prosperar si el solar de esa ciudad no ocupara una situación compensadora de su debilidad congénita. Hubo ya ocasión de comprobarlo en España. La predestinación del continente americano en este orden de cosas así como en el de su tendencia a la auténtica objetividad mediante la compenetración de los elementos complementarios, entre otros la forma y la sustancia, apenas admite réplica. La *quarta pars* materializa así las nupcias pacíficas de la representación del hombre, de la tierra adámica, con los valores supremos. No son sino diversos aspectos de la realidad del Verbo, del lenguaje cósmico. Condición indispensable, por otra parte, para su verificación. Porque si el Verbo Es, necesariamente ha de modalizar su existencia en todos los sectores y circunstancias posibles. Su vida no puede reducirse a una abstracción contemplativa sino que ha de tomar presencia y desarrollo en el automatismo de la Historia y, por tanto, en la disposición geográfica del planeta. En este orden de cosas parece congruente que al llegar la época de su madurez se comporte de manera que, por vocación natural, se sientan atraídos hacia el lugar propicio a su exaltación cuantos individuos resulten capaces de comprender su lenguaje y se hallen inclinados a consagrar su vida a la realización de un *más allá* al correr de la aventura creadora a que responde el destino de este continente, haciendo posible su realización. Esta operación última que implica una selección espiritual, mediante la luz de la conciencia, de las gentes todas del universo, constituye la prolongación y complemento natural del proceso que hace siglos viene realizándose en forma rudimentaria, merced al cual han ido desplazándose hacia América aquellos idealistas cuyas empresas de libertad fracasaron en el viejo mundo. Así el contenido de este continente será el que corresponde a su naturaleza universal.

El carácter pacífico propio del Mundo Nuevo fue subrayado muchas veces por Rubén Darío cuyo testamento poético relativo al porvenir de América se titula precisamente *Pax* y comienza así:

Io vo gridando pace, pace, pace.
Así clamaba el italiano,
así voy yo gritando ahora,
«alma en el alma, mano en la mano»,
a los países de la Aurora...

Si ese mundo de paz no se encontrara debidamente protegido durante su época embrionaria o de incubación no se concibe cómo llegaría a realizarse puesto que, como ha sucedido hartas veces, sería víctima de la oposición mandibular de los contrarios. Para muestra, el pueblo judío. Ha de ser la suya una síntesis superadora de los términos correlativos de víctima y de verdugo, de explotador y de explotado, de tiranía y de servidumbre. Ni verdugos ni víctimas, ni imposición a los demás ni aceptación de situaciones despóticas, de superioridad con sus infiernos auxiliares. El respeto a la dignidad del hombre exige el repudio por superación, del papel de víctima propio de la era cristiana que justifica la existencia cesárea del verdugo. El esquema pacífico supone, lo mismo que toda situación verdaderamente humana, una verticalidad equidistante, a tenor de la del fiel de la balanza, entre las inclinaciones laterales al mismo tiempo que un equilibrio perpendicular entre cielo y tierra: la posición de la cruz. Parece imposible suponer que, dadas las supersticiones y rutinas destructoras que reinan hoy sobre la tierra, pueda nacer el día menos pensado, por arte de encantamiento y sin previo aviso, una cultura pacífica en ese viejo mundo de desequilibrios desatados. Existe por añadidura el caso ejemplar de España cuya victimación debióse sin duda a la contradicción entre sus postulados pacíficos y el fiero mundo circundante. En su mística de paz hizo renuncia a la fuerza belicosa y, al tornar de la oración por pasiva, la fuerza se le vino encima convirtiéndole en sujeto paciente y poniendo de manifiesto la imposibilidad de que en el solar antiguo, en el campo de los dos ejércitos que es Europa, pueda hacerse hoy otra cosa que luchar con el ángel y soñar con el reprimido mundo nuevo que, como lo convexo a lo cóncavo, viene a contradecirlo. Ese mundo nuevo había, por la oquedad que su ausencia constituye, de imaginarse allí, más en calidad de germen impulsivo destinado a tomar cuerpo en el medio conducente a su desarrollo después de ser fecundado al contacto de la muerte, disparado por elevación hacia el futuro.

La Poesía entraña un orden sucesivo, histórico, inherente a la realidad dinámica del universo. Por grande que sea su potencialidad no saldrá nunca del reino de lo amorfo ni alcanzará expresión suficiente sino a través de un proceso, de una estrofa, de un poema, de una sucesión formal. No otra cosa es lo que ofrece a la conciencia la realidad planetaria en cuanto a la edificación de la ciudad, una forma, un molde universal en que vaciar la actividad humana, los del planeta mismo. Y ese orden poemático-planetario y ese organismo corporal manifiestan a las claras que el camino histórico de realización de la universalidad pasa, como pasó el de los descubridores, por América órgano de su generación. El vientre de esta parte del mundo está llamado a concebir, gestar y *dar a luz* la personalidad de la cultura universal por el desenvolvimiento de la simiente que, como fruto de las experiencias históricas anteriores ha sido en ella sembrada. Según la expresión de Rubén, ha de ser «el foco de una cultura nueva», aquella de positivo carácter universal en que se conjugan dentro de una síntesis superadora los grandes fenómenos de Occidente y de Oriente así como las contradicciones radicales que todavía existen entre los fueros subjetivo y objetivo, abstracto y concreto. Continente paradisíaco de compenetración bipolar, generadora. No en vano dentro del cuerpo planetario, América, tierra del Amor, de la *Concordia*, de la Nueva *Granada* opuesta a la manzana de la discordia, tiene forma de dos corazones unidos por el istmo, el corazón del Pacífico y de su amada la Sulamita.

Dentro de la órbita de Rubén Darío no cabe escandalizarse de este modo de comprender imaginariamente el sentido morfológico del territorio americano por ser procedimiento que él mismo ha utilizado, conscientemente muchas veces. Así en su *Canto a la Argentina*, para subrayar la idea de equilibrio continental entre norte y sur, se sirve de la imagen de la balanza:

¡Gloria a América prepotente!
Su alto destino se siente
por la continental balanza
que tiene por fiel el istmo:
los dos platos del continente
ponen su caudal de esperanza
ante el gran Dios del abismo.

Mejor, su corona lírica se ufana en este aspecto con una gema significante de transparencia y tallado sublimes. En su himno continental *Salutación al águila* donde se ensalza por una parte al águila norteamericana y por la otra a la apocalíptica de Patmos, se refiere expresamente a la «gran sombra continental» de este ave, esto es a la proyección de águila volando que ofrece la silueta del continente, identificando implícitamente el territorio americano con la realidad aquilina. Viene esta realidad a autenticarse por medio de una afirmación al parecer inconsciente que precipita el sentido del poema entero dando testimonio de la suprema realidad poética que inspira la elocuencia de su autor. Dirigiéndose a esa águila que ha empezado por identificarse formalmente con América afirma: «Si tus alas abiertas la visión de la paz perpetúan»... Como la *visión de la paz* es traducción literal de la palabra Jerusalem, resulta por arte de maravilla que Jerusalem, la Jerusalem celestial del Apocalipsis, la mujer a quien se dieron alas de águila para huir del dragón guerrero de la fuerza, la esposa-ciudad que del cielo baja, se identifica poéticamente con este continente. («A las nupcias del cielo con mis versos te invito»). Cosa que viene a garantizar con el cuño del fiel contraste poético lo que se manifestó en el capítulo *Nueva España* al decir que la imagen de la Virgen de Guadalupe, Jerusalem celestial, ciudad-esposa, constituye la auténtica representación de América. Cantad, pues,

> Cantad, judíos de la pampa...
> con voz de vuestro corazón:
> ¡Hemos encontrado a Sión! [10]

Siendo esta imagen de águila con las alas abiertas la misma del cuarto y supremo animal del Apocalipsis resulta, en efecto que esta *quarta pars* (cuarta por corresponder a la superación del mundo mediterráneo que, como

10. *Canto a la Argentina.*

el planeta, tenía tres) se define formalmente como el lugar de la *concordia* («puedan ambas (Américas) juntarse en plenitud, concordia y esfuerzo»), el tálamo del Pacífico y de su celeste esposa, el punto de confluencia, de aterrizaje, del Apocalipsis, el verdadero mundo del Amor. Y de un modo terminantemente expreso desde cuantos ángulos se le mire la localidad de la Visión de Paz, de la conciencia pacífica. «Paz a los poetas de Dios», clamaba Rubén, que significativamente se complacía en denominarlos *porta-liras*. He aquí cómo todo concurre a dar testimonio de la realidad poética de este continente y de la genuina condición de portavoz suyo que ostenta Rubén Darío cuyo poema último donde se sostiene que en América «está el foco de una cultura nueva» y que se acerca la venida de «Aquel que fue anunciado por Juan el de suaves cabellos» se titula *Pax*, hija de la concordia, medular sustancia humanística. A mayor abundamiento, los *suaves cabellos* de Juan parecen calificarse así en oposición a los hirsutos de Sansón, héroe bíblico de la fuerza que en ellos se simbolizaba. Visión de paz, alba de oro o edad dorada y luminosa, amor de esposa y de esposo, del corazón traspasado en España, del mundo nuevo anunciado por el lucero Venus...

Es decir, América.

«¿QUIEN ES ESTA QUE VA SUBIENDO CUAL AURORA NACIENTE, BELLA COMO LA LUNA, BRILLANTE COMO EL SOL, TERRIBLE COMO UN EJERCITO FORMADO EN BATALLA [11]», el *pacífico* ejército de los astros?

11. *Cantares*, VI, 9.

A lo que responde el Pacífico:
—UNA SOLA ES LA PALOMA MIA...[12]

Definida y confirmada la personalidad poética de Rubén Darío, un nuevo foco de luz viene a esclarecer el panorama de las realidades. ¿No es este acaso la antorcha misma que la Libertad erige a la entrada del Nuevo Mundo? Porque otra de las constantes rubenianas es su culto a la Libertad, su espíritu Libertador. Innumerables son los poemas en que a ella se refiere desde su adolescencia con inmutable ardimiento. Antimperialista decidido, este continente le parece baluarte de la Libertad del mundo. Libertad que en América equivale a diferenciación, hasta el punto de que las empresas de Independencia constituyen, como los del niño, otros tantos pasos en busca de una peculiaridad reclamada por el dinamismo orgánico de la vida. En el terreno de la cultura representa su razón de ser, el imperativo que sobre su destino gravita de revelarse foco de la cultura nueva.

De gran importancia es observar que el mundo a que como superación del antiguo aspira la poesía en Rubén es mundo no internacional sino naturalmente universal. Y que la estructura básica de ese universalismo está constituida por el continentalismo. Notable es, por consiguiente, la coincidencia extremadamente precisa que se observa entre las afirmaciones que emanan de su intención poética «más allá del tiempo y del espacio» y las conclusiones a

12.  Id. VI, 8.

que ha dado lugar la proyección planetaria. La fe continentalista de Rubén fue más poderosa que los nubarrones que con que por aquel entonces el imperialismo estadounidense ensombrecía el horizonte continental. Fue la suya una posición heroica contradiciendo incluso sus propios gustos inmediatos cautivados por los atractivos de Francia. Del mismo modo que a su hora lo creyeron los Libertadores, cree en América como en un todo. De ese todo ha de brotar difundiendo su luz poética por el mundo la cultura nueva. Posición es ésta que se afirma en su vida inesperadamente, en golpe de teatro, con su *Salutación al Aguila* que pretende borrar las inconveniencias y deslices que a su juicio se contienen en la *Salutación* anterior, abogando por la unión del águila y del cóndor:

*May this great Union have no end!*, dice el
[poeta,
¡puedan ambos juntarse en plenitud, concordia
[y esfuerzo!

Lo corroborará explícitamente años después en su *Canto a la Argentina*:

Para ir hacia lo venidero,
para hacer, si no el paraíso,
la casa feliz del obrero
en la plenitud ciudadana,
vínculo íntimo eslabona
e ímpetu exterior hermana
a la raza anglosajona
con la latino americana.

Y por último, en la definitiva solemnidad volverá a hacer hincapié terminante. La única diferencia con la *Salutación al Aguila* es que esta ave y el cóndor se han transmutado en las respectivas banderas, imagen cara a Walt Whitman:

Paz a la inmensa América. Paz en nombre de
[Dios.
Y pues aquí está el foco de una cultura nueva
que sus principios lleve desde el Norte hasta
[el Sur,
hagamos la Unión viva que al nuevo triunfo
[lleva;
The Star Splanged Banner, con el blanco y
[azur...[13]

No satisfecho con esto, después de haber reclamado para sí todos los grandes valores impersonales de la tradición latina, dirigiéndose de poeta a poeta, de representante sustantivo de una parte de América a representante sustantivo de la otra exclama: «lo demás es tuyo, demócrata Walt Whitman».

Ven, yo haré indisoluble el continente,
Haré las más espléndidas razas que jamás ha
[alumbrado el sol,
Haré tierras magnéticas y divinas
Con el amor de los camaradas,
Con el inextinguible amor de los camaradas.[14]

13. *Pax.*
14. Walt Whitman, *Leaves of grass. For you oh Democracy.*

Así canta a su esposa la Democracia —*ma femme!*— este otro coloso del Nuevo Mundo. Nadie ha creído en América como él, ni nadie la ha consagrado una vida de amor y de entusiasmo tan radiosos. Vióse hasta su muerte embargado por una pasión inextinguible que era a la par pasión de vida nueva, de hombre nuevo, más allá —expresamente— de lo realizado por los continentes mayores Asia y Europa. Hacia el futuro luminoso, ¡adelante siempre! Erguido en su torso poético como vigía en el mástil, mientras sus contemporáneos se entregaban a inmediatos menesteres, Walt Whitman henchido de horizontes desgreñaba su voz de nebulosa entre las rachas de tiempo venidero, pregonaba sus visiones del mundo de la Realidad —*world of the real, world of the twain in one* [15]— tratando de suscitar en sus lectores aquella acción necesaria «para que la eterna vida real venga [16]. Mundo de la dualidad resuelta por la coyunda de los dos términos complementarios que en imagen local y fase belicosa él mismo vivió durante la guerra de Norte contra Sur. Mundo característico de América compuesta de dos cuerpos, de dos alas, procedente, vertical y horizontalmente, de dos padres. Mundo en verdad Nuevo.

Cierto es que su glotonería infantil de acaparador de materiales para la construcción del nuevo mundo o síntesis que preveía, el desenfrenado afán de conocerlo todo, de personificarlo y serlo todo, de meter al universo entero en su personal voluntad de esencia, en el saco

15. *Thou mother with thy equal brood.*
16. *Song of the Exposition.*

elástico ilimitadamente hipertrofiable del Yo, de su yo, le prestan a veces ciertos acentos desabridos e indigestos, ciertos endiosamientos enojosos, no exentos para colmo de contradicciones, ciertas grandilocuencias histriónicas de Hércules de feria, que ponen serias trabas a la estimación de su obra. No le faltaba a él mismo conciencia de estos lapsus de que adolecía, cuando llamaba en su auxilio y pedía justificación a los poetas venideros. Efectivamente, incumbe entenderlo a los poetas. Porque si se mira a Walt Whitman con la retina habitual de la época presente, bajo su disfraz de individuo y ciudadano de la Unión, no existe modo de desentrañar su mensaje. Su personalidad era en realidad una personalidad poética, representativa o metafórica, extrapersonal. Bajo el aparato represente de su individualidad corpórea, traducía la individualidad de América que personificaba, la voluntad de ser propia de un Nuevo Mundo situado en esa zona que media entre la infancia y la juventud, en esa llamada edad ingrata cuando el adolescente se complace en hacer ostentación de sus petulancias y desplantes, de su afán desmedido de ser correspondiente a la gravitación ejercida sobre él por el porvenir, y se jacta de saberlo todo, de serlo todo, demostrando, al mismo tiempo que el desacuerdo existente entre su realidad inmediata y sus palabras, que el sentimiento que en él se expresa es un sentimiento amorfo propio de un destino en ciernes y que responde a la presión balbuciente del futuro. Con sus barbas nevadas ya por los años, Walt Whitman conservaba el mismo estado de segura jactancia que en sus tiempos mozos. Prueba de que era el suyo un estado que no le pertenecía en cuanto individuo corporal sino en cuanto poeta de América, en cuanto individuo universal, si se quiere. Con los años, la forma de su petulancia se había vuelto más consciente y acendrada, más peligrosa, pero sin que esencialmente hubiera experimentado cambio ni merma algunos. Porque en su personal ancianidad continuaba viviendo la pubertad de este continente apenas salido del cascarón del globo. El contenido inminente de América era el que, a través de Walt Whitman, de su garganta y de su yo, articulaba su entusiasmo hacia el futuro.

Pubertad, esta es probablemente la palabra. Cuando la nebulosa genésica no se ha condensado aún en formas precisas se manifiesta en su propensión a vaciarse en todas y en la voluntad de apropiárselo todo. Entonces es cuando la voz adopta el tono sostenido y grave del caracol marino que traduce la ausencia específica del océano. Aseméjase esa nebulosa a la sustancia del huevo, elemento amorfo que llena su ámbito y que habrá de transformarse en un nuevo ser. De aquí que en Walt Whitman, como en todo lo púber, la realidad no se presente con carácter objetivo, sino en su forma contraria, como sujeto, como yo, un yo que se conforma al cascarón del continente americano encerrando dentro de sí la plenitud de sustancias teogónicas cuya asimilación dará vida al mundo nuevo. Por eso dirá —y nótese cómo resulta aquí sensatez equilibrada la enajenación que en la vieja Europa en labios por ejemplo de Nietzsche constituye preliminares ¡y con qué consecuencias! de locura— por eso

377

dirá que ese yo no discriminado de la personalidad de cualquier ciudadano de la Unión es Jehová y Brahm y Saturno y Cronos... El sentido directo de las palabras no es siempre lo que más cuenta. Empleadas no a la letra sino de un modo simbólico, traducen las presencias universales llamadas a fraguar la nueva síntesis que asciende a la superficie del tiempo y que por todos los medios a su alcance revela, no una sino innumerables veces, su naturaleza universal. Es decir, se sirve, como es de regla, de términos conocidos para expresar las realidades que, amorfas e indistintas, carecen todavía de nombre propio. Son estas cosas las realmente importantes. Porque si se ha de entender correctamente el lenguaje de Whitman deben sus afirmaciones referirse a América que a través de él trasciende contingentemente, como le es posible. Y cabe entonces percibir que la voluntad del Nuevo Mundo, su destino, consiste en identificarse con la esencia del universo para la realización en el orbe de la ciudad y de las posibilidades humanas en sus plenitudes auténticas. Más allá del feudalismo de Europa. Más allá de los fetichismos asiáticos —son conceptos suyos. El ser humano en su esplendor natural. No es infundado decir que, como entidad de futuro, se ajusta a la lógica más estricta cuando se expresa en forma de sujeto, de Yo. Pues ya se expuso que el porvenir constituye el sujeto que, identificado con el objeto aducido por el pasado, modela el presente. Conformándose a esta estructura de la realidad se oye a su caracola subjetiva resonar nebulosamente aquí: «Yo Walt Whitman, un cosmos [17]. Para luego definirse como sujeto universal cuando exclama: «América, porque construyes para la humanidad construyo yo para ti [18]. Es esta una de las razones que le impulsan a pedir justificación a los poetas futuros capaces de comprender lo que en aquella situación de pubertad, deslumbrado, sólo alcanza a predecir. A los poetas susceptibles de llevar a luz de desarrollo los gérmenes en la oscuridad de su deslumbramiento contenidos, de transformar en objetos lo que en él, en modo negativo, se presenta como sujeto. Según sus propias palabras, «nada nace sino que es nacido» [19].

Evidénciase así diáfanamente cómo por detrás de la soberbia juvenil del macho que se pavonea, ardía en Walt Whitman el fuego de la humanidad justificada, más allá de la culpa original, cosa que su mensaje descubre por medio de su afirmación de ser él todos los dioses. Y por tanto el esplendor del Nuevo Mundo conforme con la verdadera naturaleza humana, «la nueva sociedad proporcionada por fin a la naturaleza» [20]. A ello se debe que el faro poderoso de Whitman se inflame hoy en llamaradas activísimas, las justas para sacar de su indolencia hipnótica a los poetas del continente de quienes depende el destino suyo. Desvelarse «por la gran Idea. Esta es, hermanos, ésta la misión de los poetas» [21]. La Poesía hecha carne y hecha historia y vida humana gracias al soplo vivifi-

17. *Song of myself.*
18. *By blue Ontario's shore.*
19. *Song of the Universal.*
20. *Sonf of the redwood-tree.*
21. *By blue Ontario's shore.*

cante de la imaginación con que se ha de transformar el estado que reina en el continente. Porque América hoy en día, si cuenta con el porvenir más esplendoroso que cabe suponer, refleja en su superficie las influencias de los mundos anticuados, se conforma a las sombras que sobre ella proyectan las senilidades europeas con sus ojos gravitados lacrimosamente hacia el pretérito. Este estado, comparable al del niño cuya personalidad en algún momento de su desarrollo se ve absorbida por las maneras que destiñen sobre él las personas mayores, está llamado a barrerse aquí antes que en cualquier otro lugar por la irrupción luminosa del alba nueva. Cosa que ocurrirá tan pronto como haya cumplido su destino que hoy le obliga a intervenir en la situación de los otros mundos con una mentalidad adecuada a la solución de sus problemas. Mas vencida esta etapa previa podrá ser entonces lo que realmente Es.

No es ésta ocasión de complacerse en el análisis de su obra sino sólo de señalar algunos aspectos de la profunda adecuación que manifiesta con el espíritu rendido en Occidente estableciendo una auténtica y probatoria solución de continuidad entre ambos mundos sucesivos. Por lo pronto la posición de Whitman coincide sustancialmente con la de Rubén Darío acusando el acuerdo que existe entre los dos medios mundos americanos a que corresponden. Ambos son poetas continentales y continentalistas, de mensajes en lo fundamental complementarios. En ellos más que en los pensadores y políticos, vueltos o medio vueltos al pasado, y nada se diga de las personalidades

380

religiosas, se define la sustancia de ese Mundo Nuevo que anuncian y reclaman, de ese mundo de la Realidad, de *dos en uno*. Dicha sustancia no es otra que la Poesía a cuyo esplendor tanto uno como otro consagraron sus particulares existencias, sustancia dinámica, creadora, atraída hacia el futuro de manera que, establecido el equilibrio, pueda erguirse sobre sus dos pies el Presente. De ella dependen la humanidad, la cultura y la ciudad nuevas que ambos anuncian, dentro de un régimen que Whitman con el asentimiento de Darío titula Democracia, esto es, de desarrollo en el sentido de la libertad del pueblo, de los individuos todos. Tal cosa lleva consigo la coexistencia de los dos rasgos polares que construyen la síntesis del ser humano: la individualidad, participación directa y subjetiva, mediante las naturales entidades históricas, en el alma universal —*myself*—, y su contrario, aquello que Whitman define por medio de la palabra francesa *en masse*, el conjunto de individualidades, la organización de una sociedad colectiva, verbal. *Twain in one* también, de modo que en cada vida particular que a ello propenda pueda constituirse el Objeto. Síntesis coincidente, ya que se ha visto y revisto, con la naturaleza específica de América. ¿No llegó el mismo Whitman a exclamar: «Tierra, semejanza mía»?[22] Por lo que toca al aspecto verbal se pronuncia no menos explícitamente:

Y tú, América,
...Tú, también tú, constituyes un Mundo,

22. *Earth, my likeness.*

Con tus dilatadas geografías, múltiples, distin-
[tas, distantes,
Redondeado por ti en universo, un orbital len-
[guaje común,
Un indivisible destino común para el Todo.[23]

La devoción integral de Walt Whitman hacia
la Poesía no se refiere, claro está, a una poesía
literaria que repetidamente contempla por encima del hombro, sino a la Poesía viva, palpitante en toda cosa e identificada para el ser humano con la Vida misma, con sus actividades co-
tidianas, con su participación en la Creación.
De lo que para él se trata es de crear un mundo, el mundo poético de la gran Idea, porque,
repitiendo, «nada nace sino que es nacido». Los
individuos todos están llamados a participar en
esta operación grandiosa y por tanto han de
ser elementos de un sujeto creador, poético, or-
denado a las necesidades de la Creación permanente. Todos. Así se establecerá la ciudad universal del Amor de los camaradas —*ma femme!*— con la que el Poeta se confunde:

No te sometas a modelos distintos de los tuyos
[propios, oh ciudad,
Mírame —encárname como yo te he encar-
[nado.[24]

Ciudad que Walt Whitman contempla en el futuro como una fruta madura desprendiendo el
aroma de los azúcares del amor:

23. *Song of the Exposition.*
24. *City of ships.*

Soñé en un sueño que veía una ciudad invenci-
      [ble a los asaltos del resto de la tierra,
Soñé que era la nueva ciudad de los Amigos.
Nada admiraba allí más que la fuerza del Amor
      [que sobre lo demás prevalecía.
Veíase siempre en las acciones de los hombres
      [de aquella ciudad,
Y en cada una de sus miradas y palabras.[25]

Cosa es ésta que sitúa a América en su exacta realidad de más allá de Roma, en el foco
preciso del Amor. ¿Y acaso esta ciudad no
corresponde en sus trazos esenciales a aquella
que se pretendió, como en un sueño, realizar en
España? En suma, Poesía y Amor constituyen
los ejes de la América de Walt Whitman. Amor
directo, práctico, fundamento de toda posible
metafísica:

El caro amor del hombre por su camarada, la
      [atracción del amigo hacia el amigo,
De los bien maridados esposo y esposa, de hijos
      [y padres,
De ciudad a ciudad y de tierra a tierra.[26]

EXCEPCIONALMENTE merecen consideración
aparte aquí dos poemas de extremada significación para Walt Whitman, complementarios en
cierto modo, pues que constituyen el esquema o
jaula en que trataba de aprisionar el absoluto
que le poseía. Son los titulados *Cántico del
cuadrado deífico* y *Canción de lo Universal*.
Tanto el uno como el otro están distribuidos

25. *I dream'd in a dream.*
26. *The base of all metaphysics.*

deliberadamente en *cuatro* partes y, aunque respondan a dos planos distintos, se ajustan a una gradación equivalente. El *Cántico del cuadrado deífico* se propone fijar las potencias teogónicas enumerando las grandes constelaciones que brillan en el firmamento creador, mientras que la *Canción de lo Universal* se refiere más bien a la creación concreta sobre la faz de la tierra de ese universalismo entrevisto y apetecible. El primero es la exposición en su máxima libertad imaginaria, del Yo, del sujeto creador; el segundo el esquema de la obra en la que, al confundirse con ella, habrá de recrearse.

El canto o estrofa inicial del *Cuadrado deífico* va afirmando la identidad del Yo con los grandes principios creadores. ...Jehová, Brahm, Saturno, Cronos... Todos son Yo. A este canto corresponde en el *Universal* el nacimiento, la criatura. «La semilla perfección» está aquí, pero es preciso hacerla prosperar. Porque «nada nace sino que es nacido».

El segundo canto del *Cuadrado deífico* se halla dedicado a la persona del Consolador bajo las especies de Cristo, Hermes, Hércules, testigos del espíritu de benevolencia y caridad, los cuales conocen cuándo y cómo han de morir participando en el proceso genésico. Todos ellos naturalmente son *Yo*. Al contenido de este canto responde el *Universal* afirmando el poder creador de la ciencia para establecer por encima de ella la supremacía del alma universal, del equilibrio que conduce al bien y a la alegría. «Sólo lo bueno es universal», concluye.

Satán, el principio del mal, reina absolutamente en el tercer canto del *Cuadrado*. Constituye la negación del canto anterior, negación

384

necesaria, por supuesto, y tan Yo como las demás personificaciones. El cual se corresponde en el *Universal* por una alusión a la antítesis de Babel y del laberinto tenebroso. En ambos poemas éste tercero es el término del fin, de la muerte, de la antítesis, en el que se sostiene paladinamente cómo lo malo es necesario para la aparición del bien sumo y cómo dentro de este último se integra.

El postrer apartado del *Cuadrado*, más allá del bien y del mal, canta un himno a una personificación completamente anómala, cuyo nombre se ajusta a una forma italiana, *Santa Spirita*, de difícil comprensión para comentaristas y críticos y cuyo género femenino referido al Espíritu Santo no conoce precedente. Designa un principio etéreo e inspirador, relacionado con la luz y con el Paraíso que menciona aunque sea para afirmar que se encuentra más allá, susceptible de compenetrarse con todo, esencia de las formas, vida de las entidades reales, alma general en suma. Con ella, suprema síntesis subjetiva, se cierra y solidifica el *cuadrado teogónico*. El canto correspondiente de lo *Universal*, el 4, se refiere a América, *quarta pars*, en efecto, y empieza así:

Y tú, América,
para la culminación del esquema, su pensa-
[miento y su realidad,
para éstos (no para ti misma) has venido.
Tú también lo abarcas todo...

Ya ha sugerido algún crítico que la enigmática personificación de *Santa Spirita* debía corresponder en el pensamiento de Walt Whitman al espíritu de América.[27] Al confrontar, como acaba de hacerse aquí, ese poema con la *Canción de lo Univresal* la equivalencia resulta concluyente: *Santa Spirita* y América, ambas caracterizadas con el número *cuatro*, se convalidan. Ambas se encuentran más allá del principio del mal, superándolo; de Satán, una, de Babel —puerta de Dios—, indicando su naturaleza de ciudad, la otra. Más aún, la extraña forma femenina que caracteriza a la primera advocación parece corresponder de plano a la condición de Madre que para Walt Whitman es peculiar de América. Representa el principio femenino, gestador. La correlación resulta aún más clara cuando se recuerda que Whitman se complace a menudo en designar a América con el nombre de *Columbia*, apelativo que por su relación immediata con la idea de *paloma* remite directamente a la imagen del Espíritu Santo. Y tanto América como paloma son femeninos. Por último, la forma italianizante de *Santa Spirita* corresponde a la de esa palabra *Columbia*, proyección de Colón con quien Walt Whitman se identifica en algún otro poema, palabra que procede lingüística y materialmente de Italia. Tal conjunto de datos no deja lugar a incertidumbres: la relación entre América y *Santa Spirita* es directa y precisa y, por tanto, dentro del *cuadrado deífico*, frente a las otras personificaciones correspondientes a otras culturas y continentes, como resumiendo su espíritu, en cuarta dimensión y forma inédita, nueva, apa-

27. George L. Sixbey, "Chanting the Square Deific — A Study in Whitman's Religion", "American Literature", vol. IX, n.º 2, mayo, 1937.

rece América, específicamente definida, por tanto, como Nuevo Mundo. Es decir, América y el Espíritu constituyen para Whitman realidades equivalentes si no una sola. Se ha visto en estos capítulos cómo dicha identidad alcanza hasta la silueta geográfica de ave volando que, conformándose a su contenido, presenta el continente nuevo. Cabe preguntar: ¿no se relacionan estrictamente estas realidades con la famosa *cuadratura del círculo* que tanto obsesionó a algunos buscadores de la Edad Media?

Porque la cosa no para aquí. La forma precisa del nombre de *Santa Spirita* concuerda admirablemente con la condición de ciudad divina, correspondiente al Nuevo Mundo de América, que se define, según la *Canción de lo Universal*, como superación de Babilonia. Pues bien, esta ciudad es aquella misma *ciudad que del cielo baja* en el Apocalipsis, ciudad *cuadrada* como esta *Santa Spirita* a quien corresponde el número *cuatro* del *Cuadrado deífico*, espíritu de *cuarta* dimensión. En tales condiciones no puede sorprender el hecho de que, según se expuso en el lugar oportuno, el año 1776 de la Libertad de los Estados Unidos, patria de Walt Whitman, equivalga a la suma de *cuatro* períodos de 444 años, número americano por excelencia. Prosiguiendo el análisis salta a la vista cómo la personificación americana de *Santa Spirita* coincide del modo más absolutamente extraordinario, como no podía ser menos, con la representación mística de la Virgen de Guadalupe, Patrona de América a la que podría aplicársele sin empacho el primero de esos nombres ya que como Virgen es la esposa del Espíritu Santo de quien ha de concebir y dar a luz el Mundo Nuevo, ambas representaciones del continente americano. Madre suprema para Walt Whitman, resulta ser la prehispánica «Madre de las gentes» del Tepeyac, la «Madre de los vivientes» del Génesis, Eva, Ave, *Columbia*. Un poco más allá aparece cómo ese *cuadrado deífico* que concluye en *Santa Spirita* coincide maravillosamente con la forma cuadrilátera de España, semilla y representación creadora de esa *Columbia amada*. Complace comprobar aquí cómo los 160 años que median entre 1776 de Norteamérica y los 1936 de España corresponden a *cuatro* períodos de *cuarenta* años. Así como que entre 1531 de la «aparición» de la Virgen de Guadalupe hasta el 1931 de la República española, su representación simbólica con carácter de ciudad, median *cuatrocientos años*. Ha de tenerse en cuenta que en el poema de Walt Whitman dedicó a España, América se designa con el nombre de *Columbia*, detalle confirmatorio si los hay. Este es el objeto de su sujeto, la razón de su modo poético de *conocer*. Es decir, la personalidad de Walt Whitman, después de identificarse con el sujeto en el plano cósmico, se vuelve hacia su objeto que resulta ser América, la ciudad cuadrada que del cielo baja, la Jerusalem celestial que en otro tiempo y circunstancias se definió oníricamente por medio de la imagen de la Virgen de Guadalupe. Tócale a ella gestar la «simiente perfección». En este advenimiento del espíritu universal, definiéndolo, la cuarta dimensión despliega su esplendor supremo. ¿Se comprende ahora por qué Walt Whitman pedía justificación a los poetas del futuro?

Cierto es que en toda esta operación creadora whitmaniana flota un como tufillo satánico, una proyección evidente del *Quién-como-yo* que trata de sustituirse al Absoluto y apropiarse del alma universal. Parece esto querer decir, utilizando el propio esquema de Whitman, que la situación del mundo circunstancial en que el poeta se expresaba corresponde al apartado tercero, jurisdicción de Satanás en el *Cuadrado* y de Babilonia en lo *Universal*, los cuales, dentro de la figura, han de ser superados. Más aún, el satanismo profundo del *Cuadrado*, todo él bajo la obsesión subjetiva del *Quién-como-yo* resulta vencido por la *Canción de lo Universal* destruyendo todas aquellas personificaciones con que el hombre ha tratado de captar el Absoluto. Hacia América convergen para reabsorberse las grandes presencias universales, tanto de los mundos judeo-cristiano y grecorromano como del asiático. Si en el *Cuadrado* todo se convierte en sujeto, en lo *Universal* reina exclusivamente el objeto. Ambos se acoplan y convencen dando lugar al «mundo de lo real —mundo del dos en uno». Lo universal, *Quién-como-Dios* supera así, como el número cuatro supera al tres, integrando la figura suprema, al *Quién-como-yo* del cántico del *Cuadrado* hacedor de Dioses. Y en fuero universalicio presta entonces realidad de Objeto a América, una América que llegará a identificarse con sus esencias universales tan pronto como rebase la etapa preliminar, infantil, del Yo absoluto, esa etapa de crecimiento acelerado o crisis de gigantismo que babélicamente ha dado lugar a los rascacielos.

Por otro camino muy diferente a los ante-

riores se acaba de desembocar aquí en el reino
del Amor, de la identificación del objeto y del
sujeto de América en el campo creador de la
Poesía (ciudad, «encárname como yo te he encarnado») en la mansión de la Luz y del Paraíso. Así América cobra su personalidad de clave
de universo, de madre del futuro, de expresión
de ese *cuatro* —integración de los dos trián-
gulos generadores, objeto y sujeto— subordinados a la Realidad universal. Su carácter de
verdadero Objeto.

Y tú, América,
Para la culminación del esquema, su pensa-
                    [miento y su realidad,
Para ellos (que no para ti misma) has venido.
Tú también lo abarcas todo,
Abrazando, llevando, acogiendo a todos, tú
                    [también por vías anchas y nuevas
te encaminas hacia el ideal.
Los credos limitados de otras tierras, las gran-
                    [dezas del pasado
no son para ti, sino tus propias grandezas,
deíficos credos y extensiones absorbiendo y
                    [conteniéndolo todo,
todo lo deseable para todos.
Todo, todos para la inmortalidad,
Amor como la luz envolviendo silenciosamente
                    [todo,
la perfección de la naturaleza bendiciéndolo
                    [todo,
las flores y frutos de las edades, huertos divi-
                    [nos y seguros,
formas, objetos, crecimientos, humanidades,
     [para que maduren en imágenes espirituales.
Concédeme, oh Dios, cantar este pensamiento.

Concédeme, concede a aquél o a aquélla a quie-
[nes amo esta fe inextinguible
En Tu conjunto, por apartado que esté no nos
[lo niegues a nosotros,
La creencia en el plan Tuyo encerrado en el
[Tiempo y en el Espacio,
Salud, paz, salvación universal.
¿Es esto un sueño?
No, sino la carencia de esto es un sueño,
Y cuando esto falta, la ciencia de la vida y la
[riqueza un sueño
Y el mundo entero un sueño.

En efecto, un sueño del que es preciso despertar en la universalidad más allá de la idea
satánica del *Quién-como-yo*, en la ciudad invencible del Amor —*Amor como la luz envolviendo silenciosamente todo*— que Walt Whitman,
como la humanidad entera que lleva siglos so-
ñándolo, soñaba. Después de comprender, de
hacer morir el yo y justificar la figura de Walt
Whitman. (*Dios es luz, Dios es amor*).
En esta exaltación amorosa los dos grandes
poetas continentales coinciden a todas luces,
naturalmente, *twain in one*, definiendo el destino de América. Ambos tienen no sólo los
ojos sino su personalidad y la voluntad de su
vida puestas en un más allá de la Babilonia
que impera sobre el presente mundo, en un
porvenir que despliega ante nuestra vista las
promesas más sublimes, el reino de lo humano. Son los dos grandes poetas de América y
sus dos mitades, un aspecto del diálogo del
Verbo, un diálogo entre los dos corazones del
continente, que más allá del mundo antiguo
abren de par en par las puertas de la perfec-

391

ción venidera a que responde el destino luminoso del Nuevo Mundo.

Para mayor y para más estricta coincidencia, cada uno de estos dos poetas *Contestadores* —según el concepto de Walt Whitman— dedicó en su día respectivo un poema a España, que hoy, confrontados con los sucesos recientes, desprenden un sentido extraordinario.

Rubén Darío, aquél que ayer no más pedía la venida de Cristo «con temblor de estrellas y horror de cataclismo» «a tender su mano de luz sobre las fieras», compuso en cierta coyuntura circunstancial un soneto que hasta los actuales días en que verdaderamente la humanidad *siente* la soledad que padeció y padece la justicia en España no acabó de revelar su significado profundo. En ese soneto, definida en su identidad crística y verbal —Cristo y Cervantes—, se encuentra ya descrita la actual magna empresa del Espíritu padecida por el pueblo español y su suprema salida de Don Quijote dispuesto como el Cid a ganar batallas después de muerto; esta extraordinaria expedición que se avecina consagrada al descubrimiento espiritual del Nuevo Mundo llamado en él Atlántida española. Hasta dijérase que con el catalejo de su *supervisión poética* había ya contemplado Rubén la galera del éxodo:

## ESPAÑA

Dejad que siga y bogue la galera
bajo la tempestad, sobre la ola,
va con rumbo a una Atlántida española
en donde el porvenir calla y espera.

No se apague el rencor ni el odio muera
Ante el pendón que el bárbaro enarbola:
si un día la justicia estuvo sola
lo sentirá la humanidad entera.

Y bogue entre las olas espumantes
y bogue la galera que ya he visto
Cómo son las tormentas de inconstantes.

Que la raza está en pie y el brazo listo,
que va en el barco el capitán Cervantes
y arriba flota el pabellón de Cristo.


El mismo Rubén Darío que reclamaba la
venida de Cristo y que aquí en cierto modo indirecto define su figura histórica, reveló en
qué consitía ese porvenir que calla y espera en
una Atlántida española cuando se encaró decisivamente con él en su poema *El Porvenir* para
acabar sentenciando «*América es el porvenir
del mundo* »[28].

El poema de Walt Whitman, dice así:


28. Detalle sabroso en este reino de la Poesía. El metro
de que se ha servido en este momento Rubén para expresar el destino de España en relación con América a través del Verbo español y la figura de Cristo, concuerda nu-
méricamente con la materia tratada. Cada uno de los cuartos consta de 44 sílabas y cada uno de los tercetos de 33,
prestándose a todas las multiplicaciones a que anteriormente se hizo referencia. No son pocas ni ingratas las consideraciones a que se presta este hecho para elucidar las
relaciones de identidad que existen entre la Poesía y la
Historia.

De lo tétrico de las más pesadas nubes,
De las feudales ruinas y osamentas hacinadas
                              [de los reyes,
De todos los vetustos escombros europeos, des-
                              [moronadas momerías:
Derruidas catedrales, hundimientos de alcáza-
                              [res, sacerdotales tumbas,
Mirad cómo surgen las facciones frescas, es-
          plendentes de la Libertad, —el mismo
                    [rostro inmortal que avante mira;
(Un resplandor como el de tu rostro de Madre,
                              [Columbia,
Un relámpago significante como el de una es-
                                        [pada,
Fulgurando hacia ti).

No creas que te olvidamos, entidad materna.
¿Te rezagaste tanto? ¿Van de nuevo a cerrarse
                              [las nubes sobre ti?
Ah, pero tú misma ahora te nos has aparecido
                              [—te conocemos,
Prueba segura nos has dado, el resplandor de
                              [ti misma,
Ahí como en todo lugar aguardas tú tu tiempo.


Y en efecto, el tiempo vino. Los rostros de
España y de América que el poeta había visto
confundirse bajo las facciones conjugadas de
Maternidad y Libertad, han manifestado su
identidad profunda. Como en aquel tiempo de
la primera República que sirvió a la intuición
poética para presentir a través de la personalidad de Walt Whitman el sentido de los acon-

tecimientos venideros y que constituye su testimonio trascendente sobre las circunstancias actuales en que ya de un modo directo la Poesía se revela, del inmenso desastre europeo, de su derrumbe sin límites, ha brotado la chispa vivificadora del Amor, el rayo fecundante del Espíritu. Y brota como el destello significativo de una penetrante espada, «la espada de la paloma», «fulgurando hacia ti», ¡oh Columbia! Y esta espada significante ¿puede ser acaso distinta de la que asoma por los labios creadores del Verbo?

Porque se da el caso admirable de que el poema que Walt Whitman dedicó a la República española se enlaza y conecta, no por capricho ni conveniencias subjetivas, sino real, auténtica, y estrechamente con el tercer tiempo de la *Canción de lo Universal*. El tema básico de ese tercer tiempo se expresa, bajo el signo del ave libre, del águila que se cierne sobre todas las calamidades, en los tres versos que siguen donde hasta con palabras idénticas figuran los conceptos de que el poema a España resulta no ser sino glosa tan perfecta como sencilla:

De la más tétrica nube de la imperfección
Brota siempre un rayo de luz perfecta,
Un relámpago de la gloria del cielo.

La luz de este contacto alumbra realidades trascendentes: la historia moderna de España se sitúa significantemente en ese tercer tiempo del esquema trazado en la *Canción de lo Universal*, tiempo que corresponde a Babilonia —la ciudad del Antiverbo— y al laberinto

—aludido, Minotauro—, esto es, jugando la equivalencia dentro del *Cántico al Cuadrado Deífico*, a la persona *rebelde* de Satán, por tanto de la serpiente antigua. La realidad española se define de esta suerte como una realidad pre-universal cuya inmediata virtualidad es conducir mediante su chispazo de luz perfecta al tiempo *cuatro* del esquema que corresponde efectivamente a la universalidad característica de lo judaico dentro de lo judeo-cristiano —nunca al internacionalismo— y corresponde, como superación de Babilonia, a América. Por tanto, la Libertad que, bajo el signo del águila, difunde la presencia española es, haciendo funcionar la máquina de las ecuaciones, la «gloria del cielo» llamada a iluminar el mundo de oriente a occidente cuando el advenimiento del Hijo del hombre, en el juicio final. He ahí el «rayo de luz perfecta» equivalente al «relámpago significante de una espada» que brota de lo impuro, el «relámpago de la gloria del cielo» que, una vez más bajo el signo del águila, tan de cerca se emparienta con Santiago y Juan —Boanerges, hijos del trueno, llamados a sentarse a la derecha y a la izquierda del Hombre en el celeste Paraíso— y de modo tan estrecho se engrana con los temas característicos de España tal como constan en el presente libro: puerta del cielo o Pórtico de la Gloria, Babilonia, espada del Verbo, Espíritu, paloma, América, Columbia, etc. ¿Cabe nada más asombroso? A ello se debe que, atados los cabos, con el irrecusable refrendo poético de Walt Whitman, pueda hoy sostenerse sin asomo de incertidumbre la perfecta realidad histórica de las afirmaciones generales que ofrece hacia

América la historia de Europa y de España. Y también que el tiempo de lo universal ha empezado a resbalar en la clepsidra de América, su tiempo, por haberse realizado ya aquellos acontecimientos precisos para poner en marcha el proceso histórico de universalización. En América ha caído la «simiente perfección» que, a fin de cuentas, resulta ser, ni más ni menos, que el chispazo espiritual desprendido del «cuadrado deífico» de España, aquella misma semilla que, cristianamente, necesitaba allí morir para, cumpliendo el dicho de san Juan, «llevar mucho fruto».

No sólo por obra y gracia del Espíritu se ha efectuado el contacto fecundo, la fulguración hacia ti, América, en el tálamo celeste de Amor, no sólo se ha hecho según su Palabra, sino que la luz del alba nueva empieza ya a filtrarse por todas las junturas en la mansión del Hombre. Y aquí de la boca del Pacífico se oyen brotar los antiguos versos

LEVANTATE, APRESURATE, AMIGA MIA, PALOMA MIA, HERMOSA MIA Y VEN QUE YA PASO EL INVIERNO, DISIPARONSE LAS LLUVIAS. DESPUNTAN LAS FLORES EN NUESTRA TIERRA; LLEGO EL TIEMPO DE LA CANCION; EL ARRULLO DE LA TORTOLA SE ESCUCHA EN NUESTROS CAMPOS; LA HIGUERA ECHA SUS BREVAS; ESPARCEN SU OLOR, LAS FLORECIENTES VIÑAS. LEVANTATE, AMIGA MIA, BELDAD MIA, Y VEN. PALOMA MIA...[29]

Porque bendita tú eres, América, entre todas las mujeres. Porque bendito es el fruto de tu vientre...

29. *Cant*. II, 10 a 13.

El mundo recién nacido que se abre a las facultades conscientes, el mundo cuyos párpados se despegan separando en un nuevo primer día de la Creación las tinieblas de la luz —porque aquí también se clausura un ciclo inmenso—, ha de ser comparado en cuanto plataforma del Amor a un tálamo confidencial, paradisíaco. Formas dialogales del Ser, el toro, el caballo, la paloma, liberan al pasar de sombra a claridad los sentimientos e imágenes a que responden, al modo del gusano que es aquí pregunta y de la mariposa que es respuesta. Se abren el lirio y la granada, revolotean sol y luna en cielos nuevamente conmovidos. Fulgura la metáfora en los labios amorosos: «como dos cervatillos mellizos son tus pechos; tus ojos como palomas junto al curso de las aguas»... Al ritmo celeste de la Lira, según la ajustada geometría creadora, van adquiriendo así sustancia palpitante y modalidad corpórea las palabras que traducen el pulso acompasado y feliz de los dos amantísimos corazones. Es todo aquello que ha sido comparado, lo que al relámpago acorde de la metáfora ha sido visto o entrevisto como gracia o como potencia y troquelado en la dimensión imaginaria del Verbo. Y así entre el espejo y la serpiente corre automáticamente el arroyo, como crece la hierba temblando entre el humo y la esperanza. Y hablan entre sí y conversan con la tierra, cambiando a su vez preguntas y respuestas el toro y el caballo y la paloma que se sirven de la nieve y de los astros y del ritmo de los días para llamarse por sus propios nombres.

Necesariamente, el Nuevo Mundo del Amor a donde viene a desembocar el curso humano de individuos y naciones requiere en este gozoso tálamo un modo de *conocer* nuevo. El modo celeste, poético, del ave que despliega el dinamismo de sus dos alas. Por cima de los modos llamados filosóficos y políticos, incluyéndolos como la atmósfera envuelve en su transparencia la solidez telúrica, trasciende la Poesía su presencia inflamada. Y *conocer* en este punto es engendrar, ir poblando de enseres las moradas recién nacidas de la luz. A este orto de creación nueva corresponde un universo humano nuevo con todas sus gradaciones presenciales nuevas. Categorías orgánicas, sociales, bien entendido, cargadas de preguntas y de respuestas en el esplendor pacífico del convencimiento. Y categorías espirituales que, desviviéndose, precipitan, traducen a Realidad las esencias supremas, «porque el primer cielo y la primera tierra han dejado ya de ser».

> Nuestro lecho florido
> De cuevas de leones enlazado,
> En púrpura tendido,
> De paz edificado,
> De mil escudos de oro coronado.[30]

A este tálamo deífico y cuadrado, a ese recinto de esplendor sube en la actualidad América. Estrella polar del firmamento suyo, solución de continuidad entre la ascendencia y la descendencia suyas, son el Amor y la Poesía suyas. Concreción histórica del alma universal, su destino ofrece al ser humano posibilidades como jamás soñó que pudieran serle ofrecidas:

30.  San Juan de la Cruz, *Cántico espiritual.*

el *conocimiento* de esa alma universal en América a través de nosotros aunque no por nosotros ni privativamente para nosotros, de suerte que la humanidad pueda ganar uno a uno los peldaños que en sucesivas identificaciones la conduzcan a la plenitud de su Realidad en cuanto objeto, a la universalidad del reino que le está reservado. Las progresivas y complejas operaciones del espíritu que esa generación requiere han de realizarse, como la respiración, a un ritmo incesante, individual y colectivamente, en lo activo y en lo pasivo, a fin de que las nuevas formas de la vida humana, propias del Nuevo Mundo, sean. En América, *conociéndola*, la humanidad, investida con la magna empresa de superar el diabólico inframundo en que lo humano hasta el presente se ha visto sumergido, ha de *conocerse* a sí misma. Ha de sustanciarse en ella el fin natural de la Creación que no puede consistir sino en la consciente autocreación del Ser para la recreación del Hombre en su universo.

La «semilla perfección» a que se refiere Walt Whitman en su *Canción de lo Universal* se encuentra ya plantada en su prometida tierra laborable. Tierra de amor llevar, el clima en que se alberga enciende su estación propicia. Rotos los glaciares, consumado el primaveral cataclismo, entran en circulación las verbales savias aletargadas. Se trata de que al hilo de la actividad del hombre, en esa ilimitada ósmosis de sustancias dinámicas, vayan tomando corpulencia los tallos del *Arbol de la Vida*, hasta producir los frutos buenos para la empírea contemplación nutritivos, deliciosos, esparciendo un olor de eternidad y de infinito.

Porque al morir del Occidente —y con él el absoluto tenebroso de su Yo— corresponde un despertar en la celeste verdad del Nuevo Mundo, un disolverse definitivo en la extensión de la última, de la universal Palabra:

AMOR

# Carta a un escritor chileno interesado por la «Oda a Juan Tarrea» de Pablo Neruda (1964)

Córdoba, 21 de mayo de 1964

Señor Raúl Silva Castro
Santiago de Chile

Estimado señor y amigo:

Respondo a su carta de 12 de abril, recibida con varias semanas de retraso. Le agradezco la gentileza con que ha satisfecho mi curiosidad acerca de su estudio sobre Darío. Por formato y caracteres sospechaba cuál era la revista en que había aparecido, pero necesitaba estar seguro. Y sobre todo, desconocía la fecha. No contamos aquí con la colección de la misma.

Me pregunta usted, a su vez, por la «Oda a Juan Tarrea» de Pablo Neruda. Efectivamente, soy yo su destinatario a juzgar por los temas que elabora. Ignoro la actitud en que personalmente se encuentra usted con respecto al autor, pero puesto que desea conocer los antecedentes de tan torpe acometida, he de hacerle la historia de mis no muchas mas sí sustanciosas relaciones con Neruda a fin de que, con conocimiento suficiente de causa, pueda usted juzgar y pronunciarse por sí mismo. De antemano le advierto que cada palabra que escriba va a ser pesada y repesada con el propósito de que se amolde lo más ajustadamente posible a la verdad. Que la verdad es, en asuntos de esta naturaleza, la única arma con que contamos las gentes que vivimos defendiendo la realidad del Espíritu.

A mediados de 1926, estando a punto de publicar el n.º 2 de la «casi» revista «Favorables-Paris-Poema» que hice en París en compañía de César Vallejo, cayó en mis manos por casualidad *Tentativa del hombre infinito*. Nunca había oído el nombre de su autor. Me bastaron diez versos leídos al azar para percatarme de que expresábase allí una imaginación verbal libre y gravitada. Desoyendo los consejos de mi muy amigo Vicente Huidobro para quien, no sin razón, Neruda era un romántico perdido, decidí, en cuanto supe de su juventud, publicar el trozo de ese libro que dice: «admitiendo el cielo profundamente mirando el cielo estoy pensando...» Por Neruda mismo me enteré bastantes años más tarde, de que éste fue el primer texto suyo publicado en Europa.

Sólo pudimos estrecharnos la mano, precisamente entonces, cuando regresó a Madrid en el otoño de 1934. Me despachó en seguida un emisario amigo, Gerardo Diego, pidiéndome que fuese a verle tan pronto como pudiese —porque no me había establecido en Madrid mismo, sino en un pueblecito de los alrededores—. Así lo hice en compañía de Gerardo testimoniándome Pablo desde ese momento tanta amistosa simpatía como deferencia. Conocí a su mujer, una holandesa altísima, y a su hijita desgraciadamente afecta de macrocefalia. Tuve además la sorpresa, al volver de nuevo de París, meses más tarde, de encontrar a su casa a Delia del Carril a quien conocía de años atrás. Empezamos a vernos de cuando en cuando. Neruda viajaba hasta mi casa, de El Plantío, me buscaba por teléfono, se ufanaba de mostrarse en mi compañía, inclusive en la Embajada de Chile donde algún tiempo después y en relación con mis empresas americanistas, me presentó a Núñez Morgado y a Carlos Morla con todos los honores.

Un día de hacia febrero me dijo: «No te imaginas las cosas que está diciendo de mí tu amigo Huidobro». Me refirió en seguida la polémica literaria, si cabe calificarla así, que tenía entablada con Vicente, ya que, acosado a preguntas, me confesó que él también le había despachado las inclemencias peores. En efecto, me leyó por lo menos algunos de los textos semipoemáticos que se habían cruzado. No sé si usted los habrá llegado a conocer. Del cultivo de las letras habían pasado al de las más cargadas letrinas. La razón del conflicto estribaba en la sospecha de que Huidobro había sido el autor de unos anónimos recibidos por ciertas personas de Buenos Aires cuando Neruda iba a llegar allí, en que se lo acusaba de vendido a la policía o algo por el estilo. ¿Pruebas? Que Huidobro, con quien había mantenido hasta entonces relaciones cordiales, era el único que conocía en Chile las direcciones de las referidas personas. Nada tenía aquello de demostrativo, sobre todo para iniciar sin más una campaña de ofensas en gran escala. ¿Quién había empezado? Evidentemente, dependía de las versiones.

También me comunicó Neruda al mismo tiempo que, como consecuencia, los poetas españoles del grupo «Cruz y Raya» estaban dispuestos a desagraviarlo públicamente por el modo soez como había sido tratado por Huidobro. Ya vendrían a informarme del asunto Alberti y compañía —nunca vinieron—, mostrándose él muy interesado en contar con mi participación en dicho desagravio. No le oculté mi aversión a mezclarme en tal género de estulticias.

Pocos días después volvió Neruda a la carga. Ya estaba casi todo el grupo de la *Antología* de Diego preparado para firmar un texto que me leyó, y que Bergamín se disponía a publicar al frente de una plaquette con unos poemas suyos. En ese texto de desagravio y homenaje se acusaba a Huidobro de difamador, es decir, se lo infamaba. Me indicó que, por su parte, tenía especial interés en que mi nombre de poeta, a la sazón bastante prestigiado, figurara entre los demás. Y me volvió a relatar para convencerme, más incidentes deplorables. Como yo era amigo auténtico de Huidobro desde hacía bastantes años, su solicitud, tan descarada, me pareció un atentado contra los más elementales sentimientos y prácticas de la amistad. Le contesté que si las cosas fuesen tal como las refería, Huidobro había perdido el uso de la razón. Y en tales circunstancias, no iba a ser yo, su amigo español más íntimo, quien, en vez de protegerlo en trance tan penoso, le diera un golpe por la espalda. Parecía no entender. Con lo cual comprendí yo para en adelante, que Neruda carecía de esas humanas fibras sensibles donde el amor y la amistad se justifican y modulan.

Por entonces me contó Gerardo Diego que también él, como amigo que era de Huidobro, se había negado a firmar el agraviante homenaje, y que, en consecuencia, era posible que modificasen su fórmula. Al poco, el mismo Neruda volvió a tratarme el asunto. Me hizo saber que, a fin de que pudiera firmarlo Diego, los redactores del texto de desagravio habían decidido suprimir el nombre de Huidobro y toda alusión a la polémica, convirtiéndolo en un simple acto de homenaje. Gerardo no había tenido ya inconveniente en autorizarlo con su firma y esperaba que a mí me sucediera lo propio. Volví a rehusarme, cada vez más disgustado. Me parecía todo ello un episodio absurdo. Juzgaba indecoroso y hasta humillante que por tres veces viniera Neruda a pedirme que figurara en un homenaje a su persona, demostrando al final que lo del desagravio era un puro pretexto manipulado por él mismo con una finalidad precisa. Lo que codiciaba era el homenaje. Yo no sabía y sigo sin saber por qué los poetas tenían que homenajearse entre ellos, ni prestarse a recibir homenajes que sólo sirven para degradar el ejercicio de una profesión que, desde mi punto de conciencia es, sobre todo, una profesión de esa fe en que se fundan las más sublimes esperanzas. Ni comprendía la docilidad de los poetas españoles, caídos en una trampa burdísima. En fin, la experiencia me sirvió para consolidar mi actitud de apartamiento de los poetas españoles con cuyos planteos vitales nunca me había sentido en comunión. De otro lado, conservo la carta que Huidobro me escribió con este motivo el 5 de julio de ese año. Terrible. Podría dársela a conocer si le interesa.

Apareció la plaquette de los *Tres cantos materiales* precedidos por el espaldarazo consagratorio de la joven poesía peninsular, con su estela de propaganda, con anterioridad a la edición madrileña de *Residencia*. Imagino que a ello se debió, en buena parte, que Amado Alonso, se atreviera a escribir algún tiempo después el libro que afianzó, bajo formas académicas, el prestigio naciente de Neruda. Este y yo seguimos tratándonos aunque más espaciadamente y con estimación, al menos por mi parte, restringida. Lo apreciaba como autor de algunas de las páginas de *Residencia*, pero me desplacía la actitud ante la vida —en mi sentir, tan indelicada como vulgar—, del individuo. Nada de ello fue, sin embargo, obstáculo para que el mismo Neruda me incitara no mucho después a que publicásemos él y yo una revista juntos, recordando quizá mis tiempos de *Favorables*. Decliné la proposición alegando estar ocupado en muy otras cosas, como eran mis actividades en relación con el pasado arqueológico americano. Sólo varios meses más tarde apareció «Caballo Verde», revista que, según dice ahora Neruda, fue llamado a dirigir por los poetas españoles, dato cuya exactitud no puedo menos de mirar con escepticismo. A su hora me había solicitado colaboración para esta revista. Nunca se la di. Naturalmente fuimos distanciándonos, y así hubiera ido agrandándose la brecha de no ser por la tragedia española.

En enero de 1937 volvimos Neruda y yo a encontrarnos en París. A mí me había sorprendido el estallido en Francia, y él venía desde Marsella donde había permanecido tres meses. Se había desembarazado de su mujer, regresaba a Holanda con su hijita deforme, donde se le dio trabajo en la propaganda española. A Delia y a él los acontecimientos les habían inducido a dedicarse a las actividades políticas que hasta entonces les habían tenido sin cuidado, al punto de que Neruda se negó a firmar algún manifiesto de intelectuales en defensa de la Cultura poco antes de la guerra. No tardó mucho en producirse su adhesión al marxismo. Aunque con distinta ideología, militábamos en la misma trinchera porque yo también, apolítico hasta entonces, había sentido en mis entrañas la causa republicana y popular. Nuestra relación se reanudó, ahora en un terreno diferente, más de compañeros que de amigos, actuando yo como Secretario de la Junta de Relaciones Culturales adscrita a la Embajada de la República.

Mas de inmediato surgió un nuevo germen de disconformidad: César Vallejo. Puesto que le interesan a usted las relaciones que Neruda mantuvo con otros escritores, puede buscar información al respecto en las «Actas del Simposium» sobre Vallejo celebrado en Córdoba en 1959, donde algo relaté en contestación a preguntas que se me formularon (pp. 141-45). Me referí allí a una ocasión en que tuve que intervenir para cortar un diálogo entre ambos que se tornaba excesivamente enojoso. Ello ocurrió en el taller de la rue Belloni donde vivía el pintor chileno que usted seguramente conoce y estima, Luis Vargas Rosa. Henriette y Lucho nos habían invitado a charlar y comer en aquellos momentos tan trágicamente angustiosos para cuantos vivíamos identificados con el pueblo de España. Vaso en mano, Neruda empezó de pronto a reprochar a Vallejo sus convicciones y actitudes, indicándole, como quien tuviera autoridad para hacerlo, cómo había que comportarse en aquella circunstancia. Vallejo trató de eludir la querella, pero Neruda insistía tozudamente en sus recriminaciones. Cuando llegaron las cosas a un grado de tensión difícilmente soportable, intervine resueltamente para recordarle a Neruda que él era un novicio en cuestiones marxistas, mientras que Vallejo había estudiado y practicado la materia durante años. Lo más acertado que podía hacer, por tanto, era callarse. Lo hizo así. Pero el caso es que desde entonces, Neruda no se portó bien con Vallejo. Lo acusó, públicamente y sin fundamento, de trotskysta por el hecho de que a la mujer del peruano se le fuera la lengua con facilidad, cosa que a nadie le era dado evitar por lo anárquico de su equilibrio. Y lo peor, impidió que se le confiara a Vallejo un trabajo retribuido que le correspondía por muchas razones y que quizá lo hubiera salvado de aquella su lastimosa muerte. A él y a Delia les eché en cara en más de una ocasión que no se dieran cuenta de que Vallejo no se encontraba bien, posiblemente a causa de sus contrariedades y privaciones, y que necesitaba comprensión y ayuda de sus amigos para sobreponerse y hasta para independizarse un tanto de su mujer y mantenerse a flote. Fue inútil. Otra vez volvió a faltarle a Neruda la humana fibra amistosa. Antes de cumplir el año, Vallejo fallecía.

Neruda viajó, fue, vino. Nos encontramos a

veces. En *Aura de Chile* se ufanó de haber recibido una carta mía comunicándole la muerte de Vallejo. Probable es que así fuese; no lo recuerdo. Si le escribí, fue con el designio de hacerle presente en forma indirecta lo atinado de mi diagnóstico y el resultado de su incomprensión fatal. En una oportunidad, tiempo después, se refirió con el máximo elogio al texto que, a pedido del «Boletín» dominado por su grupo, había yo escrito a la muerte de César y que luego se imprimió como prólogo a la edición de *España, aparta de mí este cáliz*. Corté en seco la conversación. Para entonces se había mostrado también altamente impresionado por mi gesto de donar al pueblo republicano español mi muy valiosa colección de antigüedades incaicas que, a fuerza de «espíritu poético» y mediante sumas considerables, había yo formado en mis dos años de permanencia en el Perú, y que por haber sido expuesta en Madrid con la mayor solemnidad, Neruda conocía perfectamente. Le adjunto para su información el folleto oficial que con motivo de dicha donación se publicó en Valencia, por la Dirección General de Bellas Artes del Ministerio de Instrucción Pública regido precisamente por representantes del Partido comunista. Unas cuantas líneas generales acerca del modo como se formó esa colección con otras cosas quizá no exentas por completo de trascendencia, se exponen en el preámbulo de mi libro *Corona incaica* (Córdoba, 1960) que imagino le será, si despierta su interés, fácilmente accesible. Dígamelo, en caso contrario.

Al perderse la guerra para la causa republicana, nuestras relaciones se concentraron en los terrenos oficiales. A partir del mes de mayo de 1939 nos vimos y comimos juntos repetidamente, según consta en mi agenda. Neruda actuaba como Delegado de Chile para la emigración a ese país generoso, de los exiliados que en él apetecieron radicarse. Yo, como Secretario de la Junta de Cultura Española cuya fundación había promovido con el fin de ayudar a los intelectuales republicanos a distribuirse por estas repúblicas ultramarinas. Mis gestiones ante él no tuvieron por lo general todo el éxito deseado. Por entonces empezamos a discrepar también acerca del sentido que había que atribuir a la emigración republicana. Neruda, investido de prestigios oficiales, era el portaestandarte ante Juan Negrín de un puñado de españoles que bregaban por la institución en París de una Casa de la Cultura Española de la más alta prestancia, de la que ellos aspiraban a ser los improvisados directores, y que sería el centro desde donde se manejase el problema de la intelectualidad desterrada. Sostenía yo que la guerra europea se nos echaba encima y que el lugar de los españoles, y sobre todo de los intelectuales, estaba en Hispanoamérica, único sitio donde por razón del idioma podrían encontrar trabajo adecuado a sus aptitudes y difundir los sentimientos antifascistas por los que habían luchado y padecido. De aquí que entre mi Junta de Cultura que para entonces se había trasladado ya en su mayoría a México, y la Casa de la Cultura del grupo nerudiano se estableciera una tirantez que no terminó hasta que la declaración de la gran guerra vino a poner las cosas en claro, y el mencionado grupo se disolvió apresuradamente.

412

No tardamos demasiado en volver a encontrarnos, esta vez en México donde Neruda vino a desempeñar funciones más de procónsul que de cónsul efectivo. Era, si no me equivoco, hacia agosto de 1940. Le pedí y me entregó en seguida un poema («Reunión bajo las nuevas banderas») para «España Peregrina», el órgano de la Junta de Cultura Española que yo editaba a la sazón. Fue entonces sin quererlo el motivo anecdótico de la agrísima disputa que estalló entre José Bergamín y Neruda, rivales ante las gracias del partido comunista español, que el primero había monopolizado, por así decirlo, hasta aquella fecha. Mi incapacidad para encubrir cierto género de debilidades me obligó a sostener en el seno de la Junta de Cultura, de la que Bergamín y yo éramos entonces presidentes, una posición, compartida por el noventa por ciento de la directiva de la misma, que a Bergamín lo llevó a proclamarse acérrimo enemigo mío. Pues bien, una tarde llegamos Eugenio Imaz, Secretario entonces de la Junta, y yo a la apertura de la exposición de un pintor español exilado. Bergamín estaba en una parte del salón y Neruda en la opuesta. Imaz y yo saludamos a éste y conversamos animadamente con él durante unos minutos, cosa que por lo visto fastidió a Bergamín. Al día siguiente este último le escribió a Neruda una carta de improperios por haber dado la mano en público a sus irreconciliables enemigos. Sobre el fondo de la tragedia española, todo ello sería para llorar, si no invitara irreprimiblemente a reír. Muy molesto e indignado, Neruda ante semejante intromisión en el fuero de sus libertades básicas, y conocedor de las razones precisas que nos habían indispuesto con Bergamín, le replicó por la tremenda. Cruzáronse así sonetos y cartas en las que los insultos y denuncias constaban en la dirección de los sobres para que tomasen buena nota los carteros. Como lo fútil del motivo no podía justificar tan desatentadas actitudes, siempre pensé que había sido aquél un simple pretexto que hizo estallar una carga de profundidad constituida, como he dicho, por su rivalidad ante la dadivosa magia del partido. Neruda venía subiendo con pie firme los escalones de la celebridad comunista mientras que Bergamín los bajaba. Tenía yo entonces la impresión de que Neruda había venido a México, donde en apariencia ningún quehacer lo requería, con objeto de ganarse el apoyo de los partidos español y mexicano. Enrique Délano desempeñaba las verdaderas funciones consulares, mientras que Neruda se dedicaba a charlas y beber rodeado de su corte de tercerones, y a satisfacer los caprichos de una afición que me parece se le despertó en aquella oportunidad, ya que nunca supe que antes la tuviese: coleccionar libros antiguos que abundaban en México relativamente, al mismo tiempo que conchas marinas, colección esta última a la que atribuía en aquel tiempo mayor importancia. También hizo adquirir al Consulado un flamantísimo Oldsmobile con el que se paseaba por toda la República.

No se hizo esperar mucho el éxito total de Neruda ante el partido. Con pretexto de la causa española, éste le organizó un homenaje grandioso —y hasta me parece como recordar que con posterioridad a otro menos solemne, pero no podría asegurarlo—, consistente en una comida a la que asistieron centenares de personas, empezando por los máximos figurones políticos, y se pronunciaron numerosos discursos. Fui en aquel 25 de septiembre de 1941 uno de los forzosos asistentes en compañía de Jesús Silva Herzog; que para entonces ya teníamos muy adelantada la creación de «Cuadernos Americanos». Salí con muy mal sabor de boca, recordando el homenaje de Madrid, por lo que a mi juicio significaba de prostitución para la verdadera poesía, someterla a menesteres tan alejados de los suyos trascendentales. Por cierto, cuando le informé a Neruda de las gestiones que venía realizando para la constitución de una gran revista continental, se ofreció incontinente, y me lo repitió al poco otra vez, a tomar parte en la organización de la misma. Aleccionado por mis experiencias anteriores, dejé sin recoger tan amable ofrecimiento. Pero cuando vieron la luz «Cuadernos Americanos», el poema «El corazón magallánico» de Neruda se dio a conocer en su segundo número.

Con esto llego al punto para mí clave de la cuestión. Tuvo lugar el hecho a que voy a referirme en el domicilio de un excelente amigo nuestro y artista, el pintor Carlos Orozco Romero (sin parentesco con el otro Orozco), que daba cierta noche una recepción con asistencia de numerosos invitados. De Alfonso Reyes para abajo, se encontraban allí bastantes personalidades conocidas. Se esperaba también a Neruda. Con muchísimo retraso y afectación marcada, llegó éste al fin. Parecía recién salido de una mina. Llevaba una boina, al parecer sobreusada, metida hasta las orejas, y una especie de pelliza proletaria en franco desacuerdo con el modo de vestir natural de gentes que se reúnen para tomar un trago y cambiar conversación en una casa particular en compañía de señoras. Claro que había dejado el Oldsmobile a la puerta, lujo inaudito, creo que para todos los allí presentes. Dio a entender que lo habían retenido asuntos de grave importancia, se suponía de carácter político.

Un tanto ajenos a la gente reunida, no tardamos Neruda y yo en encontrarnos conversando en un rincón. Hablamos de «Cuadernos Americanos» que admiraba, así como de sus ilustraciones —recuerdo bien—, y otras cosas adyacentes. Mas no tardó en dar paso a los pensamientos que le surgían del fondo más sincero de sí mismo. Me hizo así la confidencia siguiente con aire de invitarme a compartirla. «No sé lo que tú pensarás, Juan. Pero te diré que a mí la poesía ya no me interesa. Desde ahora pienso dedicarme a la política y a mi colección de conchas.» *(Absolutamente textual.)* Los homenajes se le han subido a la cabeza, pensé para mí. Venía sospechándolo como consecuencia de sus actividades y de las gentes que lo merodeaban, habiéndolo ya comentado más de una vez con mis amigos inmediatos. Pero una confesión de esta especie, tan reveladora como ingenuamente cínica, no la esperaba, ciertamente. No decía entonces como, en el dialecto de la confusión, repitió públicamente más tarde, «poesía burguesa», sino poesía pura y simple, según lo declaran los complementos de la «política» y de la «colección de conchas» —ni siquiera hablaba entonces de la de libros—. Lo único que podría admitirse, estirando los conceptos, es

416

que se proponía hacer una poesía política y, aun en rigor, conchuda.

Le respondí que por mi parte, hacía ya varios años que había desatendido el ejercicio literario de la poesía, pero que ello en nada modificaba mi actitud poética, sino que, al contrario, era producto de una penetración más directa a su ser real y profundo. Alguien que se acercaba cortó la conversación a cuyas resultas se me derrumbó de golpe el poeta que, a pesar de todo, había esperado que Neruda, tan dotado en ciertos aspectos, pudiera llegar a convertirse. Supe, y lo comenté al día siguiente, que, en caso de que Neruda siguiera escribiendo versos, nunca pasaría de ser, mejor o peor, un retórico —para entonces había escrito ya algunos muy pobres—. Ni se daba cuenta de lo que una posición como la suya significaba desde el inexorable punto de vista poético. Se concebía a sí mismo y concebía las cosas en términos exclusivamente sociales, no en esos amplios términos culturales en que, sin excepción, se han manifestado siempre los poetas verdaderos. No pude evitar que en esa cavidad recóndita donde los valores maduran sus esencias, se me creara frente a él un foco de disgusto.

No sé si volví a verlo más, que perdí las agendas de esos años. Lo que sí sé es que cuando redacté a comienzos de 1944 mi ensayo «El Surrealismo entre Viejo y Nuevo Mundo», las enérgicas parrafadas que en su parte final se dedican a Neruda estaban sólidamente sostenidas no sólo por su actitud sino por su confesión propia. Las escribí sin animosidad personal, ni que decir tiene, mas sí en esclarecimiento y defensa de los altos valores poéticos repre-

417

sentados en nuestro mundo americano por el Darío de profecías y «Dilucidaciones», cuyo alcance crecía y creo comprender hoy aún más a fondo. Para que Neruda viera mi buena disposición personal hacia él, independientemente de lo antagónico de nuestros criterios poético-políticos acerca del Nuevo Mundo, le remití el librito dedicado. Mas luego supe por León Felipe, que anduvo por Chile, que tanto a Neruda como a Delia parecía haberles sentado mal. Nada dijo el primero, sin embargo. Se conoce que, por tener yo «Cuadernos Americanos» a mi disposición y en cuyas páginas no volvió a colaborar mientras allí estuve, juzgó más prudente dejar para después lo que sólo llevó a cabo una década más tarde, cuando en virtud de sus servicios políticos, su estrella había prosperado prodigiosamente y la lista de sus homenajes había quebrado ¡ay! todos los récords.

Llegamos, en efecto, a 1954. Vivo en New York dedicado por completo a los estudios de investigación en el trasfondo de la Cultura, gracias a las becas que un año tras otro, y así hasta siete, me concedieron las Fundaciones Guggenheim y Bollingen. Luego de porfiada resistencia, me resigno por fin un día a que me haga un interview para «El Nacional» de Caracas un joven periodista venezolano, de nombre Rafael Pineda, por venir de parte de Mariano Picón Salas, excelente amigo mío. Me preguntó en una incidencia el joven periodista, ostensiblemente pequeño burgués —camisa de seda, uñas pulidas y demás atuendos—: «¿Cuál es el poeta a su juicio más importante que ha producido América?». Le respondí sin vacilar:

«Rubén Darío». Pareció sorprenderse y como no queriéndolo creer. «¿Qué piensa entonces de Neruda?», continuó. Me tocó a mí el turno sorprenderme. En las interlocuciones que siguieron repetí en líneas generales lo que acerca de Darío y de Neruda —a quien consideraba, a su modo, le dije, un gran poeta— había afirmado en mi «Surrealismo» diez años atrás. A mi entender Neruda constituye una posición de antítesis en el proceso hacia una síntesis cultural en que dialécticamente se justifica. También me referí a la nueva actitud de propaganda política que, a causa de su impotencia poética, había Neruda adoptado a partir de cierto instante.

Pineda publicó su artículo «Juan Larrea y el Nuevo Mundo» en el «Papel Literario» de «El Nacional» caraqueño el 29 de julio de 1954. No sé si le escribió a Neruda excusándose quizá de su crónica y cargando posiblemente las tintas. Lo cierto es que, no teniendo yo «Cuadernos» en mis manos, Neruda debió juzgar la hora de desahogarse de la mala hiel que, por lo visto, traía acumulando y elaborando contra mí desde el 44 en que había dicho las mismas cosas, aunque mucho más articulada y drásticamente. Claro que además, nuestras posiciones relativamente al porvenir de este Nuevo Mundo son en lo substancial dispares.

No sé si sabrá usted que desde que residí en el Perú en 1930-31 he venido sosteniendo con hechos y dichos, cuya novedad me parece difícil poner en duda, mi creencia en una América del porvenir, libre y trascendida por el espíritu poético o simplemente por el Espíritu. La he comprendido como mundo correspondiente a un estado de plenitud humana en el que han de aunarse los desarrollos materiales y los espirituales, éstos en una situación muy por encima de la tradicional. Neruda, en cambio, no entiende más concepto de América que el rastreramente materialista que lo hizo merecedor del premio Stalin por tratar de uncirla al carro de este noble dictador cuyas glorias cantó a pulmón tendido, y en cuyo ámbito cualquier género de espiritualidad le huele a estercolero. Lógico es, por consiguiente, que me considere jurado enemigo suyo, no ante el partido, como en el caso de Bergamín, sino ante el futuro americano.

He aquí los porqués se despachó escribiendo el 8 de noviembre de ese año 54 la «Oda a Juan Tarrea» que usted conoce, con la que notoriamente se propuso aplicarme la ley del hampa, es decir, cometer en mi persona un asesinato moral con todas las agravantes. Es su modo de resolver los grandes problemas axiológicos de nuestro Mundo Nuevo. Me trata, así pues, como si fuese la más siniestra y hedionda de las criaturas. En primer lugar, como mi dedicación a la arqueología americana y mi muy valiosa colección de antigüedades incaicas, de renombre internacional, no consienten incertidumbres acerca de lo auténtico y radicalmente americano de mi vocación, ni tampoco acerca de mi personal desinterés, demostrado al desprenderme de ella en favor del pueblo, empieza por afirmar que esa colección la obtuve saqueando «las tumbas» y al «pequeño serrano», al «indio andino» de quien, cuando me tendió la mano amistosamente, me quedé, como abyecto mercader que soy, con piedras y sortijas.

Asienta después que me «colgué» de Vallejo, incapaz claro está de hacer nada por mi cuenta salvo escribir «prologuillos» y otras zarandajas que nadie lee, aunque otrora merecieran de él los más altos encomios, así como ayudarle a aquél a «bien morir». Con esto último alude, quizá, el tan auténtico como distinguido colgajo de Stalin a que, en efecto, me encontraba a la cabecera de Vallejo cuando falleció un día de Viernes Santo, según es sabido y yo mismo referí en *España Peregrina*. Mas lo hace seguramente con el propósito de distraer la atención acerca de la responsabilidad que, en alguna medida, le cupo por lo intempestivo de su muerte. Las Odas, que después y tan tardíamente, le dedicó responden a idéntico propósito, sin duda, a la vez que intentan establecer su derecho de propiedad sobre la fama creciente del poeta peruano.

Decide a continuación que vine de España «con boina de sotacura» y con la «larga uña de Euskadi» —oh, ocurrencia de pezuña hendida—, país donde, bien se sabe, no hay «panaderos», ni «ríos ferruginosos», ni «gente clara», como negroides que los vascos son desde que Sebastián Elcano costeó la Patagonia, ni «caminos de caballos» y otras bestias aborígenes, todo ello pertenencia del «pobre americano» Rafael Pineda quien, por lo visto, escribió un libro genial en la línea nerudiana, y a quien pretendo substraerle «su oro» y el «vapor verde de nuestros ríos», amén de otras delicadas jeringonzas. Visiblemente se trata con todo ello de arrebatarme, ante quienes poco o nada saben de mí, mi participación voluntaria en el conflicto peninsular y mi carácter de decidido luchador antifascista, así como echar al cesto mi ya añeja nacionalidad mexicana. Nunca —continúa— he dicho más que sandeces «de seudo magia negra» y «sueños de gusano», subido en las revistas —en esas revistas que en vano pretendió hacer conmigo— y descolgándome no se sabe de qué pingües «capitolios», como si, pobre de mí, hubiera sido senador más o menos ganso, por no decir pingüino, de alguna de estas repúblicas. Y como, a pesar de mi indeleble antifranquismo, uno de los mejor documentados y consecuentes que trajinan por el mundo, soy «peor que Franco» y hasta «su emanación» y «nimbo negro», debo, «tonto de ultramar», regresar de inmediato a «la huesa pútrida del monasterio de Bilbao», a fin, se conoce, de que allí me administren mi bien merecida extremaunción por el pecado de resistirme a admitir que Neruda sea el poeta más importante nacido en Chile. Y cuidado con volver a ocuparme de Darío ni de Vallejo, ni de «rascarle a Neruda la rodilla» confundiéndola con un banal instrumento melódico, la pata del piano, por ejemplo.

No satisfecho con tan emocionante intentona de propagar a diestro y siniestro su excelente carne de gallina, prosigue así el hondero entusiasta disparando contra mí «pobrecillo» habitante la preciosa y entintada pedrería de su isla negra con todos sus aspavientos de calamar enfurecido. Me llama «filibustero», «vendedor de muertos», «capellán de fantasmas», «pálido sacristán espiritista», «chalán de mulas muertas» y quién sabe cuántas más espeluznancias para párvulos candorosos y señoritas paliduchas. Ya en el terreno de la orto-

422

doxia teológica que, al parecer, domina, me zamarrea de lo lindo también por mis «mentiras de falso Apocalipsis» como para recordarme que su brioso «Caballo Verde para la poesía» éste sí es uno de los indiscutibles símbolos del verdadero Apocalipsis, aquel *hippos jlorós* o cuarto caballo, «seguido del Infierno», cuyo caballero «tenía por nombre Muerte» (VI, 8) —«porque la cara de la muerte es verde/ y la mirada de la muerte es verde» («Sobre la muerte», *Residencia*). He aquí, pues, cómo se aclara todo lo ocurrido desde la aparición en 1936 de ese efluvio de la infernal subconsciencia. ¿O acaso no fue el mismo Neruda quien en su *Crepusculario* tan incompatible, tan en antítesis con «nuestros países de la Aurora», dejó bien expreso que «la muerte del mundo cae sobre mi vida»? En fin, lo en el fondo más chistoso es que, así como los boxeadores practican el *shadow boxing* o pelea contra la sombra, el bardo de Temuco se desgarra el pecho peleando valientemente en su espacioso muladar, contra la sombra de su propia negruda zapatilla.

En Caracas, según me dijeron, negáronse a publicar semejante portento de rufianía, descomunal incluso para los calibres hipertróficos de Neruda. Mas por motivos comprensibles no actuó en la Oda presente como de costumbre cuando guardaba tales expectoraciones obscenas para el círculo confidencial de sus allegados y afines. Esta vio recaer sobre sí la distinción de figurar en la colección impresa de esas sus «Odas» para lectores no sólo elementales sino también con hijo, en que trasunta su pasión por el cultivo de las lombrices solitarias.

Y ahí está, conservada en alcohol —en mi sentir, felizmente—, para oprobiosa ejecutoria de quien, maestro de incultura, no acierta a distinguir entre poesía y escatología a causa de la doble acepción del vocablo, y constituyendo un certificado de limpieza de espíritu, así que pase algún tiempo, para el nombre que ha pretendido ignominiar sin el menor asomo de agudeza. En suma, se diría que el autor de la «Oda» se ha empeñado en justificar con heces y creces el juicio que emití acerca de su significación poética hace veinte años, patentizando que tras ese triste cortinaje de humo lenguaraz y vilipendio, sigue en plena vigencia aquella su típica declaración de *hollow man* que rezaba y reza: «*Mi alma es un carroussel vacío en el crepúsculo*» —un crepúsculo con la lengua fuera, que si fue en un tiempo pequeño burgués, se ha vuelto hoy día, por la dialéctica de la coz y del mantillo, de lo más ínfimo proletario.

Eso fue todo. No le ocultaré, puesto a contar, que a primera lectura el golpe más que bajo, escarabajísimo, me dolió a causa de mi hija —peruana de nacimiento— que no podía admitir que al padre que conocía tan de cerca y cuya liberal pobreza compartía, se lo maltratara a extremos tan infames. Pero no me fue, hasta cierto punto, difícil consolarla. Pude hacerle comprender que, según su propia confesión, ese diz que poeta de palabras largas pero de humanidades cortas, había sido siempre un quejumbroso y crepuscular «desalmado» que, si me echaba en cara haberle ayudado a Vallejo a bien morir, era a causa de su envidiosa calidad de retórico de mala muerte. Se jactaba de saberlo todo y de sentenciar, en consecuencia, como cualquier pobre diablo que no tiene ni la idea más remota de lo que significan y contienen las ciencias del Espíritu. Por otra parte, la colmaron de satisfacción aquellas líneas verdaderamente notables del propio Neruda, que le recordé, y que tan bien definían no sólo la estructura interna de la «Oda», sino el sentido general de la vida de su autor y que dicen, precisamente en el antes mencionado poema de su *Crepusculario*:

Uno, no sabe cómo, va hilvanando mentiras,
y uno dice por ellas, y ellas hablan por uno...

Ni respondí ni procuré que nadie me hiciera un desagravio. Tentado estuve de caerle al ruín encima con todo el andamiaje, sirviéndole entre otras cosas, y ya que me remitía a Bilbao —al Bilbao, por cierto, de Bolívar—, los dichos de «aquel hombre relámpago que se llamó Francisco Bilbao» (Darío), quien en su *Evangelio Americano*, verdadero himno a la futura Democracia, chileno, popular y espiritual —y en mi sentir, admirable— define las posiciones análogas a las de Neruda en términos rudamente salitrosos. Preferí el silencio, claro está. Por poco que uno se respete, no es posible descender a semejantes justas de indecencia. La Historia prosigue su ejercicio creador. Degradado fue Stalin y lo mismo habrá de serlo quien se prendió a los faldones de su culto a la personalidad. No puede estar lejos el momento en que la realidad, tan aherrojada hoy bajo la propaganda terrorista que a tantos y tantos los mantiene cohibidos, ha de abrirse paso, con el «paso de vencedores» —que a todo

425

«tío-vivo», si no su Bolívar, le llega en nuestras repúblicas su San Martín—, y en el que la Poesía, forzada actualmente a hacer el *trottoir* de la carrera política, salga con el mismo paso victorioso por sus fueros altísimos. Se verá, en realidad ya empieza a ser obvio para los no enceguecidos, que Darío y Vallejo, ambos antítesis de Neruda y de quienes, no sin razones para él de muchos pesos, me ha conminado a no ocuparme, son poetas de una categoría substancialmente muy superior a la de este fabricante de impudicias y mugidos ventrilocuales, entregado desde Madrid a una autocultura analfabeto-betónica —¿no ha confesado él mismo desconocer a Quevedo con anterioridad a su residencia en Madrid?— con todos los beneficios inherentes a sus materiales canturreos a toca teja, en oposición a cualquier género de limpidez sencillamente humana. Hay que reconocer que en este aspecto Neruda es un genio de verdad, una especie de megaterio de nuestra época de subdesarrollo, confusión y delincuencia, a voz en tumor maligno. Nadie, quizá con la única excepción de Franco, ha explotado a su favor, le ha sacado tanto partido —Vallejo lo intuía claramente— a la veta ultrajada y sacratísima del dolor de España.

Contra mí he tenido desde entonces los vientos y mareas de la gregaridad que directa o indirectamente danza o mira danzar al runrún fistulado de las consignas. Nunca, como bien erguido español de nacimiento y americano de adopción y corazón, he proferido la menor queja. Mientras que el gran Demagogo alardea, como supremo argumento, de «cantar», por lo general en grandes salones y mojigangas, como

426

si no cantaran los ilustres fregones, otros consumen sus días en talleres y laboratorios. Por lo que me concierne, me he ocupado y sigo ocupándome de Rubén Darío, inclusive en Chile, según a usted le consta así como de Vallejo —entre otros asuntos aún mucho más trascendentales naturalmente—. En la actualidad estoy dictando todo un cursillo de cuatrimestre sobre *Trilce*, mientras preparo un nuevo número de «Aula Vallejo». Si las circunstancias se presentaran, algún día me ocuparé asimismo de Vicente Huidobro, superior también en no pocos aspectos a Neruda, y hasta podría intentar la autopsia de algún famoso poema de este último. Pero como le digo, no estoy nada disconforme con mi situación de retiro. Lo estrictamente social reclama la satisfacción inmediata de los apetitos desenfrenados de poder y de prestigio a toda costa, con los odios y crueldades que le son inherentes. En cambio, lo cultural libera. Cuando son profundos, los valores de la Cultura se justifican por sí solos puesto que, si se los acompaña a fondo, facilitan la penetración en ese pacífico e indecible espacio donde las contradicciones se resuelven. ¿Y quién, por especialista que sea en el arte de dar gato por liebre, podría disputarles el futuro?

De otra parte, la crítica tendrá que preguntarse algún día si en la dedicación de Neruda al coleccionismo de libros —que nunca leyó— y en su donación al pueblo chileno —con todas sus ventajuelas y nuevos homenajes— de esa colección acrecida por los bajos fondos de la otra vertiente, no late con disimulo el ejemplo de la colección de antigüedades incaicas donada al pueblo español durante su guerra a muerte por Juan Larrea —con todos sus perjuicios—. Quizá no sin razón se trata en la «Oda» de desnaturalizar y asfixiar bajo carretadas de inmundicia el recuerdo de la profunda significación española y popular que tuvo el destino de la referida colección de antigüedades auténticamente americanas y de fama internacional como le digo (Exposición solemnísima en el Museo de Etnografía de París, 1933; id. en la Biblioteca Nacional de Madrid, 1935; id. en el XXVI Congreso Internacional de Americanistas en Sevilla, 1935, con sus respectivos e importantes catálogos. Actual exposición en el Museo de América, Madrid). Me abstengo de calificar lo que, en relación con la tragedia popular española, semejante sustracción de sentido significa.

No es esto sólo. También tendrá la crítica que investigar si en el cambio operado en la orientación de la poesía de Neruda, desinteresada por completo de América, en cuanto tal, con anterioridad a la publicación de mi «Surrealismo» (Oct. 1944), tuvo o no alguna participación el contenido de este texto donde se lo echaba en cara. Hasta entonces sólo había escrito, que yo sepa, un «Bolívar» que le encargaron en México y a duras penas mediocre. El poema «Alturas de Machupicchu» que marca, si no me engaño, el cambio de orientación hacia América, se publicó en 1946, es decir, con bastante posterioridad a mi ensayo donde, y precisamente en las páginas correspondientes a Darío, Vallejo y Neruda, se trata del *Amor*, recogiendo el tema del último capítulo «Amor de América», de mi libro *Rendición de Espi-*

*ritu* (1943), cuyo segundo volumen termina con esa palabra redentora. Pues bien, «Sube conmigo, amor americano», clama este simulador de todo menos del odio indigerido, sirviéndose el tema con cuchara y con una explotación arqueológica del «hambre» tan fuera de contexto como la «cimitarra» con que compara a Machupicchu. Parejamente, por entonces coincidió la transformación de su muy anunciado *Canto general de Chile* en *Canto general de América*, claro que en beneficio de ya se sabe qué extranjera propaganda. Pero conste que nada aseguro. Sólo señalo y digo que la crítica tendrá en su oportunidad que investigar seriamente cuanto se esconde por debajo de tan ululantes palabrerías.

Termino presentándole mis excusas. Embarcado en el tema, me he dejado ir mucho más allá de lo que usted me solicitaba y me había yo propuesto. Como parece interesarle la cuestión y seguramente encontrará usted algunos datos útiles, quizá no me lo tome a descortesía. Así lo espera de su benevolencia su servidor y amigo

JUAN LARREA

*Post Scriptum*


Como soy probablemente la única persona capaz de aducir referencias fidedignas sobre un detalle relativo a las relaciones entre Huidobro y Neruda, me parece ser éste el momento indicado para revelarlas.

Cuando, en la primavera de 1937, en plena guerra española, se organizaba en París el Congreso de Escritores que debía celebrarse poco después en Valencia y Madrid, pensaron algunos que, en bien de la causa que tan honda y terriblemente nos conmovía, debieran eliminarse los motivos de rencilla y fricción entre los intelectuales y poetas, y en especial los existentes entre Huidobro y Neruda. Muy interesado en ello se mostraba Tristán Tzara, viejo y consecuente amigo de Huidobro, y organizador del Congreso en Francia.

Decidimos realizar una gestión con esta finalidad cerca de los mencionados, ambos entonces fuera de París. Redactamos una carta colectiva haciendo un llamamiento a su espíritu de solidaridad ante el martirio atroz que el pueblo español estaba padeciendo —el 26 de abril había sido arrasada Guernica—. Se firmaron tres ejemplares, uno para Neruda y dos para Huidobro por si en aquellos momentos tan inseguros se extraviase el que a Vicente le íbamos a dirigir a Valencia. Como fui el encargado de remitirle a este último el ejemplar que le correspondía, el cual, aunque con demora, llegó perfectamente a sus manos, conservo en mi poder el duplicado o tercer ejemplar, idéntico al que recibió Neruda sin más variante que los nombres. Decía así:

ASSOCIATION INTERNATIONALE DES ÉCRIVAINS POUR
LA DEFENSE DE LA CULTURE

Secrétariat International
8, Rue d'Aboukir, Paris (2.°)
Tel: Gutenberg 08-10

1 de Mayo de 1937

A Vicente Huidobro.

Querido camarada y amigo:

Estamos seguros de interpretar el sentimiento no sólo de todos los escritores hispanoamericanos sino el de los antifascistas del mundo entero al decirte que delante de la espantosa tragedia que aflige al pueblo español deploraríamos que pudieran seguir existiendo motivos de discordia entre tú y el camarada Pablo Neruda, luchadores ambos de la misma causa.

En atención a lo que las personas de cada uno de Uds. representan queremos pedirles, pues, que a partir de hoy den Uds. el alto ejemplo de olvidar cualquier motivo de resentimiento y división que haya podido existir entre ambos para que con entusiasmo acrecido y dentro de una sola voluntad militemos todos bajo la bandera del pueblo víctima por el triunfo material y moral sobre el fascismo.

Agradeciéndote en nombre de ese pueblo español el gesto que de ti aguardamos, te saludamos con fraternal cordialidad

José Bergamín
Gonzalo More
Alejo Carpentier
Leonardo López
Renato Leduc

Tristan Tzara
Eudocio Rabines
César Vallejo
Juan Larrea
F. Pita Rodríguez
Andrés Iduarte

Por mi parte le decía a Huidobro en los breves renglones con que acompañaba a la carta: «Como por las noticias que recibimos no necesitaste solicitud de ningún género para hacer por propia iniciativa lo que en ella se te pide, creo que si así lo hicieras constar en tu respuesta a Tzara, quedarías muy airosamente».

En el acuse de recibo de Huidobro, que poseo, me decía desde Valencia, 8 de junio: «He contestado a la Asociación de París como tú me lo pedías». Me lo confirmó Tzara poco después. También me comunicó este último que, en cambio, Neruda se había negado a responder a nuestra instancia, cosa que el interesado me repitió de palabra días más tarde. Nuestra invocación al dolor del pueblo víctima y por «el triunfo material y *moral* sobre el fascismo» se vio, pues, condenada al fracaso por la negativa de una de las partes. La sensibilidad básicamente resentida de Neruda, quien no se sabe mediante qué artes se había prácticamente adueñado de la dirección hispanoamericana del Congreso, se orientaba en lo moral por muy otras pendientes.

Córdoba, 4 de mayo de 1966

Vale

# Recordatorio español (1954)*

> Todos los pueblos del futuro envidiarán
> los sufrimientos y la gloria de la España
> Republicana.
>
> ROMAIN ROLLAND

El día 14 de abril de 1931 vino de por sí en España, como llovida del cielo, la República. Fue consecuencia de unas elecciones municipales que en los grandes centros urbanos dieron inopinadamente el triunfo a los candidatos de filiación anti-monárquica. Nada nacional se había debatido en dichas elecciones. Pero la monarquía pisaba terreno tan deleznable a causa de su frivolidad e incompetencia, y tan convencido estaba Alfonso XIII de que algún día el caso no podría menos de ocurrir que, en el estupor del instante, renunció a la corona y partió.

Se proclamó la República pacíficamente, sin disparo ni rasguño. Quizá no se haya producido hasta hoy en la historia universal un renacimiento *democrático* de autenticidad parecida, ya que en realidad no fueron los dirigentes políticos quienes forzaron el cambio del régimen, sino las culpas del estado reinante y, frente a ellas, la emoción lógica y plebiscitaria del pueblo. Surgió, pues, esta República en el horizonte de las naciones como un corolario de la madurez de los tiempos a la vez que como ma-

---

* Declaraciones durante la guerra española.

ravilloso anticipo de un mundo de paz. Hasta podría decirse que fue un poco como si se hubiera vuelto a oír por una rendija de los siglos el memorable «paz en la tierra a los hombres de buena voluntad», referido a una humanidad nueva.

El entusiasmo popular de aquel 14 de abril fue realmente indescriptible. El pueblo —el pueblo de verdad, no aquél de que hablan los políticos profesionales— sintió con su alma íntegra que, como de milagro, se le cambiaban las tornas y que, al desvanecerse por sí misma toda una época de decadencia amarga, asomaba para él la luz de un mundo distinto. Ha de tenerse presente que el menoscabo en que era mantenido el pueblo español en todo orden de valores y de cosas no poseía parangón entre las naciones modernas. De otra parte, la mudanza no fue hacia la derecha, ni hacia la izquierda. Fue hacia el frente. «Sirvientes de palacio, alabarderos, militares y sacerdotes, aristócratas y ex-ministros de la Corona votaron aquel día la República», escribió el general Mola en sus *Memorias*.

Casualidad notable si se considera la sensación de mundo nuevo que se respiraba entonces: en esa fecha 14 de abril de 1931 en que advino en España la República o razón del pueblo, se celebraba por primera vez el «día de las Américas», por decisión tomada el año anterior; el día del Nuevo Mundo, República todo él —su substancia— de sur a norte. En Hispanoamérica solió interpretarse el acontecimiento —recibido por lo general con entusiasmo— como la manumisión de la última de las posesiones de la vieja Monarquía española.

El régimen que se estableció entonces en España hizo honor a la naturaleza pacífica de su nacimiento. Fue en lo intrínseco un régimen de paz, como no puede menor de serlo toda verdadera manifestación de democracia. Es decir, espontáneamente volvió a dar renuevo en la historia el ideal antiquísimo que puso nombre a Jerusalem, «ciudad de la paz», y asistió con su razón al judeo-cristianismo.

Se eligió una Asamblea Constituyente. Congregáronse en ella todos los sectores de opinión salvo el de las clases monárquicas que se negaron a participar en las elecciones por no admitir con su presencia el hecho consumado. La Constitución de la República que aprobaron esas Cortes, renunció explícitamente a la guerra en sus afanes democráticos de paz, que es lo que están persiguiendo en la actualidad todas las naciones del mundo. Lo sincero de esta medida se corroboró con la opción al licenciamiento voluntario que, con ventajas económicas, se les otorgó después a los oficiales del ejército. El régimen se adhirió con firmeza a los principios de la Sociedad de Naciones cuyo pacto se incorporó, por decirlo así, a la constitución republicana. El Presidente elegido fue un católico practicante, don Niceto Alcalá Zamora.

De otra parte, se separó la Iglesia del Estado, como sucede en los países modernos. Se inició una Reforma agraria de tono moderado, con compensaciones justas a los terratenientes, a fin de corregir la situación de atraso inconcebible en que se encontraba el suelo y la agricultura nacionales. Se puso en marcha una política de instrucción intensa, se crearon y dotaron escuelas a millares, con el propósito de ayudarle al pueblo a salir de la ignorancia torpísima en que lo tenía sumido el egoísmo de la sociedad precedente. En suma, se emprendió una obra de regeneración por la raíz lo mejor que se pudo.

En su sobreexcitación nerviosa, ciertos elementos populares cometieron después el deplorable disturbio de quemar algunas iglesias y conventos en Madrid y también en alguna provincia. Ello daba, según parece, a entender dos cosas —además de cierta lenidad en el gobierno—: el estado de incultura en que el pueblo se encontraba, y en segundo lugar, la culpa que la conciencia popular naciente seguía atribuyendo, lo mismo que la antigua, a un poder religioso que, en su sentir, no había entendido ni se había preocupado por los intereses populares sino que tenía hecha causa común con el estado social que lo tenía al pueblo esquilmado y que caducaba entonces. Existía desde luego una divergencia de opiniones patente: la redención se hallaba para el pueblo en el porvenir hacia el que tendía con impulso apasionado, mientras que para la institución eclesiástica el ideal parecía residir en las glorias de otros tiempos lejanos, para ella mejores.

Las tensiones internas que no se habían producido en el Advenimiento natural de la República, se manifestaron de seguida. La decadencia real en que se encontraba España no era abolible por decreto. Los políticos republicanos, en cuyas manos vino a dar la esperanza de la regeneración española, no comprendían sino superficialmente lo ocurrido y eran juguetes fáciles del partidismo y de la demagogia. En la otra punta, los elementos y clases conformados a la tradición, lejos de abrir sus mentes al futuro, sumándose a la nueva causa general del pueblo, fueron presa de obcecación reaccionaria. Aunque parezca mentira, desde el mismo año de 1931 se empezó en alguna región como Navarra a constituir y adiestrar tercios militares con miras a una apetecida guerra civil cuya preparación, cosa increíble para quien conoce lo que es el espíritu cristiano, desempeñaron el papel principal los párrocos de los pueblos que organizaron una «Junta Sacerdotal» a tal propósito.[1]

Difícil es no imaginar, conforme al sistema de símbolos allí reinantes, que en cuanto comenzó el alba a sonreír a la causa del pueblo

1. "El pensamiento navarro", diario carlista de Pamplona, verdadero foco de la insurrección, confesaba en su número de 22 de julio de 1939: "La formación del Tercio de Abárzuza, como la de otros varios, tuvo su origen al final de 1931. Se formó por agrupaciones de diez individuos en vista del rumbo que tomaban las cosas en España, tantas veces anunciado por los pensadores de la Tradición, y pensando que a la Revolución no se la puede vencer con caricias sino con armas eficaces y detonadoras... Los auxiliadores más eficaces de este Tercio de Abárzuza fueron los sacerdotes carlistas que en esta tierra gracias a Dios, eran el noventa y nueve por ciento, y cada uno en su pueblo formaba las patrullas y grupos, con sargentos, enlaces y hasta camilleros, a los que se les comunicaba, para cumplirlas con todo escrúpulo, las consignas u órdenes que hubiera. Por eso se vio aquel maravilloso espectáculo el 19 de julio en el que los propios sacerdotes al frente, dando al movimiento tonalidad de cruzada animaron y arrastraron entusiasmados a la lucha a aquellos valientes boinas rojas, ya preparados y adiestrados".

Detalles copiosos acerca de estas y otras diligencias no menos edificantes se leen en el libro de Antonio Lizarza Iribarren de elocuente título: *Memorias de la Conspiración. Cómo se preparó en Navarra la Cruzada, 1931-1936* (Pamplona, edit. Fómez, 2.ª edic., 1953).

o República, hizo solapadamente aparición en España el espíritu de Caín.

En agosto de 1932 se produjo la insurrección primera. Se levantó en armas un grupo militar encabezado por el general Sanjurjo con la convicción sin duda de que bastaba dar la voz de mando para que les siguiese como una sola mujer la España de sus sueños. Fue su conato reprimido con facilidad vergonzosa. El tribunal que juzgó a Sanjurjo tuvo que condenarle a la pena de muerte prescrita para su delito por el Código. Sin embargo, por intervención del gobierno republicano, deseoso de evitar a la República impiedades de esta especie, le fue la pena conmutada por la de prisión perpetua.

Las fricciones y desavenencias entre los profesionales políticos, urgidos por sus persuasiones e intereses partidarios, a veces extremistas, empezaron a degenerar en discordias. Fue preciso en 1933 convocar a nuevas elecciones que representaron un bandazo hacia la derecha o, quizá mejor, un paso atrás. Se mostraron éstas favorables a una combinación de las clases conservadoras y de su gran adversario en otros tiempos, cierto republicanismo político sin demasiados escrúpulos, aunque en su conjunto consiguieran quinientos mil votos menos que el bando contrario. Con ello, en vez de disminuir, crecieron las irritaciones y desbarajustes.

Para la política conservadora no contaba la esperanza dinámica que había despertado el Advenimiento de la República en la conciencia popular. Tendía a recobrar mediante las habilidades oportunas las posiciones perdidas por sus errores continuados. En el bulto de esa política se distinguían dos corrientes complementarias. De un lado se constituyó un gran partido que abrigaba el propósito de articular en pos de sí los intereses de la nobleza, de los propietarios e industriales, del clero, con todos sus dependientes y concatenados, para llegar a hacerse con el Poder (la C.E.D.A., de expresivo nombre). Pero de otro lado, otros políticos se ponían al habla con Mussolini, en el convencimiento, por afinidad electiva, de que Europa iba a ser presa del fascismo.

Está comprobado documentalmente que el 31 de marzo de 1934, cuatro representantes, uno del ejército (general Emilio Barrera), otro del partido monárquico (su jefe, Antonio Goicochea), y dos de la Comunión Tradicionalista (Rafael Olazábal y Antonio Lizarza), todos ellos católicos de golpes de pecho, visitaron a Mussolini y consiguieron el apoyo de éste en armas y dinero para la preparación de la guerra civil.[2] Como consecuencia de este ajuste que se

2. Díjoles "el jefe del Gobierno italiano": "1.º que estaba dispuesto a ayudar con la asistencia y medios necesarios a los partidos de oposición al régimen vigente en España, en la obra de derribarlo y sustituirlo por una Regencia, que preparase la completa restauración de la Monarquía. Esta manifestación fue repetida solemnemente por el señor Mussolini hasta tres veces, siendo acogida por los presentes con las naturales manifestaciones de estima y gratitud; 2.º) que en demostración práctica y como prueba de tales intenciones estaba dispuesto a facilitarles 20.000 fusiles, 20.000 bombas de mano, 200 ametralladoras, y 1.500.000 ptas. en metálico; y 3.º) que tales auxilios tenían sólo carácter inicial y serían oportunamente completados con otros todavía mayores, a medida que la tarea realizada lo justificara y las circunstancias lo hicieran necesario". Etc. (De la minuta autógrafa de Antonio Goicochea, publicada infinitas veces y corroborada por su autor en su discurso de 23 de noviembre de 1937 en San Sebastián).

cumplió punto por punto, desde entonces fueron a Italia varias expediciones de jóvenes a fin de instruirse en el manejo de las armas, ametralladoras, fusiles ametralladores y bombas de mano.[3] Ha de tenerse presente que el gran tema de la propaganda posterior, el comunismo, no había entrado aún seriamente en funciones. Si la primera Asamblea republicana contó con un diputado comunista, las Cortes recién reunidas no dispusieron ni de ese botón de muestra. El nuevo Gobierno había por su parte decretado una amnistía que puso en libertad al general Sanjurjo, permitiéndole trasladarse a Lisboa para que con toda tranquilidad maquinara desde allí un segundo alzamiento contra la República popular, y reintegró los oficiales sublevados a sus antiguos puestos. Con lo cual aún resulta más difícil desconocer que el espíritu de Caín iba y venía por entre bastidores más o menos como Pedro por su casa.

El estado de impaciencia pasional fue prosperando en provecho de los extremismos. Los partidos republicanos y socialistas sentían el peligro mortal que pendía sobre el régimen como lo sentían con razón sobrada las gentes alertas del pueblo. Se hablaba constantemente en plazuelas y salones, de conjuraciones militares y golpes de Estado. De aquí que los dirigentes populares vetaron con energía la entrada en el Gobierno de partidos que no hubieran demostrado su aceptación sincera de la República. Los socialistas, un sector de los

3. A. Lizarza, *Ob. cit.*, pp. 35-36. En este libro se relatan las peripecias del viaje de los conjurados a Roma y de su entrevista con Mussolini.

cuales venía cultivando descaradametne las tácticas revolucionarias, amenazaron con una huelga general en caso de que los representantes de la *Ceda* se integrasen al Poder. Y así ocurrió. Tan pronto como algunos miembros de ese partido entraron a formar parte del Gobierno estalló en octubre de 1934 una huelga revolucionaria que antes de ser vencida permitió a los mineros asturianos cometer amplios desmanes. Contra la violencia salió una vez más triunfante el Gobierno, a causa de la República cuyo fundamento es la paz. Pero lo malo fue que la represión gubernamental hizo por su parte gala de mayor violencia. Para imponer el orden no se consideró bastante el ejército español. Se trajeron del Africa para aplastar a los obreros asturianos, las tropas del Tercio extranjero y unos cuerpos de Moros, a la vez que con objeto de justificar las atrocidades de la operación de represalias, se echaban a rodar calumnias infames, odiosísimas. Nada peor para calmar los ánimos y satisfacer las esperanzas de un mundo más equitativo y cabal que había despertado en el alma del pueblo el Advenimiento pacífico de la República. Nada mejor para echar a las gentes en brazos del extremismo más inmediato.

La situación política creada por este grave incidente fue de aquéllas en que, por lo vicioso del planteamiento, sólo pueden prosperar los errores. Se abarrotaron las cárceles con gentes del pueblo. Se fomentaron y emponzoñaron los conflictos. El espíritu fascista o falangista se complugo en concebirlo todo engalladamente, a la tremenda. Hubo en la península toda especie de inversiones fanáticas y ancho campo para los enconos. Las clases privilegiadas y cultas, en vez de sentir la responsabilidad de comprender al pueblo de que recibían savia, obraban por lo general como si procedieran directamente de Dios y, en su egoísmo privilegiado, pretendían que dicho pueblo, mantenido por tradición en la miseria, en la servidumbre y en la incultura, y al que consideraban como un animal de su pertenencia, comprendiese en este alborear de un mundo distinto y se sometiera a las sinrazones anacrónicas que desasistían socialmente a aquellas clases y a su falta de entendimiento. Ha de advertirse que una de las causas positivas de inquietud para las masas populares fue, descrita con palabras de la suprema autoridad eclesiástica española, «la incomprensión y falta de caridad de los ricos derechistas que, al advenimiento de las derechas al poder, volvieron al régimen de jornales irrisorios de antes de la República, mejorados por la actuación socializante de aquélla» [4].

El equilibrio político, de difícil pasó a insostenible. Un año después de los sucesos de Octubre tuvo que disolverse de nuevo el cuerpo legislativo y convocarse a terceras elecciones. En el convencimiento de la generalidad se jugaba en este trance la vida de la República nacida tan ingenua y pacíficamente el 14 de abril de 1931. Algunos lo proclamaban así con todas sus letras, en especial Calvo Sotelo, la personalidad más destacada y provocadora del campo mo-

4. Cardenal Isidro Gomá, "Informe sobre la situación político-religiosa en España", dirigido al Secretario de Estado, Cardenal Eugenio Pacelli, en 26 de febrero de 1936 (Archivo secreto del Card. Gomá, del que el autor conserva una copia fotográfica).

narco-fascista. Las circunstancias parecían favorecer decididamente a los partidos reaccionarios que movilizaron la totalidad de sus fuerzas. El Gobierno electoral, naipe importantísimo, les era aliado y padrino. Disponían dichos partidos de técnicas de propaganda muy puestas a prueba y perfeccionadas en otros países. Contaban con prensa abundante y bien repartida y con sumas cuantiosas de dinero que derramaban a manos y vociferaciones llenas. Habían cubierto literalmente todas las paredes de la península de carteles a menudo injuriosos. Los dirigentes socialistas andaban huidos. Las cajas sindicales exhaustas. La ley electoral era la misma que les había favorecido a centro y derecha en 1933, cuando, con una totalidad de quinientos mil votos menos, consiguieron mayoría en el Parlamento. Se hallaban persuadidos de que la victoria les estaba predestinada, no faltándoles en apariencia razón en que fundar grandes optimismos.[5]

5. El 22 de enero de 1936 escribía así al arzobispo de Toledo, Cardenal Gomá, al Secretario de Estado Eugenio Pacelli, hoy Pío XII: "Por fortuna los católicos —y aun otros a quienes preocupa la defensa del orden social— han comprendido la gravedad de la situación, y con una propaganda intensísima, jamás conocida hasta ahora, se esfuerzan en alejar el peligro que nos amenaza. (...) El panorama general se presenta favorable. (...) El Sr. Gil Robles, a quien expuse los deseos del Papa acerca de la unión de los católicos, no sólo está propicio a la unión, sino que se muestra esperanzado acerca del éxito de las elecciones. (...) Por o que a mi toca, no omitiré medio para lograr la unión conforme a los deseos de su Santidad; y no sólo una unión circunstancial sino permanente para la defensa de los puntos fundamentales en que todos los católicos han de estar de acuerdo. A este fin se encamina la Exhortación Pastoral que hoy mismo dirijo a mis dio-

Pero las urnas opinaron de distinta manera. Dispensaron el triunfo a los partidos republicanos y socialistas, apretados por instinto de conservación en un democrático Frente Popular. Se invirtieron las suertes. Aunque con no muchos votos de diferencia, estos partidos obtuvieron, en virtud de la ley electoral, harto mayor número de diputados.[6] Pero ello no impidió que «la inesperada y formidable victoria del Frente Popular» fuera reconocida por las personalidades más destacadas del bando adverso.[7]

---

cesanos y de la que me permito enviar a V.E.R. un ejemplar" (Archivo secreto del Cardenal Gomá).

6. He aquí el resultado de las elecciones: Frente Popular, 266 diputados; derechas, 142; centro, 65. Casi todos los diputados del centro eran de filiación republicana. Entre ellos se cuentan los nueve del Partido Nacionalista vasco que iba a desempeñar, al lado de la República, un papel muy importante en la guerra.

7. "La inesperada y formidable victoria del Frente Popular, entregó una vez más las riendas del poder a Azaña", Francisco Franco ("Revue Universelle", 16 de marzo de 1937).

"Nadie puede desde nuestro campo negar este hecho evidente: la jornada del 16 de febrero ha constituido una hecatombe para la derecha española", José Calvo Sotelo ("El Diario Vasco", San Sebastián, 11 de marzo de 1936).

"La discrepancia entre el resultado de las elecciones generales últimamente celebradas en España y los favorables augurios que sobre ellas se habían hecho por parte de todos, y especialmente la gravedad de la situación creada por unos comicios que han resultado adversos a la política conservadora, me obliga a comunicarme otra vez con Vuestra Eminencia para transmitirle mis impresiones personales sobre hecho de tal magnitud en orden a la vida religiosa y política de nuestra nación querida. No lo he hecho sin antes contrastar mi opinión con la de relevantes políticos que han intervenido en la contienda", Isidro Gomá (Carta al Cardenal Pacelli, Secretario

Dos caminos se les ofrecían tras su descalabro de entonces a las fuerzas vencidas en los colegios electorales, *pacíficamente,* una vez más —lo que merece subrayarse, que la paz es la substancia de la República. O cejar, sometiéndose lealmente a la voluntad democrática republicana, para integrarse a sus evoluciones constructivas y contrarrestar el extremismo, o tratar intransigentemente de volcar la situación echando mano con mayor extremismo a las pistolas, al modo de los tahures, para apoderarse así de lo que la voluntad de la nación les había rehusado. Como el progreso natural de España tendía manifiestamente a la consolidación definitiva de la República, y no parecía fácil que volviera a ofrecérseles a las posiciones reaccionarias otra oportunidad tan favorable como la recién perdida, en su mente tomaron cuerpo cada vez menos refrenados, los impulsos cainitas o instintos agresores.

Desde este mes de febrero empezó a madurarse la ya embrionada sublevación militar según es cosa sabida pues que con posterioridad se jactaron y vanagloriaron de palabra y por escrito no pocos de los que intervenieron.[8] Irre-

---

de Estado, Toledo, 26 de febrero de 1936. Del mismo Archivo Secreto).

8. Los generales Franco, Mola, Varela y Villegas se reunieron ese mismo mes de febrero en el domicilio del diputado monárquico Sr. Delgado y decidieron en principio preparar la insurrección en ciertas condiciones. Franco y Mola volvieron a entrevistarse al día siguiente. En el mes de abril circuló entre los militares la "Instrucción reservada. N.º 1" con nueve *Bases* para organizar "la rebeldía" y mediante "la acción violenta" conquistar el Poder. Véase: José María Iribarren, *Secretario del general Mola,* Zaragoza, lib. General, 1938, p. 45 y ss.; Felipe Bel-

flexivas o deliberadas, se multiplicaron las provocaciones temerarias, de tipo fascista, contestadas anárquicamente por los extremistas del pueblo, mientras se llevaban adelante los preparativos. El caso era poder culparle al Gobierno de incapacidad en el mantenimiento del orden. Se sucedieron las visitas de algunas personalidades a Roma y a Berlín, entre ellas las del general Sanjurjo a esta última capital. Las guarniciones españolas que habían jurado fidelidad a la República, urdieron una red conspiradora con miras a un alzamiento cuya fecha de explosión se fue postergando hasta que por fin se fijó, con todos los honores, en el día de Santiago, Patrón de España, el 25 de julio de 1936.

Dos cosas deben tenerse presentes. Toda la propaganda de tipo fascista y de tono nunca conocido anteriormente en España, había empezado a centrarse en el comunismo internacional descrito como una colectividad de fieras, a fin de aterrorizar y enloquecer a las gentes llamadas «sensatas». Sin embargo, y a pesar de la atmósfera sumamente propicia que la intransigencia de las clases conservadoras creaba al comunismo, sus adeptos no habían demostrado en las últimas elecciones fuerza para asustar a nadie. Incorporados al Frente Popular, los comunistas, muy poco numerosos, sólo obtuvieron quince de los cuatrocientos setenta y

_____

trán Güell, *Preparación y desarrollo del alzamiento nacional*, Valladolid, lib. Santarén, 1939, p. 116 y ss. Probativas en lo tocante a la premeditación son las confesiones de Ramón Serrano Súñer en su libro *Entre les Pyrénèes et Gibraltar*, Ginebra, Cheval Ailé, 1949, p. 22 y ss. Etc., etc.

tres diputados de que constaba el Parlamento. Manuel Azaña, la figura señera de la República y por ello objeto principal del odio reaccionario, de cualquier cosa tenía menos de comunista, y lo mismo ha de decirse de los demás políticos. Mas por un abuso de propaganda a la manera nazi, los partidos de derecha tildaban de comunista o de vendido a un fantasmal «oro de Moscú» a cuantos no se plegaron a la causa del fascismo mejor o peor disfrazado. Se acudía al recurso mágico de atribuir al todo la calidad —desnaturalizada— de la parte más ínfima, cerrando los ojos a la realidad de que el problema era un problema español, de que el pueblo cuyo destino se hallaba en juego y cuya sangre se pensaba verter era el pueblo español, de que la República había sido un asunto limpiamente español, y de que en todo ello el comunismo no había intervenido ni próxima ni remota. La intervención internacional había sido en cambio positivamente solicitada y obtenida del fascismo desde años atrás por los partidos católicos y reaccionarios que con su conducta desatentada hacían lo imposible por crear entre obreros, campesinos e intelectuales un ambiente de indignación que ni pintado para el progreso del comunismo en la península. Pero lo diminuto aún de semejante peligro les permitía a los dirigentes republicanos y socialistas considerar sus actividades sin recelo.

Lo segundo que procede tener presente atañe a las fuerzas clericales. Al advenimiento de la República, la Iglesia española como tal pronunció oficialmente por boca del Episcopado una doctrina de alejamiento de la lucha política y de reconocimiento del poder constituido. Esta actitud correcta volvió a sustentarse algún tiempo después. Pero a partir de entonces la posición de la Iglesia y de sus fieles se dio a mudanza apostatando de estas doctrinas que ella misma se había señalado, hasta ponerse fuera de su propia ley, de modo que en el día decisivo, las fuerzas religiosas, como tales, tenían con pocas excepciones hecha causa común con la reacción contra la República.[9]

En el seno del Episcopado había venido escalando dignidades la personalidad dinámica de Monseñor Isidro Gomá, obispo de Tarazona, que de modo «absolutamente providencial», según sus propias palabras, fue nombrado Arzobispo de Toledo en enero de 1933. Emprendió en seguida una lucha esforzada por la Primacía de la Iglesia Española contra la opinión del Nuncio y algunos obispos, y recibió el capelo de Cardenal en noviembre de 1935. Creyó este Arzobispo primado que convenía cambiar de «táctica» a fin de devolverle a la Iglesia su prestigio y una situación económica floreciente. A su regreso de Roma en vísperas de las elecciones de 1936, expidió una Exhortación Pastoral de tono beligerante en contra de los partidos que constituían el Frente Popular republicano, comprometiéndose así en público contra el bando que iba a merecer la voluntad de la mayoría, y a favor de aquel otro que en combinación con los fascistas iba a sublevarse

9. Por ejemplo: la entrevista entre el jefe de los carlistas conjurados, Fal Conde, y el general Mola, en la que se llegó al acuerdo definitivo, se celebró en la celda del *Padre Superior del Monasterio de Irache* el 15 de junio de 1936 (A. Lizarza, *ob. cit.*, p. 96).

contra el Poder constituido legítimamente. En la práctica se declaró Primado de un tercio de España contra la demás. Grave ceguera, a lo que parece, y de consecuencias terribles.

Un dato pequeño pero significativo. En enero del 36, en seguida que el Cardenal Gomá dejó la Ciudad Eterna, nueve diputados —católicos fervientes— de la región vasca —la democracia más antigua de Europa— fueron a Roma para exponer ante la Santa Sede su acatamiento religioso a la Iglesia a la vez que para hacer valer las razones en que fundaban su política regional. Sin embargo, no se les consideró dignos de audiencia ni del Papa ni del Secretario de Estado, Card. Pacelli. Se les había indicado para ello como condición que renunciasen a sus convicciones políticas y firmaran un pacto electoral con las derechas españolas que no tenían fuerza en el país vasco. Como dichos diputados no estimaran conveniente confundir la política con la religión y no se avinieran en el uso de sus derechos a someterse a este requisito que los hacía subordinados políticos del Estado Pontificio, se les volvió la espalda.[10] Muestra este incidente con claridad que, si la guerra iba a ser una guerra religiosa, con sus tremendas consecuencias, las elecciones eran ya para el Vaticano comprometido en una política nefas-

10. Tenían estos delegados concedida fecha para entrevistarse con el Cardenal Pacelli cuando sobrevino la muerte del rey Jorge V de Inglaterra (20 de enero) que trastornó las agendas. Días después se les impuso la condición mencionada (Pedro de Basaldúa, *En España sale el sol*, Buenos Aires, Orden Cristiano, 1946, pp. 81-83). En el ínterin debía haberse recibido la carta del Cardenal Gomá de 22 de enero, citada en nota anterior, en que se denunciaba con suma energía a los católicos vascos.

ta, unas elecciones religiosas. A los católicos en cuanto tales se les presionaba a adoptar una actitud combativa determinada: la de los grupos en cuyo seno se venía tramando la guerra civil en connivencia con el fascismo romano de aquel «hombre enviado por la Providencia», a juicio del Papa (Pío XI, Dic. 1926), «visiblemente protegido por Dios» (Card. Merry del Val, 31 de Oct. 1926), que había empezado por escribir un folleto con el título «Dios no existe». No se sabe, en cambio, que a ninguno de los católicos españoles se les aconsejase después no tomar parte en la insurrección cruentísima contra el régimen y Gobierno constituidos legal y pacíficamente, así como contra el pueblo, sino todo lo contrario.

Con tales antecedentes estalló la insurrección, el 18 de julio de 1936, una semana antes de lo proyectado, a causa de la animosidad incontenible que produjeron los asesinatos, en primer lugar, del teniente Castillo (republicano) y, como consecuencia, del diputado Calvo Sotelo (monárquico). Desde Lisboa, el general Sanjurjo, traidor contumaz, apretó el botón que hizo saltar los diques de la sangre. El fue sin embargo una de las víctimas primeras, porque el avión que abordó en Portugal para ponerse a la cabeza de las fuerzas agresoras, incineró para siempre la memoria de general tan santo —al cual sin embargo no conviene confundir con San Jorge. Con mejor éxito el general Franco, su lugarteniente no menos infiel se trasladaba vestido de moro desde Canarias, donde era Capitán General, al Africa para tomar el mando de las tropas insurrectas, al tiempo que cargadas de odio, con sus sacerdotes al frente se alzaban en Navarra, a las órdenes del general Mola, las huestes tradicionalistas. Para éstas era la tercera guerra civil, fratricida.

Desde el principio España quedó virtualmente partida en dos. De un lado se encontraba el Estado Republicano reconocido oficialmente por todas las naciones del planeta, en el que descansaba la voluntad democrática de España, según había quedado manifiesto en las últimas elecciones, junto a un pueblo que, de acuerdo con la naturaleza pacífica del advenimiento de la República, se hallaba inerme. De otro lado, la inmensa mayoría de los jefes y oficiales del ejército, la llamada «nobleza», el clero casi en su totalidad —salvo en el país vasco— así como en general las clases pudientes, a las que se había aterrorizado mediante la propaganda; cada cual con sus comitivas.

Sobre esta partitura de fuerzas y distribución de papeles, se alzó la cortina de la gran tragedia contemporánea que muy bien pudiera titularse *Europa o la Cristiandad*. Su argumento fue la defensa de un régimen popular, substancialmente *pacífico* —encarezcamos—, dirigido por un gobierno liberal en el que no figuraba un solo miembro ni pálidamente socialista o laborista, es decir, la auténtica *democracia* española —la Re-pública— contra la agresión de un haz de estructuras mentalmente reaccionarias en combinación con los regímenes extranjeros, totalitarios y divinizadores de la guerra, que se proponían hacerse primero con Europa para después adueñarse del mundo. A esto es a lo que se llamó guerra de religión. Lo fue sin duda. La de la razón contra

451

la de la fuerza belicosa. La de la vieja *Europa* contra el pueblo renaciente de España.

Resistiendo el primer golpe faccioso, el nuevo Jefe del Gobierno logró ponerse al habla telefónica con uno de los principales jefes sublevados a fin de evitar la catástrofe inminente v cruelísima. Por dos veces se le hizo ver al general Mola la gravedad de la guerra civil en que hundían a la nación y se le propuso que él mismo se hiciese cargo del Ministerio de la Guerra para sofocarla. Fueron estas gestiones tratadas con desprecio —Mola acabaría «estrellándose» en tierra al poco, por náusea del cielo, como Sanjurjo. El estado pasional de los rebeldes no quería la paz sino la dominación absoluta, la aniquilación fraterna con el nombre de Cruzada o «guerra santa», slogan que a partir de entonces se repitió infinitas veces. En una *interviú* de aquellos primeros días, Franco se declaró dispuesto a exterminar de ser preciso a la mitad de los españoles para lograr sus propósitos.

A fin de justificar la agresión, se recurrió a una campaña de calumnias dirigidas, de tipo nazi-fascista. Naturalmente, cuando el horizonte se ensombreció por completo y se vio brillar descarnadamente la guadaña, ocurrieron horrores convulsivos en el campo gubernamental. Inauditos. Era imposible que no los hubiese desde el momento en que las fuerzas llamadas del «orden» entraron contra éste en guerra y dejaron el campo libre a las pasiones primitivas y a los bajos fondos sociales. ¿Con qué elementos podía evitarlo el Gobierno, primer interesado en el mantenimiento del orden interior para hacer frente al otro formidable desorden?

¿No eran uno y otro frutos del mismo caos? ¿Cabe de ello mejor prueba que los horrores tan espantosos por lo menos en lo material y sumamente más graves en lo moral que se perpetraron en el campo nacionalista, con frecuencia bajo la enseña del «manso y humilde corazón»?

Así se emprendió la «Cruzada» agresora contra la República pacífica del pueblo español que no se sentía dispuesto a dejar la causa de ésta sin defensa. Desde el primer día entró en campaña el sacerdocio que en Navarra, según se ha visto, venía madurando la guerra civil hacía cinco años. Bendijéronse los tanques y demás armas destructivas. Se les aderezó a los soldados con crucifijos y a los moros transportados a la península, con escapularios y detentes-pertrechos novísimos de guerra. En nombre del agonizante en el Calvario, la Iglesia española, comprometida por su actitud inmediatamente anterior, bendijo las calumnias y mentiras, siempre que tuvo oportunidad, y empuñó la espada. A todos se les prometió el Paraíso. No en balde el mahometismo belicoso había sembrado los dientes de su dragón en los campos peninsulares. ¿En dónde estaba el Espíritu Cristiano? Seguramente no en la mentalidad del Primado de la Iglesia española cuando saltó algo después a la palestra con su folleto «El caso de España» (Pamplona, 6 dic. de 1936), donde constan entre otras cosas aquellas palabras inolvidables:

¿Cómo no germinaría en católico la simiente arrojada a través de los campos de España, en los surcos abiertos por los católicos con *la punta de la espada*?

¿No fue un lapso éste del Arzobispo ni tampoco un caso aislado. Otras muchas beligerancias análogas se oyeron y leyeron en España en aquellos días como timbres de gloria de un catolicismo a todas luces anti-cristiano. ¿O será cristiana esta otra máxima del Obispo de Cartagena, Monseñor Díaz de Gomara?

¡Benditos sean los cañones si en las brechas que abren florece el Evangelio!

¿Qué Evangelio? Evidentemente, si la Iglesia española disfrutaba de un relativamente elevado espíritu de cuerpo, desconocía sin remedio el verdadero espíritu de Jesús. Sabían los «presbíteros» muy bien dónde estaba Roma —la fuerza— pero en su confusión «babilónica» no tenían ninguna idea de lo que significa sustancialmente el Amor. ¿No existe acaso nombre y sanción para esta inversión de términos?

No es posible dejar de advertir que al poco de iniciarse la «Cruzada», las huestes nacionalistas inscribieron el escudo español en el águila del Apocalipsis, en recuerdo de Isabel la Católica —cosa que hasta hoy continúa— (como cuando descubrió Colón el Nuevo Mundo). —¿Azar?

Mientras tanto, la maquinaria europea se dedicó a pulimentar los engranajes de su rigodón fúnebre. Fallida la intentona de derribar a la República al primer sablazo y teniendo ésta en sus manos el triunfo, las potencias fascistas Alemania e Italia iniciaron sin pérdida de momento la intervención convenida, dando prin-

454

cipio a la más descocada y lúgubre quizá de las farsas internacionales de que se tiene memoria. «En Julio de 1936 —subrayamos— me decidí de pronto a responder a la solicitud de ayuda que me pedía (Franco)», confesaría Hitler en un discurso bofetada a la faz del mundo (6 de Junio de 1939). Se conoce al detalle la conducta, que, a partir de la primera quincena en que expidió a Franco una escuadrilla de aviones —consignados con este fin desde el *día antes* de la insurrección— sostuvo Mussolini hasta poder jactarse a voz en cuello de que la victoria franquista fue una victoria italiana. (A él se le debió en primer término, el cruce del estrecho de Gibraltar por las tropas marroquíes.) Lo sabían todos los países que formaban parte de la Sociedad de las Naciones. Ello no impidió que la democracia española, miembro distinguido de la institución, fuera maniatada gradualmente para su más cómodo sacrificio. Cuando el Gobierno, en uso de su legítimo derecho, quiso adquirir armas para defenderse de la agresión internacional de que era víctima, Inglaterra ejerció su presión intimidatoria sobre el Gobierno francés del Frente Popular no sólo para que este país no se las vendiese como tenía obligación contraída, sino, cosa increíble, para que cerrase las fronteras. Los incidentes de semejante hazaña —con hache de hacha— son los que acongojan el sentimiento más elemental de justicia. Se instituyó en seguida un Comité de no Intervención, dizque para evitar la guerra —ya se vio después— pero en realidad para dirigirla mejor, tras su pantalla, contra el Gobierno democrático. Aquella Gran Bretaña que a continuación de estas perfidias firmó con Mussolini en enero de 1937 un *gentleman agreement* y que dio de sí la personalidad funesta de Neville Chamberlain, figurará en el cuadro de la deshonra por los siglos de los siglos.

Pero el pueblo español no sentía inclinaciones a rendirse. Haciendo frente a la adversidad y las abominaciones calumniosas, se defendió como pudo contra los de dentro y sobre todo contra los de afuera. Ya avanzado el conflicto, compró en Rusia los tanques y aviones que le fue posible, cuyo número siempre reducido era en seguida sobrepasado con creces por los agresores. Vinieron además a prestarle ayuda unas Brigadas internacionales compuestas de verdaderos voluntarios de todos los países, algunos comunistas, otros no, que, como testigos de la universalidad, sintieron muy dentro de sí la vocación del martirio. Madrid, bombardeado noche y día, se sostuvo de milagro hasta convertirse en símbolo de esperanza para el mundo entero. Dígase por ejemplo y entre innumerables, cómo sentía Alberto Einstein en aquella hora tétrica:

El único hecho que, frente a los acontecimientos actuales, puede mantener viva en nosotros la esperanza en tiempos mejores es la lucha heroica que sostiene el pueblo español por la libertad y la dignidad humanas.[11]

En efecto, en los frentes improvisados, con fuerzas improvisadas, bajo mandos improvisados, se opuso contra los agresores una defensa

11. "New York Times", 19 de abril de 1937, p. 4, col. 5.

cuyo parapeto más fuerte era el heroísmo de los pechos populares. Para quebrantar esa resistencia se habían intensificado ya los bombardeos ferocísimos a la retaguardia, mediante los cuales la aviación nazi afinó sus instrumentos para la guerra siguiente. Durango, ciudad pacífica del país vasco, fue ejecutada el 31 de marzo de 1937. Semanas después, el 26 de abril le llegó el turno al santuario de la democracia vasca, Guernica, ciudad abierta, abrasada por los aviadores germanos. Pero no bastaba cometer el delito. Se llegó al virtuosismo de echar oficialmente la culpa a la aviación gubernamental. (Mientras, los obispos, que estaban en el secreto, según contaba el de Calahorra —adivina quién te dio—, se miraban unos a otros y sonreían.) La conciencia de los hombres bien nacidos del mundo entero llegó a un estado de intolerancia moral nunca alcanzado en la guerra siguiente. Se tocaba a la médula misma del ser humano, al sentido trascendental de justicia, a la razón de verdad, al bien. Sectores grandes y variados del mundo se retorcían en ese estado de angustia indecible, de indignación y alarido que mejor que en ningún otro testimonio se tradujo en el cuadro genialmente popular de Picasso, *Guernica*, fuera de sí ante el horror de crímenes tan bestiales.

Entonces fue cuando intervino el Episcopado español con la obra maestra de la propaganda facciosa: *la Carta colectiva de los Obispos españoles a los del mundo*, de primero de julio de 1937.

Es cosa establecida documentalmente que ese texto fue escrito a instigación del generalísimo Franco —quién sabe por quién—. El 15 de mayo, veinte días después del bombardeo criminal de Guernica, el Cardenal Gomá dirigió una carta personal a cada uno de los Metropolitanos informándoles que el Jefe del Estado le había expuesto la conveniencia de que el Episcopado redactase un documento de esta especie colectiva y solicitaba de ellos su conformidad. ¿Cuál era el propósito de Epístola semejante? En primer lugar, hacer un acto de propaganda para, dice Gomá,

reprimir y contrarrestar la opinión y propaganda adversas que, hasta en un gran sector de la prensa católica, ha contribuido a formar en el extranjero una atmósfera adversa que ha repercutido en los círculos políticos y diplomáticos que dirigen el movimiento internacional.

Los Obispos se proponían, pues, anular con sus declaraciones a favor de la «Cruzada» franquista, el efecto espantoso producido por los bombardeos infames en los círculos dirigentes de Inglaterra y Estados Unidos, a fin de que la aviación nazi pudiera seguir inmolando a los infelices de su propio pueblo —como sucedió hasta el fin de la guerra.[12] En segundo lugar, el propósito de este documento eclesiástico era impedir una transacción pacífica entre los contendientes. La agresión cainita debía ser con-

12. Un ejemplo: "No existen las palabras para describir las escenas que se han desarrollado en Guerniva, y Guernica no es más que un suceso aislado, el punto culminante de una larga serie de atrocidades", declaración del Senador Borah ante el Senado de los Estados Unidos el día 6 de mayo de 1937.

ducida hasta el fin. Lo dice sin el menor empacho el Cardenal Gomá en su carta a sus conmilitones:

Merced a una información copiosa que tengo del extranjero, puedo aseguraros que, especialmente en Inglaterra, Francia y Bélgica predomina hasta en los católicos, un criterio contrario al movimiento nacional, y que aun en los medios que nos son muy favorables, se cree necesaria la terminación de la guerra por medio de un acuerdo entre las partes beligerantes.[13]

Esta terminación de la guerra es lo que no quiere en modo alguno la Iglesia española y, a lo que se deduce, la universal; lo que no quiere Franco; lo que no quieren Hitler y Mussolini que dirigen los sucesos. La opinión pública mundial, incluso entre los católicos, según confiesa el Primado cuya «información copiosa» procede sin duda de fuentes estatales, estaba sublevada por los acontecimientos monstruosos y presintiendo lo que semejantes horrores de lesa humanidad preñaban para Europa y para los demás continentes. Pero la Iglesia nominalmente Española creía necesario ponerse al servicio de la propaganda de una causa sin entrañas identificada con la de aquel «hombre enviado por la Providencia» que sostenía que «la guerra es al hombre lo que la maternidad

13. "España Peregrina". Organo de la Junta de Cultura Española, México, junio de 1940, n.º 5, p. 209. Esta carta del Cardenal Gomá fue publicada en primer lugar por "Euzko-Deya", publicación de la Delegación vasca en París.

a la mujer» y que el año anterior había desencadenado alegremente la invasión y matanzas de Etiopía hasta incurrir en la condena oficial de las naciones.

Se puede asegurar, sin temor a verse obligado a retractarse, que la Carta colectiva del Episcopado Español a los católicos del mundo es un modelo refinado del arte de ver la paja en el ojo ajeno e ignorar la viga en el propio. Bajo maneras untuosas y pacigüeñas —disfrazada con cuernos de cordero— esconde la intención más afilada y perniciosa que les era sostenible a favor de una causa uña y carne a la sazón del nazi-fascismo, acaudillada por un César perjuro e insurrecto cuya impiedad se manifestó desde los días iniciales. La palabrería cristiana de los Prelados es máscara tras la que se escuda el propósito de quien llevaba bien avanzada su tarea de pasar por las armas a millón y pico de españoles por el gran pecado de no rendirse a su voluntad ensoberbecida. «¡Franco, Franco, Franco!», venían clamando con las manos alzadas en un gesto de glorificación al Generalísimo los militares y hasta los Obispos, plagiando sacrílegamente el «Santo, Santo, Santo, es el Señor de los Ejércitos», que se reza en el Sanctus de la misa.

Las falsedades, las deformaciones y los partidismos tendenciosos abundan en la Epístola del Episcopado que pide a sus lectores ayuda para «difundir la verdad», una verdad agusanada por un cincuenta por ciento de bien ponderadas inexactitudes, por no decir mentiras.

Empieza la carta por sentar que el Frente Popular no había ganado las elecciones, dando a entender que la legalidad electoral había sido conculcada, privando por sí y ante sí al pueblo y a su Gobierno de su derecho y de su bien. Sostiene asimismo, a fin de justificar la agresión facciosa, que, cuando el alzamiento llamado nacional se produjo, estaba a punto de estallar una revolución comunista. Era ésta una especie avanzada ya por el Cardenal Gomá en «El caso de España» y tan falsa, según hoy bien se sabe,[14] como lo fue la pretendida agresión de la Unión Soviética a Alemania y tan mentirosa como el ataque de Corea del Sur a la del Norte. (¿Bajo qué árbol habían visto «los ancianos» adulterar a la bella Susana que se les había resistido?)

Los mitrados se rasgan hipócritamente los sobrepellices ante los desórdenes ocurridos en la zona gubernamental a resultas de la sedición de las fuerzas del orden, silenciando como sepulcros blanqueados los asesinatos constantes y sin número, a veces en masa, cometidos en la zona de sus amores con anuencia de las autoridades cuando no a instigación o por estas mismas. Se escandalizan de los sacerdotes muertos en la zona republicana, cuyo número multiplican sin escrúpulo, y nada dicen por ejemplo de los sacerdotes vascos fusilados, encarcelados y desterrados sin que su voz episcopal balbuceara una protesta. Para nada se les ocurre referirse a los millares de maestros ejecutados sañudamente por las fuerzas en cuyo campo se había oído en voz de general el extraordinario grito: «¡Muera la inteligencia!». Ignoran los bombardeos nefandos contra las

14. P.A.M. Van der Esch, *Prelude to War. The international repercussions of the Spanish civil war*, La Haya, M. Nithoff, 1951, p. 27.

ciudades abiertas y las gentes humildes del pueblo, patentizando a todas luces que ni esas madres ni esos hijos ni ese pueblo son ni material ni espiritualmente los suyos. Hacen caso omiso de los ejércitos italianos y alemanes que acampan y ofenden en las diócesis que sirven. El esfuerzo ciertamente heroico realizado por el Gobierno legítimo de España en colaboración con la Oficina Internacional de Museos de la Sociedad de Naciones para proteger el patrimonio artístico nacional, puesto en grave peligro por los bombardeos, es calificado por sus Ilustrísimas de expolio. Etc. etc. No tiene esta Epístola otro interés que el de su propaganda maliciosa, lo que equivale a declarar que la Iglesia llamada Española se ha convertido en un aparato de información torcida o de falso testimonio, que procura dar al César, cuando lleva éste a cabo sus hecatombes, lo que es de Dios, a fin de que aquél retribuya a la institución y a sus titulares con el monopolio religioso de la península. Lo que no quieren los gobiernos nazi-fascistas a causa de sus proyectos de dominación del mundo; lo que no quieren Chamberlain y sus anacrónicos reaccionarios ingleses a quienes los dedos se les antojan bolcheviques; lo que no quiere la Iglesia llamada Española —y sin duda el Vaticano que trata de beneficiarse con aquellos proyectos— es una paz negociada. Los Obispos de Burgos, de Santander, de Madrid, de Salamanca, levantan su voz expresamente contra cualquier intento de mediación pacífica. Impera en todo su esplendor un cainismo vestido de azul obtuso que muestra cómo los ideales de la Iglesia católica contradicen al

Espíritu Cristiano. Así en el Congreso Eucarístico celebrado en Budapest el 28 de mayo de 1938, pudo el Cardenal Gomá ser fotografiado sobre una tribuna decorada con el emblema de la Eucaristía, el retrato de Franco y el lema *Vinculum Caritatis,* en el momento de hacer un nuevo acto de propaganda prevaricadora contra todo lo que no fuese llevar las hostilidades hasta el fin y alcanzar la victoria a punta de espada. Siempre la famosa espada —la del Anti-Cristo.

Pero semejante actitud no era privativa de la Iglesia llamada Española. Se asegura insistentemente y la especie parece gozar de los mayores visos de verosimilitud, que uno de los motivos cardinales de la misión que le trajo al Secretario de Estado, Cardenal Pacelli, hoy Pío XII, a Estados Unidos durante la campaña electoral de fines de 1936, fue lograr que este país se adhiriese a la política de No-Intervención estableciendo el embargo de armas en contra del Gobierno legítimo de la República, mientras Mussolini, el «hombre visiblemente protegido por la divina Providencia» intervenía con todos sus poderes y maquiavelismos. Se ignora lo que el Secretario de Estado pudo sugerirle al Presidente Roosevelt en la entrevista que con él tuvo. Pero es notorio que la ofensiva hostil, calumniosa en buena parte de los católicos de Estados Unidos contra los republicanos españoles, creció desde el viaje de Pacelli en intensidad furibunda, incluso intimidatoria —y efectiva— con miras a la atención de Washington y de la Casa Blanca.

Muy notable, de otro lado, es que por aquellos mismos tiempos, y no obstante sus graves querellas con el régimen nazi, el Episcopado alemán considerase oportuno —por consejo sin duda del Vaticano— aprobar colectivamente más de una vez la intervención que Hitler estaba realizando en la península.[15] Existía un interés común muy claro. ¿Cómo por parte de los católicos hubiera podido no ser esto así cuando el mismo Pontífice Pío XI, después de aconsejar la unión de todos en un discurso público el 14 de diciembre de 1936, bendijo a cuantos participaban en la difícil y peligrosa tarea, decía, de defender el honor y la religión de Dios del ataque que contra uno y otra había desencadenado en España «el bolchevismo»?

Por no ser menos, el General de la Compañía de Jesús, P. Wladimir Ledochowski dirigió una carta circular a las ciento doce publicaciones controladas por los jesuitas en cincuenta idiomas, notificándoles que la lucha emprendida por el Generalísimo Franco era una Cruzada contra las fuerzas del mal.[16] La consigna fue difundida desde púlpitos y confesionarios a los cuatro horizontes del mundo.

Estos fueron los procedimientos en cuya virtud el catolicismo universal, con las excepciones naturales, acabó por constituir un bloque activo contra la República española y a favor del fascismo europeo cuando se defendía el espíritu de paz contra el de guerra y el porvenir contra el pasado. Ni aun proponiéndoselo

15. Carta publicada en el "Nazionale Zeitung" el 12 de septiembre de 1936 y "Pastoral" de 3 de enero de 1937 (según Auro Manhattan, *The Vatican in World Politics*, New York, Gaer, 1949, p. 97 y ss.).
16. Ismael Herraiz, *Italia fuera de combate (1944)* (según P. Basaldúa, *ob. cit.*, pp. 348-49).

hubiera podido patentizar mejor su incompatibilidad absoluta —mortal— con cuanto cifraba el despertar novísimo. El mismo trazó a vista del mundo su postrer frontera.

Así asumió genio y figura aquella lucha fratricida y foragida de los divinizadores de la belicosidad y de sus falsos profetas, contra un pobre pueblo atrasado —aunque no tanto como sus verdugos— pero asistido por la esperanza en la regeneración pacífica que le había traído el milagro de la República caída del cielo en el primer día de las Américas —un pueblo digno de ser amado. Consecuentemente, el único país que estuvo entera y desinteresadamente a su lado entonces y después, fue México, primogénito del Nuevo Mundo y objeto de odio también para las greyes clericales.

Prosiguió la intervención con caracteres cada vez más procaces y ominosos, como es sabido, y cada vez más consentida por Chamberlain y sus huestes, y por el Vaticano y las suyas. De nada sirvió que las conciencias despiertas del orbe se sintiesen desgarradas atrozmente y advirtieran el peligro mortal que pendía sobre la tierra y en especial sobre Europa. Había en aquella hora crucial dos mundos frente a frente como los hubo un día en el Calvario, con el que, *mutatis mutandis,* no pocos rasgos de afinidad ofrece la tragedia colectiva española. Madrid, ciudad simbólica de la paz —la Madre. En ella sacrificada cruentamente la voluntad de un pueblo ávido de redención y movido por la esperanza de un mundo mejor para él y para todos los pueblos; crucificada por la coalición de las legiones romanas y de los príncipes de los sacerdotes.

465

«Nadie podrá negar que el *Deus ex machina* de esta guerra ha sido el mismo Dios», diría Gomá tan campante. ¿Qué Dios? Seguramente no el de quien murió en la cruz sin resistencia después de haber condenado que se le defendiese con la espada. No aquél de quienes sentían la vocación del martirio por la tranfiguración del mundo y ponían la paciencia de su fe en el Advenimiento. A lo más será el Dios de quien Mahoma se declaró profeta y cuyo paraíso deleitoso florecía «a la sombra de las espadas». Es el Dios en el que se creen ser los que sentados en el templo bendicen con una mano mientras secundan al agresor con la siniestra. El lector de las páginas anteriores no ignora el porqué en dieciocho siglos y medio de anticipación fue «Pedro» —«que tenía espada»— condenado.

De aquí que cuando se consumó la ignominia y la consternación se cebó en medio mundo y Madrid, símbolo de la ciudad universal, rindió su espíritu, y el exilio se abrió a los desterrados españoles como si fuesen la hez del planeta —lo que no carecía de abolengo— mientras en la península se llevaban a cabo matanzas espantosas, se oyera con suma pertinencia el trémulo de la voz del Sumo Pontífice Pío XII, Eugenio Pacelli, dirigirse a las falanges franquistas en abril de 1939 aprobando con entusiasmo paternal la «guerra santa» y haciendo eco a las felicitaciones de Hitler y Mussolini:

Con inmenso júbilo nos dirigimos a vosotros, hijos queridísimos de la católica España, para expresaros nuestra paterna congratulación por el don de la paz y de la victoria con que Dios se ha dignado coronar el heroísmo cristiano de vuestra fe y caridad, probado en tantos y tan generosos sufrimientos.

...el sano pueblo español, con las dos notas características de su nobilísimo espíritu, que son la generosidad y la franqueza, se alzó decidido en defensa de los ideales de fe y civilización cristianas, profundamente arraigados en el suelo fecundo de España.

En prenda de las copiosas gracias que os obtendrán la Virgen Inmaculada y el Apóstol Santiago, patronos de España, y de las que os merecieron los grandes santos españoles, hacemos descender sobre vosotros, nuestros queridos hijos de la Católica España, sobre el Jefe del Estado y su ilustre gobierno, sobre su celante Episcopado y su abnegado clero, sobre los heroicos combatientes y sobre todos los fieles, nuestra bendición apostólica.

Todo fueron en aquella primavera violada parabienes, regocijos, intercambio de presentes, y de orgías azules en celebración del triunfo de la religión belicosa contra el pueblo en que reposaba el ideal pacífico.

«Ramos de olivo florecen ahora en las orillas del Tíber...» diría aún en el día de los Inocentes de ese mismo 1939 el Sumo Pontífice al reyezuelo de Italia y afrentoso Emperador de Etiopía, después de consumada la intervención infame en tierras españolas. Ramos de olivo que por sí solos se asocian con aquél grande y famoso que extendía Mussolini en octubre de 1936 al mundo, brotando de un inmenso bosque de ocho millones de bien aguzadas bayonetas.

Sí, sí, olivo...

En seguida, claro está, vino el Diluvio; aquel Diluvio que figura precisamente en el escudo de Eugenio Pacelli con sus hojitas de otra especie de oliva en el pico de la paloma. («Será como en los días de Noé...») y cuyo Dios maquinante no tiene mucho en común con el que adoraban los sacerdotes que llamaban Amor a las conveniencias de Roma. Pero un Diluvio de fuego, como el de Sodoma, intrínsecamente previsto contra la Roma-Europa desde el siglo primero.

Irrumpió, como consecuencia natural, la guerra con sus desastres pavorosos. Vino el no saber a qué carta colectiva apostar ni a qué nube del cielo encomendarse, levantando los brazos en aspaviento para proteger el Alma Lupa eterna, por quien nada había encontrado qué suspirar cuando se destrozaban a mujeres y niños españoles.

Esto es, ocurrió el apoteosis del bestiario apocalíptico, la catástrofe barbarísima preparada y ensayada deportivamente en España contra la democracia auténtica, objeto de vilipendio y mofa para soldados y presbíteros. Se produjo el bombardeo hasta la saturación de aquel Londres donde se había negociado la tragedia española y donde ahora no sabía la torpeza de Chamberlain bajo cuántos estadios de carbón esconderse. La humillación total de Francia, mientras Hitler, Mussolini y Franco seguían cruzándose mensajes de camaradería eufórica, y el último de los tres, creyéndose dictador del universo, prodigaba con testarudez de yunque sus ataques contra la democracia del mundo... — «en estos momentos en que

468

las armas alemanas dirigen la batalla que *Europa y el Cristianismo* anhelaban desde hace tantos años»[17]. Los cementerios extendiéndose en alud por las campiñas; la sangre desbandada, esquiva a toda madre; el dolor a cuarenta codos sobre las frentes más enhiestas... Y por encima, flotando como un corcho suelto, entre ayes y estampidos, la voz edulcorada de quien se precia de poseer las llaves de la Sabiduría pero que por lo pronto no han pasado de ser las que han ayudado a abrir las puertas del averno. Todavía no se habían extinguido del todo las palabras que pronunció su boca como fuegos fatuos sobre un millón de cadáveres el 16 de abril de 1939:

Dios ha querido la paz y la victoria para España... que ha dado ahora a los prosélitos del ateísmo materialista de nuestra época la prueba más excelsa de que por encima de todas las cosas se alza el valor eterno de la religión y del Espíritu.

No mucho después Mussolini, el hombre providencial, había sido colgado cabeza abajo —como «Pedro»— en una plaza pública de Milán; Hitler consumido en el hogar de su infierno propio; Franco el santificadísimo por los ministros dizque de la divinidad, veíase condenado por la conciencia de las Naciones y excluido de su organización nueva —que la antigua había zozobrado al explotar la Santabárbara. *Europa o la Cristiandad* había dejado de ser

17. Francisco Franco, discurso de 17 de julio de 1941 en Madrid.

como poder político dominante, para venir las riendas a las manos de los materialismos más poderosos de nuestra época, a las de Estados Unidos, país reformado, a las de la Unión Soviética, país ateo que ganó su guerra a vida o muerte no obstante que el llamado «valor eterno de la religión y del espíritu» lanzó contra ella sus legiones pardas, negras, azules... Etc., etc.

Lo único que permanece aún en pie de aquella configuración de contubernio aciago y de falsía, es la Roma-Europa presbiteral con su apéndice predilecto entronizado en los eriales de la desdicha española. Es decir, los genuinos protagonistas de «la abominación del asolamiento», afincados en «el lugar santo». Porque no cabe olvidar que, según su jactancia aborrecible, la guerra europeo-española fue un conflicto religioso. Cruzada y guerra santa, ay, a cuyo *Deus ex machina* o espíritu de belicosidad —«nadie podrá negarlo»— se le decía sentado en el trono de Dios como Dios.

¿Sería esto último cierto?

¿No habría más Espíritu que el que el Sumo Presbítero cree que acerroja para sus hechicerías particulares en el sepulcro blanqueado que le sirve de bodega? ¿Habríase terminado *ad majorem Romanae Ecclesiae gloriam* y para el siglo de los siglos el «juicio de Dios» que aniquiló a la vieja Europa y transformó las estructuras del mundo en la ordalía de 1945?

En caso negativo, ¿qué suerte podría haberles quedado reservada a estos supervivientes de la catástrofe, dejados ahí de un modo especial como para postre, después de que en aquella sazón de prueba, cuando todo árbol hubo de aprontar su fruto —y lo dio sobre el de su cruz allá en el *Finis-terrae* europeo de la República Española—, evidenciaron lo corrosivo y tóxico de su savia?

En aquel —y en este— primer albor de universalidad ¿estaba o no «Pedro» desnudo y ciego, exhibiendo a vista de todos su vergüenza?

¿Se hallaba o no sentado sobre la fatídica Bestia escarlata, Roma-Europa, ebrio con el vino cesáreo de su fornicación?

Babilonia, la gran ciudad de la «confusión» de lenguajes, ¿estaba o no erigida contra el Espíritu del Verbo articulado en los escritos de «Juan»? («Salid de ella, pueblo mío.»)

¿Qué había hecho con «los pequeños», además de enriquecerse, el Mayordomo encargado de darles de comer y de beber?

¿No tenía las manos llenas, empapadas, de sangre fraterna?

Sus protestas caritativas ¿no eran acaso la inversión sodomítica del verdadero AMOR?

En circunstancias tales ¿podría no acudir a juicio definitivo la espada de aquel Verbo que dejó afirmado: «El que a espada matare es preciso que a espada sea muerto»?

Ya en otro campo ¿no estaría llamada a gloriarse en su Nuevo Mundo el Espíritu de aquella República popular y pacífica del *14 de Abril*, lavada de sus impurezas por el martirio, a la otra orilla de la muerte? [18]

Nueva York, 1954

18. En cuanto a profecías, recuérdese aquí la notable de Unamuno en 1924: "Cristo agonizó y murió en la cruz con efusión de sangre, y de sangre redentora, y mi España agoniza y va acaso a morir *en la cruz de la espada*

471

y con efusión de sangre... ¿Redentora también?" (*La Agonía del Cristianismo*, in fine). Léase asimismo en *Poeta en Nueva York* el poema "Grito hacia Roma" (1930) de García Lorca, el poeta popularmente representativo de España, que, por serlo, murió asesinado entre incontables por las fuerzas católicas del "orden" en la ciudad de Granada, especialmente simbólica para el Nuevo Mundo.

Adviértase que el Papa Pío X, muerto en *agosto de 1914* y beatificado por el actual, escribió contra "la apostasía" y "la perversión de los espíritus" la primera de sus encíclicas —*E Supremi*, 4 de octubre de 1903—, diciendo que "el hijo de la Perdición de que habla el Apóstol se encuentra ya en tierra". Es evidente que, a su juicio de Cabeza visible de Roma-Europa, se estaba ya en "los últimos tiempos".

# Marginales